Slo
D0474719

BITWY
ANIOŁÓW

30130503618259

Włodzimierz Malczewski

BITWY ANIOŁÓW

WYDAWNICTWO POLIGRAF

© Copyright by Wydawnictwo Poligraf, 2013
© Copyright by Włodzimierz Malczewski

Wszelkie prawa zastrzeżone. Żaden fragment nie może być publikowany ani reprodukowany bez pisemnej zgody wydawcy.

Projekt okładki: Izabela Surdykowska-Jurek, Magdalena Muszyńska

Korekta: Klaudia Dróżdż

Skład: Wojciech Ławski

Książka wydana
w Systemie Wydawniczym Fortunet™
www.fortunet.eu

ISBN: 978-83-7856-080-7

Zamówienia hurtowe:
Grupa A5 sp. z o.o.
ul. Krokusowa 1-3, 92-101 Łódź
tel.: (42) 676-49-29

Wydawnictwo Poligraf
ul. Młyńska 38
55-093 Brzezia Łąka
tel./fax (71) 344-56-35
www.WydawnictwoPoligraf.pl

Moim dzieciom
Urszuli, która zmusiła mnie
do napisania tej powieści
i Michałowi

„I zesłał Uriela i dał mu moc,
I kazał aniołowi oczyścić ze zła,
I zniszczyć ich i ocalić …"

Druga Księga Henocha

Rozdział I

Paryż

Wyjechali z Łodzi wczesnym rankiem. Zaplanowali wszystko od a do z. Wiedzieli kogo, wiedzieli gdzie, a nawet o której bez świadków. Jednak zawsze była odrobina niepewności. Wszystko było zaplanowane, ale... Zawsze było jakieś „ale". Mógł później wyjść z pracy, mogła żona wrócić wcześniej, czego nigdy nie robiła, gdyż zazwyczaj przychodziła później. Dziecko schorowane, odebrane przez babcię, mogło nagle powrócić do domu z niechcianej, tak znienawidzonej kolonii.

Nie mogło być wpadki. Szef tego nie tolerował, i dlatego Mały przez cały miesiąc przyjeżdżał, sprawdzał, notował – kiedy wychodzi i przychodzi, kiedy ona wraca. Zawsze wracała po nim, nie pracowała długo, lecz zawsze wracała, gdy był już w domu, chyba na obiad, ale tylko tego Mały nie wiedział, może tylko tego.

Sterczał pod budynkiem, na drugiej stronie ulicy, obserwując ludzi idących na pocztę i wychodzących z niej. Młode laski spieszące do szkoły, biegnące, bo dzwonek na lekcje już przebrzmiał. Najbardziej lubił, gdy po zajęciach sportowych lub w ich trakcie, biegły tylko w podkoszulkach i spodenkach albo tak samo krótkich getrach po słodką bułkę, batona lub zimny napój do sklepiku przed szkołą, i sobie wyobrażał.

Stawał na ich drodze, wysoki, dobrze zbudowany, opalony, przystojny, w nienagannym markowym garniturze i uśmiechem na twarzy. Nie było takiej, co mu nie odwzajemniła uśmiechu. Wiedział, że się podoba.

Zainteresowanie jego wzbudził szczupły, wysoki mężczyzna o bladej, wychudzonej twarzy, kilkakrotnie w ciągu dnia przemierzający ulicę lub siedzący na ławce w parku. Zawsze w ciemnych okularach, z nieodłączną teczką lub gazetą prawną w ręce, udawał biznesmena lub prawnika. Idąc, wywijał kluczykami od samochodu, którego nie miał.

– Idzie Miejski Głupek. Znalazł klucze od wychodka – śmiały się dziewczyny z ogólniaka, aby za chwilę obdarzyć Małego najwspanialszym uśmiechem.

Co szeptały na jego temat, niestety, nie wiedział.

Ten, z którym jechał, był szczuplejszy od niego, trochę niższy, może nawet przystojniejszy, ale ta twarz – twarz budząca zaufanie, a zarazem niebywały respekt. Wielki Szef z reguły otaczał się takimi ludźmi i dbał o ich wygląd, a Mały wiedział, że towarzysz podróży jest pupilem bossa.

Mały prowadził, pasażer miał zamknięte oczy – rozmyślał. Miał ochotę zapytać, dlaczego mówią na niego Anioł. Widywali się, jak to w firmie, rzadko. Wspólnie zrobili w ciągu tych trzech lat może dziesięć akcji, razem z tą, i nigdy nie zadał mu żadnego pytania. Nie miał odwagi, nikt w jego obecności nie miał odwagi, nawet Wielki Szef trzymał dystans. Nie bał się go, ale szanował. Emanowała z niego jakaś siła, a na szacunek wielokrotnie zasłużył. Dwie rzeczy nurtowały Małego – skąd przezwisko Anioł i jak naprawdę ma na imię – ale nie pytał. Inni też.

Małego rozpraszały dziewczyny pod szkołą. Niewiele miał do roboty, obserwując wchodzących i wychodzących z poczty, pracowników instytucji i urzędów, sądu i biur, przychodzących do pracy po godzinie siódmej i przed ósmą, a wychodzących zaraz po piętnastej i po szesnastej. Lubił patrzeć na eleganckie kobiety wchodzące do banku i ZUS-u, by zacząć od rana pracę. Zwłaszcza na miłą blondynkę i lekko przy kości ponętną brunetkę. Przechodził na drugą stronę, by minąć się ze zgrabną dziewczyną prawie biegnącą do Urzędu. Już za trzecim razem na jego uśmiech odpowiedziała delikatnym podniesieniem dłoni na powitanie.

Ulica Prezydencka tętniła życiem. Jego Cel też przychodził do Siedziby Inkwizycji, tak o nich mówił Szef – nie jeździł samochodem, jeździła nim żona, ale nigdy po niego nie przyjeżdżała. On chodził. Pracę opuszczał nieczęsto, do domu wracał zawsze.

Obserwował go, notował w pamięci zwyczaje i już po tygodniu wiedział albo mu się zdawało, że wie wszystko, że trzeba to zrobić w drodze do domu i przekazał Szefowi. Zebrał opieprz, bo nie wiedział, co z dzieckiem, kiedy wraca żona, czy pod domem można zaparkować samochód bez rzucania się w oczy, czy jest w drzwiach domofon i czy można to zrobić w jego mieszkaniu, bo tam musi to się odbyć.

Potrzebował jeszcze trzech tygodni, aby wiedzieć, że żona wraca później od niego albo jeszcze później i chyba na obiad, dziecko jedzie na kolonię, co ze łzami w oczach mówiło do kolegów, idąc ze szkoły. Żonę odwozi nieraz po pracy przyjaciel, żona ma imieniny, dziecko będzie na kolonii i – co przyjął jako pewnik – on w dniu imienin wróci o czasie lub przed czasem z kwiatami, posprząta, przygotuje obiad przy świecach, a ona wróci później albo jeszcze później, albo bardzo późno i będzie na to czas i wtedy…

– Gdzie my do diabła jedziemy? – zapytał nagle Anioł. – Do Paryża?

– Jakiego Paryża? – przerwał rozmyślania Mały.

– Przecież widziałem na wielkiej żółtej ścianie napis Paryż. Wjeżdżamy do Paryża?

Mały zatrzymał samochód, przepuścił jadący za nimi, zawrócił, jeszcze raz zawrócił i ukazała się im ponownie żółta ściana z napisem.

– No rzeczywiście, to nie Paryż – stwierdził Anioł i zaczął czytać: – Ceramika Paradyż…

Nie zdążył dokończyć, gdyż Mały gwałtownie skręcił kierownicą, zjeżdżając na prawy pas i unikając zderzenia z nadjeżdżającym z naprzeciwka wielkim tirem.

Zajęci odczytywaniem napisu, nie zwracali uwagi na drogę, która zawiodłaby ich nie do zakończenia, jakiego życzył sobie Szef, ale na tamten świat lub przynajmniej do lokalnego szpitala. Nie oni kończyliby zadanie. Robotę miałaby policja, znajdując w samochodzie dwa pistolety i tłumik, a prowadzący sprawę zastanawialiby się, po co tym dwóm przystojnym facetom taki arsenał.

– Nie zadawaj głupich pytań. Przejrzyj lepiej zdjęcia – rzekł Mały. – Ja dowiozę nas na miejsce, a ty się przygotuj.

– Aby szczęśliwie.

– Spokojnie, moja w tym głowa. Będziemy na miejscu za kwadrans.

Skręcili w stronę śródmieścia, jadąc obskurną, wyboistą, główną ulicą, okoloną rozwalającymi się ruderami. Anioł patrzył na wyłaniający się zewsząd brud, czuł zapach stęchlizny, dolatujący z bram i mieszkań kamienic, mimo że okna były zamknięte i mieli włączoną klimatyzację, a gdy dojechali do śródmieścia, obraz się zmienił, poczucie szarości spotęgowało się, było jeszcze gorzej. Zabite deskami okna w kamienicy, szyldy sklepów na odrapanym tynku, chodniki z połamanych płyt. Szaro, buro, nijak. Tylko zielone drzewa zakrywające tę nędzę, pozwalały na przyjemniejsze odczucia.

Zastanawiał się, co tu robi, po co tu przyjechał, dlaczego musi to zrobić.

„Szef tak kazał" – pomyślał. A Szef był wielki, był kimś w ich świecie, a jego uważał prawie za syna. Tak dał mu do zrozumienia.

Mijali śródmieście, po lewej wyłożony płytkami od dołu do połowy dom handlowy, z okropnymi schodami i takim samym okropnym szyldem nad wejściowymi drzwiami.

– Wygląda jak dworcowy szalet na stacji w Koluszkach – skomentował Mały.

– Masz wrażliwość estetyczną.

„O co mu chodzi?" – w myślach Mały zadał pytanie.

Wjechali w blokowisko z szarymi budynkami, nieróżniącymi się niczym, oprócz obskurnych graffiti wymalowanych na ścianach. Kluczyli wąskimi uliczkami, mijali zaparkowane przy blokach samochody, stare i nieco nowsze, takie, jak ich nierzucający się w oczy pięcioletni opel Vectra, nie najnowszy, ale doskonale utrzymany. W ich zawodzie samochód musiał być sprawny, lecz z wyglądu nijaki, taki, aby niewielu mogło go opisać.

– Przecież jechaliśmy tędy – zwrócił uwagę Anioł.

– Aha, ale muszę zaparkować pomiędzy tymi blokami, bo to tutaj.

– Facet wyjeżdża, poczekaj.

Wyjechał zielony nowiutki samochód. Ustawili się pomiędzy jakimś fiatem a citroenem o kolorach nijakich, jak ich, przodem do czteropiętrowego bloku, tak samo szarego, bezbarwnego jak wszystko wokoło.

– To ten – wskazał palcem Mały. – Środkowa klatka, pierwsze piętro.

– Jest dopiero czternasta – zauważył Anioł. – Będziemy długo czekać na niego. Mówiłeś, że zawsze wraca do domu o szesnastej.

– Dzisiaj będzie wcześniej.

– Skąd wiesz?

– Mam przeczucie. Są imieniny jego żony. Wróci wcześniej, posprząta, zrobi obiad, wręczy kwiaty, wręczy prezent, pozmywa po obiedzie, a ona może mu da, jeśli wróci wcześniej i głowa nie będzie ją bolała.

– No to czekamy – Anioł osunął się lekko na siedzeniu.

Wyjął z kabury pod pachą czterdziestkę piątkę, nakręcił tłumik i włożył z powrotem. Był przygotowany.

– Rozpoznasz go, pamiętasz numer mieszkania? – upewniał się Mały.

– Tak.

– Wiesz kto to jest? Dlaczego Szef chce mu odstrzelić łeb? – odważył się zadać pytanie Mały.

Nie było odpowiedzi.

– Przy swoich możliwościach może go załatwić na cacy w białych rękawiczkach.

– On nie chce załatwić na cacy, on chce załatwić na stałe.

– Dlaczego? – po raz kolejny Mały zdobył się na odwagę i pomyślał, że to już po raz ostatni.

Nim uzyskał odpowiedź, otworzyło się okno na pierwszym piętrze i pojawił się on ze spryskiwaczem w jednej ręce, szmatką w drugiej, prysnął na szyby i starannie zaczął pucować. Najpierw jedną część okna od zewnątrz, później od wewnątrz, następnie przeszedł do drugiego skrzydła, pucując równie starannie.

– Pieści szyby jak mężczyzna pieści kobietę, wcierając balsam w skórę – szepnął Mały. – To on.

– Niemożliwe – zawyrokował Anioł. – Niemożliwe, że to Inkwizytor. Kiedy on wrócił?

– Był chyba przed nami, tyle że mył okna z drugiej strony. Ale jaja...

Anioł wyjął z kieszeni małą lornetkę, a właściwie jeden okular i spojrzał na przyszłą ofiarę.

– Ale jaja – powtórzył Mały. – Tak, to Inkwizytor. Idź, załatw go i wracamy.

– Poczekaj chwilę, niech zamknie okno i nie będzie widział, jak wysiadam – schował okular i poprawił czterdziestkę piątkę.

Oni czekali jeszcze, a on, pieszcząc szyby, nie wiedział, że to ostatnie pieszczoty w jego życiu. Kupił kwiaty, położył lniany obrus na stole w pokoju, przygotował talerze i sztućce, ugotował ulubione danie żony, posprzątał. Jeszcze miał tylko zetrzeć ostatnią smugę z szyby i czekać na nią, gdy zobaczył podjeżdżający samochód. Poznał go, żona wróciła bardzo wcześnie. Jak on nienawidził siedzącego za kierownicą mężczyzny, który nieraz przywoził ją po pracy, a czasami zabierał spod domu. Wiedział, co robią, a gdy zamykał oczy, przesuwały mu się obrazy, co tamten jej robi, co ona tamtemu, a czego jemu nie chce zrobić, ale mimo władzy, jaką posiadał, nie mógł nic z tym począć. Nie mógł nic mu zrobić, bo bał się jej, bo bał się ją stracić, bo bał się zostać sam, bez niej.

Samochód zaparkował po drugiej stronie osiedlowej uliczki, na trawniku, przodem do Małego i Anioła, na wprost bloku. Silnik został wyłączony, a Mały i Anioł ze zdziwieniem, Inkwizytor z widocznym na twarzy bólem – patrzyli, jak jej przyjaciel odsuwa do tyłu siedzenie, jak ona pochyla się w jego stronę, rozpina pasek spodni, luzuje ekspres, chwilę mocuje się z bielizną i głęboko pochyla głowę. Raz w dół, raz w górę, on zamyka oczy, marzy, ona raz w dół, raz w górę, raz w dół, raz w górę i tak wiele razy.

Mały ze zdziwieniem, Anioł z niedowierzaniem patrzą, zerkając jednocześnie dokoła, czy ktoś jeszcze widzi. Wraca zielony samochód, ale na kierowcy nie robi to żadnego wrażenia. W oknie on patrzy i patrzy.

– Ale jaja – nie dowierza Mały.

– *C'est la vie!* – komentuje Anioł.

– Co powiedziałeś?

Wreszcie skończyła, wysiadła z samochodu, sięgnęła po leżący na tylnym siedzeniu bukiet czerwonych róż, otarła chusteczką usta i ruszyła w stronę domu, spojrzała w górę, a w oknie on patrzył i patrzył.

Kierowca poprawił spodnie, zapalił silnik i odjechał. Zatrzasnęło się okno na piętrze.

– Co teraz robimy? – zapytał Mały i stwierdził: – Idź i rozwal obydwoje!

– Nie – Anioł zamyślił się. – To jest dla niego gorsze niż śmierć. Śmierć to chwila, a to jest na całe życie, zwłaszcza że połowa ludzi na osiedlu widziała. Nie zabiję go, nie robię przysług.

– Szef się wścieknie, nie daruje.

– Odjeżdżamy. Jest tu niedaleko mała miejscowość, co się nazywa Sen, czy jakoś tak. Tam mnie zawieziesz, zostawisz, a sam wrócisz i powiesz wszystko Szefowi. Ja posiedzę z dzień w hotelu i wszystko przemyślę.

– Ale...?

– Jedź – Anioł włożył rękę pod marynarkę.

Rozdział II

Wielki Szef

Wielki Szef stworzył w ciągu niespełna kilku lat najpotężniejszą organizację w Łodzi. Nie podlegała ona żadnej innej z Warszawy, Pruszkowa czy Trójmiasta. Nie utrzymywała kontaktów z tamtymi grupami i nie wchodziła im w drogę. Jej działalność nie ograniczała się do rodzinnego miasta Szefa, mackami sięgała Poznania, Wrocławia i Szczecina. Miał też swoich ludzi w Hamburgu i tam współpracował z lokalnymi gangsterami. Nie działał w Warszawie, Gdyni i Gdańsku. Na razie. Wiedział, że przyjdzie na to pora. Powoli budował swoją potęgę. Umacniał się w pieleszach, podporządkował sobie zachodnią część kraju i – co najważniejsze – systematycznie rosła jego pozycja w Hamburgu. Było mu jednak mało. Dopiero po wielu rozmowach z prawnikiem organizacji, zastępcą i najważniejszymi w niej ludźmi, zrezygnował z podporządkowania sobie innych. Jeszcze nie nastał czas na walkę o wszystko.

Siła organizacji opierała się na jej korzeniach, znajomościach i układach w polityce, biznesie i w świecie przestępczym oraz na licznych kontaktach. Korzenie – to służby specjalne państwa. Stąd wywodził się Wielki Szef, niegdyś wysoki, a nawet bardzo wysoki ich funkcjonariusz, negatywnie zweryfikowany podczas przemian ustrojowych, oraz część członków organizacji od jego prawej ręki, po dyrektorów i rezydentów w innych miastach, aż do zwykłych cyngli. Potrafił dobierać sobie ludzi. Oni byli kluczem do sprawnego działania maszyny, jaką była jego firma. Dbał o nich, ale nie tolerował nielojalności. Nie ufał nikomu, każdego sprawdzał. Miał ludzi w telekomunikacji i u operatorów, którzy na jego polecenie podsłuchiwali tych, co do których miał wątpliwości. Od zwykłych cyngli, aż do jego zastępcy.

Znajomości to biznesmeni, politycy lokalni i czołowi, nawet z pierwszych stron gazet, przedstawiciele wymiaru sprawiedliwości, funkcjonariusze służb specjalnych i policji, o których ciemnych interesach wiedział, prowadząc w tamtych czasach wiele spraw, a miał dostęp do prawie wszystkich.

Wielu z nich zawdzięczało mu majątki i kariery, utajnił ich przekręty, pomógł zniszczyć konkurentów, podsuwał prostytutki, a teraz miał całe dossier. Posiadał niezłą kolekcję dokumentów, oświadczeń, notatek, filmów, zdjęć, pism – prawdziwe archiwum. Miał karty w ręku i rozdawał. Nie zdarzyło się, by musiał coś ujawnić w Internecie, przesłać do gazet czy przekazać służbom. Wystarczyło pokazanie kilku fotografii, notatek lub innych dokumentów zbuntowanemu, usiłującemu wyrwać się spod jego kontroli.

Gdy chcieli się wyrwać, było już za późno. Najpierw brali pieniądze, dostawali eleganckie dziwki, nieletnie dziewczynki i chłopców, konkurenci do kariery nagle wycofywali się, znikali, a gdy przychodziło opamiętanie, to dwóch dobrze zbudowanych gości zjawiało się w ich domu i pokazywało dokumentację współpracy. Gdy było za mało, dawali wycisk, mówili, co zrobią córce, synowi, żonie. Po tym wszystko wracało do normy.

Organizacja, którą stworzył, to legalny biznes: sklepy, hurtownie, przedsiębiorstwa importujące i eksportujące towary, a nawet małe fabryki, głównie tekstylne, materiałów budowlanych i spożywcze. Wolał mieć więcej małych firm, niż jedną dużą. Nie rzucało się to w oczy. Miał też ciche udziały w dawnych przedsiębiorstwach państwowych, większych i mniejszych, nad którymi roztaczał wówczas, z racji istniejących struktur, opiekę. Pomógł sprywatyzować je w czasie przemian i oddać w ręce właściwych ludzi. To przynosiło duży dochód. Zarabiał na wszystkim, ale potrafił się dzielić. Każdy dostawał w zamian sporą działkę i był mu wdzięczny. Szef wiedział, że wdzięczność i konieczność rewanżu są nieraz więcej warte niż pieniądze.

Pod tym wszystkim – podziemie, konieczne do obrony przed zawistnymi. Wiedział, że bez właściwej ochrony, wcześniej czy później, nowi władcy, szefowie, tacy jak niegdyś on, dobraliby się do niego, aby wykroić dla siebie kawałek tortu. Podziemie zorganizował na wzór służb specjalnych, jak wojsko. Miał swojego człowieka do trudnych zadań, dawnego zastępcę z urzędu bezpieczeństwa i czterech dowódców, speców od brudnej roboty. Każdy miał swój pseudonim i nim się posługiwał. Do siebie kazał mówić: – „Szefie". Jego prawa ręka miał ksywę Osa, pozostałą jeszcze z dawnych czasów. Byli koledzy tak go nazywali, bo potrafił wówczas użądlić, nawet swojego. Szef był z niego zadowolony, okazał się człowiekiem pracowitym i na razie lojalnym. On też miał przezwisko z tamtych czasów. Mówiono na niego Benito. Był podobny do słynnego Włocha, a gdy stawał przed podwładnymi, na jego twarzy gościła identyczna mina. Ludzie do trudnych spraw to Mały, Anioł, Zegar i Lewy. Tylko oni znali go i uczestniczyli w naradach. Tylko im ufał, ale też ich sprawdzał. Jako jedyni, z części podziemnej organizacji, widzieli jego twarz. Każdemu z nich podlegało kilku cyngli, bandziorów należących do organizacji w różnych miastach. Anioł i Mały pilnowali spraw w Łodzi i wykonywali szczególne polecenia, Zegar miał pod opieką Wrocław, Lewy – Poznań, a Anioł dodatkowo Szczecin i Hamburg. Gdy zachodziła poważna potrzeba, wysyłał tam Małego do pomocy. Miał jeszcze dwóch ochroniarzy, najmłodszego Kota i Lama, którzy na zmianę wozili go do miasta, w interesach, do panienek, a miał zawsze dwie na boku. Kochał żonę, tak jak potrafił, i córki. Jak każdy facet, a zwłaszcza facet dzierżący władzę, lubił młode ciała. W każdym tygodniu spędzał jeden wieczór u każdej z nich – trzy, cztery i więcej godzin. Nieraz zostawał na noc. Zawsze dzień po i przed weekendem odreagowywał w ten sposób rodzinny stres. Zawoził go Lam lub Kot. Zostawali w samochodzie, a jeden z wielkiej czwórki wchodził z szefem do klatki schodowej i pilnował drzwi. Garsoniery i całe kamienice były jego własnością, a panienki opłacał sowicie, ubierał, pozwalał im jadać w drogich restauracjach, dawał do dyspozycji samochód. Żądał tylko wyłączności i spełniania wszelkich jego zachcianek. Trzymał je, póki mu się nie znudziły, a później lądowały w jednym z jego burdeli lub za granicą.

Podjeżdżali pod budynek, kierowca zostawał, drugi szedł do panienki, sprawdzał klatkę schodową i mieszkanie, wracał, dawał znak i dopiero wtedy Szef szedł z nim, jeden rżnąć, a drugi pilnować.

Największe zaufanie miał do dwudziestosześcioletniego chłopaka o pseudonimie Anioł. Zwrócił na niego uwagę siedem lat temu podczas szkolenia, jakie zorganizowano dla agentów, działających poza granicami kraju, w jednostce wojskowej. Najmłodszy spośród komandosów, wyróżniał się niebywałą sprawnością, znajomością sztuk walki i jak się dowiedział – wyjątkową inteligencją. Dziwiło go, co tak inteligentny chłopak, bystry, z najlepszymi ocenami w szkole średniej, biegle posługujący się językami angielskim i niemieckim, posiadający mistrzowskie pasy w karate i judo, robi w wojsku i to zaledwie jako plutonowy. Nie dowiedział się tego nigdy. Dowiedział się wszystkiego o jego matce i ojcu, nieżyjącym pułkowniku z Ministerstwa Obrony, o nim samym, lecz dlaczego wstąpił jako ochotnik do komandosów – nie. Zapytał i usłyszał, że tak wyszło.

Przed trzema laty, w czasie misji pokojowej na Bliskim Wschodzie, Anioł wdał się w wiele bójek z najemnikami z Blackwater, lejąc ich niemiłosiernie, mimo że wielu z nich wywodziło się z Navy SEALs. Lubił to. Lubił prać po mordzie zadufanych w sobie mięśniaków, mających za nic zwykłych żołnierzy. Dostał pierwsze i kolejne ostrzeżenia. Czarę goryczy przelało zmasakrowanie przez niego dowódcy sojuszniczego oddziału, który marząc o medalu, w trakcie akcji zarządził atak na ufortyfikowane pozycje wroga, prowadząc oddział na pewną śmierć. Anioł zamiast medalu załatwił mu długotrwały pobyt w szpitalu i rentę inwalidzką. Przejął dowództwo, uratował ludzi, lecz wojskowa prokuratura, chcąc się przypodobać sojusznikom, postanowiła go przykładnie ukarać. Został zdegradowany i groziło mu wiele lat odsiadki.

Szef w przypadkowej rozmowie usłyszał o zdarzeniu, uruchomił znajomości i skończyło się, po przyłożeniu lufy do głowy wojskowego prokuratora, wyrzuceniem Anioła z wojska, bez żadnych konsekwencji.

Zyskał dobrego, lojalnego i wdzięcznego członka organizacji. Miał dwie córki i coraz częściej łapał się, że zaczyna myśleć o nim, jak o synu, może przyszłym swoim następcy. Nie miał syna, brata czy bratanka. Nie miał komu przekazać władzy, całego stworzonego przez siebie biznesu. Miał tylko córki, a gdy go zabraknie, kto się nimi zaopiekuje i zapewni takie życie, jakie teraz mają.

Przyglądał się chłopakowi.

„Nie spojrzałby na nie, ale może pieniądze i władza skuszą go" – zastanawiał się, jak to rozegrać. – „Przecież przez całe życie nie będzie tylko zwykłym cynglem. Mam jeszcze trochę czasu. Urobię go".

Teraz siedział na tarasie swojego domu pod Łodzią. Pogoda była piękna, początek lata. Dom, który jak mówił, sam zaprojektował, był rozłożysty, z dużym atrium, by osoby siedzące na tarasie, nie były widoczne z ulicy i sąsiednich działek. Wprawdzie do sąsiadów było daleko, ale wolał przebywać w atrium, tak na wszelki wypadek, dla bezpieczeństwa. Dom dzielił się na dwie niezależne części. W jednej mieszkał z żoną i dwoma córkami, natomiast w drugiej miał swoje biuro. Stąd rządził swoją organizacją. Coraz częściej myślał o kupnie jakiejś rezydencji. Może starego szlacheckiego dworku, a nawet pałacu. Było za wcześnie. Jeszcze kilka lat.

Wokół ogrodzenia posesji zainstalowano czujniki i kamery, a w pomieszczeniu przy wejściu do domu siedział człowiek, obserwując monitory. Drugi spacerował między bramą a budynkiem. Zazwyczaj więcej było ludzi chroniących dom, lecz dziś nagromadziło się zbyt wiele spraw, więc byli w terenie. Czekał na prawnika organizacji, aby omówić z nim bieżące sprawy.

– Przyszedł pan Artur – zakomunikował Lam po wejściu do atrium.

– Wprowadź. Skąd masz taką ksywę?

– Tak mnie nazwali. Nie wiem.

Artur Bert wszedł na taras, usiadł na wskazanym fotelu. Szef zrobił mu drinka i odesłał Lama.

– Jak nasze interesy w Hamburgu? – zapytał Szef.

– Dostałem wiadomość. Zegar i Lewy już tam są. Przyduszą Hansa i przejmiemy jego interes. Powie nam, z kim współpracuje. My będziemy prowadzić interes, a on będzie pracował dla nas.

– A jeśli nie?

– To go wymienią. Blisko jest morze. Żartuję. Dadzą sobie radę. Szkoda, że nie pojechał tam Anioł. Zna Hansa i jego ludzi, więc doszliby do porozumienia. Może poznałby tych, z którymi Hans współpracuje. Trochę się ich obawiam.

– Anioł ma Hamburg w jednym palcu, ale zbyt jest tam zaangażowany. Może wszystkiego nie widzi. Wolałem wysłać nowych ludzi, którzy po swojemu wszystko ocenią. Opłacany przez nas człowiek w hamburskiej policji pomoże im – Szef zamyślił się.

– Sprawdzą też, czy coś łączy Anioła z Hansem. Musimy nad wszystkim panować.

– Osa zaczyna kombinować, tak mi się wydaje – dodał.

– Sprawdź, co robi i z kim. Nie szczędź pieniędzy. Weź do tego Lewego.

– Nie może być Anioł? – zapytał Bert. – Lubię z nim pracować.

– Nie. Osa jest niegłupi. Domyśli się, że coś się dzieje. Tak jak ja ma kontakty w służbach specjalnych. To stamtąd się wywodzi. Nic na razie do niego nie mam, ale nie lubię, jak ktoś za moimi plecami kombinuje.

– Mamy zbyt mało ludzi do trudnej roboty. Jest tylko Anioł, Zegar i Mały – stwierdził Bert. – Kot i Lam nadają się jako obstawa, a Lewy to mięśniak. Stworzony jest, co najwyżej, do mokrej roboty.

– Wiem i dlatego chcę ustawić Anioła jako dowódcę. Sądzę, że się sprawdzi. Ma jakąś niebywałą intuicję, co udowodnił w wojnie ze Zgierzem i odradzając na razie walkę o Warszawę. Jego zastępcą będzie Lewy, natomiast Mały i Zegar stworzą cztery silne oddziały cyngli. Dla dwóch z nich musimy znaleźć nowych dowódców. Wtedy podejmiemy próbę wejścia do Trójmiasta i Warszawy. Tak zorganizowani wygramy i podporządkujemy sobie innych. Trójmiasto musi do nas należeć ze względu na dostawy z Hamburga, a Warszawa, bo to jest stolica i do niej prowadzą wszystkie drogi.

– Kiedy zamierzasz zacząć? – zapytał Bert.

– Jak tylko wszyscy wrócą, przygotuj naradę. Wcześniej sami ustalimy szczegóły.

– Mam na oku dwóch dobrych chłopaków.

– Znam ich? – zapytał Szef i pomyślał, że trzeba założyć podsłuch na telefony Berta i dyskretnie go sprawdzać. Tak na wszelki wypadek.

– Nie, ale współpracowali z nami. Jeden we Wrocławiu, a drugi przy sprawie Ursusa. Okazali się dobrzy. Osa ich znalazł.

– Dobrze, zorganizuj z nimi spotkanie, ale żeby nikt nie wiedział – i w duchu stwierdził: „Muszę wtedy mieć przy sobie Anioła i Lewego, a już dzisiaj dam zlecenie informatorom w telekomunikacji i u operatorów”.

Wszedł Lam i podał dzwoniący telefon.

– Przepraszam Szefie, ale to chyba ważna sprawa. Szef mówił, że gdy zadzwoni to mam…

– Tak, wiem – wziął telefon do ręki.

Spojrzał na wyświetlacz.

– Dzwoni Mały. Co jest grane? – podniósł telefon do ucha.

Artur Bert zobaczył, jak twarz Szefa tężeje, robi się czerwona i w końcu usłyszał:

– O kurwa! Zostań tam!

A po chwili:

– Tylko Lam i Kot. Mogę jednego posłać, ale nie dacie rady. Nie mam tu nikogo więcej. Dzisiaj nikogo nie ściągnę. Nie zdążę.

Chwilę jeszcze słuchał.

– Nie, wracaj, załatwimy to później.

Rozdział III

Odwrót

Mały włączył silnik i ruszył. Wiedział, gdzie ma jechać, więc nie zadawał pytań. Myślał intensywnie, co ma zrobić. Zdawał sobie sprawę, że jego pasażer trzyma palec na spuście, choć nie był do końca pewien, czy pistolet jest odbezpieczony. Nie miał zamiaru ryzykować. Bez pistoletu, walka wręcz też nie wchodziła w rachubę, choć był potężniejszy od niego i może silniejszy. Widział Anioła w akcji, gdy tłumili, jak to Szef powiedział, „powstanie Zgierza", kiedy ten, sam jeden, wpadł do kryjówki zgierzan i gołymi pięściami załatwił obstawę bossa. Sam jeden zmasakrował trzech osiłków i pozbawił przytomności ich szefa. Był mistrzem walki w zamkniętych pomieszczeniach i Mały nie zamierzał ryzykować. Na otwartej przestrzeni też by nie próbował.

Anioł powoli wysunął pistolet z kabury, trzymając pod marynarką. Skierował lufę w kierunku kierowcy. Intensywnie myślał nad tym, co zrobił i co jeszcze przed nim. Wszystko pozostawił w wynajętym mieszkaniu. Ubranie, pieniądze, fałszywe dokumenty, wszystko tam zostało. Przy sobie miał tylko prawdziwy dowód osobisty, prawo jazdy, kartę bankomatową, a na niej niewiele więcej niż dwadzieścia tysięcy złotych, w portfelu około pięciu tysięcy Szefa, które ten dał na wszelki wypadek, około tysiąca euro i to wszystko. Nie, jeszcze czterdziestkę piątkę, tłumik, nóż przypięty do łydki i składaną sprężynową kosę z tyłu spodni, w specjalnym, zamocowanym od wewnątrz futerale.

Jechali wzdłuż ruin, pozostałych po niegdyś bardzo dobrze prosperującym zakładzie przemysłowym. Obskurne, odrapane budynki sterczały, ziejąc gołymi otworami z wyrwanymi ościeżnicami. Straszyły rozwalone betonowe ogrodzenia i wyłaniające się zza nich sterty gruzu i niesprzątanych śmieci. Gdzieniegdzie widać było umorusanych śmieciarzy, wyszarpujących z muru resztki metalowych elementów, druty i obdzierających z izolacji pocięte stare kable. Szukających kawałków metalu i wszystkiego, co można byłoby sprzedać jako złom w punktach skupu, a uzyskane drobne pieniądze przeznaczyć na bochenek chleba, tanią wędlinę i lokalne wino – bełt, tańszy niż butelka wody mineralnej. A właściwie na bełta, a później na chleb i kiełbasę.

„Jak życie wokół mnie" – pomyślał smutnie Anioł. – „Jedna wielka ruina".

Przejechali mostem przez rzekę, minęli ostatnie zabudowania, przecięli linię kolejową i droga wprowadziła ich w oświetlony promieniami słońca las. Po obydwu stronach drzewa mieniły się w słońcu.

„Pięknie. Nie wszystko ludzie zniszczyli" – naszło Anioła. – „Nie mam już odwrotu. Po raz kolejny zaczynam wszystko od nowa".

Mózg Małego mocno pracował. Zakładał różne scenariusze, ale żaden nie był możliwy do realizacji. Definitywnie przyjął, że nie może podjąć walki. Po pierwsze dlatego, że nie wygra. Po drugie, nie wiedział, jakie w tej sytuacji będą decyzje Szefa. W prostej głowie Małego zaświtało rozwiązanie:

„Zawiozę go, zadzwonię, poczekam na ludzi i zrobimy, co Szef rozkaże. Nie mogę działać sam, bez wyraźnego polecenia. Tak powiem Szefowi. On coś wymyśli".

To rozmyślanie tak zaabsorbowało jego umysł, że nie zauważył, jak licznik samochodu pokazuje czterdzieści na godzinę. Opel toczył się, wszystkie samochody wyprzedzały ich, a Anioł nie reagował, gdyż dawało mu to czas na uporządkowanie spraw, opracowanie strategii, a przede wszystkim – odkrycie myśli Małego. Co też ten zrobi?

Przeanalizował sytuację. Znał Małego i był pewien, że zawiezie go na miejsce. Napisał w myślach scenariusz:

„Mały nie spróbuje mnie obezwładnić. Dlaczego? Bo wie, że trzymam go na muszce. Wie, że w walce wręcz nie ma ze mną szans. Nie zna zamierzeń Starego odnośnie mnie. Więc co zrobi? Zawiezie mnie na miejsce, zostawi, a sam odjedzie na bezpieczną odległość. Jaką? Trzy–cztery kilometry. Zobaczył, że mam lornetkę. Zdzwoni. Będzie chciał więcej ludzi, lecz dzisiaj ich nie ma. Są tylko Lam i Mały, a to nie przeciwnicy dla mnie. Bez obstawy Szef też nie zostanie. Odwoła go i od jutra zacznie polowanie. Nie daruje mi".

Miał więc nie mniej niż dwanaście godzin. Mało, a zarazem dużo czasu, gdy dobrze to zorganizuje. Tylko co dalej zrobić?

– Za chwilę staniesz. Przyśpiesz – dodał głośno.

Mały ocknął się, przycisnął gaz i po chwili byli już na miejscu. Anioł kazał podjechać pod hotel Mościcki i gdy samochód zatrzymał się tuż za zakrętem, powoli wysiadł. Patrzył na Małego, ściskając pod marynarką kolbę pistoletu.

Kierowca cały czas trzymał ręce na kierownicy.

– No to cześć. Ale wcześniej daj gnata. Może spotkamy się jeszcze kiedyś.

– Mam nadzieję, że niedługo nadejdzie taka chwila – odpowiedział kurtuazyjnie Mały, oddając pistolet, choć wiedział, że będzie to ciężka chwila.

Anioł schował pistolet do kieszeni, cofnął się, cały czas spoglądając na kierowcę i trzymając rękę pod marynarką. Samochód zawrócił, ruszył w stronę miasta, a on poszedł za nim na skraj drogi. Chciał, żeby kierujący widział go we wstecznym lusterku. Ostentacyjnie skierował okular lornetki na samochód. Wiedział, że Mały zauważy i zrobi tak jak przypuszczał. Samochód zniknął za horyzontem. Odczekał kilka chwil.

Spostrzegł po drugiej stronie przystanek autobusowy. Pierwszą jego myślą było wziąć taksówkę tu na miejscu lub wezwać ją z miasta i jazda do Kalisza, stamtąd do Poznania i dalej. Jednak przystanek przyniósł mu inny pomysł. Przeszedł na drugą stronę drogi. Sprawdził na rozkładzie jazdy, że za godzinę będzie autobus do miasta. Zawrócił do hotelu. Wszedł do holu. W recepcji zapytał o wolne pokoje i możliwość dostania się taksówką do Warszawy.

Miła, zgrabna i bardzo ładna recepcjonistka, z niewiarygodnie dużymi, brązowymi oczyma, z zachwytem spojrzała na przystojnego i ubranego w elegancki sportowy garnitur, młodego mężczyznę. Na jej twarzy zawitał uśmiech i mając nadzieję, że gość pozostanie dłużej w hotelu, choć na kilka nocy, poinformowała o cenach pokoi, które jeszcze były wolne, i podała wizytówkę znajomego taksówkarza, wożącego taniej gości hotelowych.

Zapytał, czy dzisiaj długo pracuje i uzyskał odpowiedź, że do godziny dwudziestej.

– A jutro?

– Jutro mam wolny dzień – uśmiechnęła się. – Dlaczego pan pyta? – zatrzepotała rzęsami.

– W takim razie poproszę większy pokój na cztery dni, na dwudziestą butelkę zimnego szampana do pokoju i coś do przegryzienia. A dlaczego pytam? Marzę o czymś. Ma pani niewiarygodnie piękne oczy.

Zarumieniła się. Przez chwilę nie wiedziała, co odpowiedzieć.

– To coś, to co ma być?

– Pozostawiam to pani do wyboru. Ile płacę za pokój i szampana?

– Zaraz podliczę.

Zapłacił gotówką. Zostawił tysiąc złotych na to coś. Nie chciała wziąć, mówiąc, że nie może.

– Proszę przygotować na wieczór co pani lubi, według pani uznania, a później się rozliczymy. Tylko proszę na mnie nie oszczędzać.

– Czy ma pan bagaż ?

– Nie, nie mam nawet pidżamy. Kupię jutro w mieście. Potrzebuję również coś do przebrania. Spędzę tu kilka dni. Miłych dni. Proszę mi podać na wszelki wypadek telefon na postój taksówek.

– Rozejrzę się trochę po okolicy – dodał, biorąc kartkę z telefonem. – Niestety, sam. Mam nadzieję, że jutro będzie pani moim przewodnikiem. Do zobaczenia wieczorem.

– Do zobaczenia – odpowiedziała zadowolona, myśląc o najbliższym wieczorze i sięgając po komórkę, by powiadomić rodziców, że musi zostać w pracy na kolejną noc, a może i następną.

Wyszedł z hotelu. Skierował się w stronę wysokiej wieży, którą wcześniej zauważył. Idąc wzdłuż okien hotelu, spostrzegł, że dziewczyna z recepcji weszła do restauracji hotelowej i patrzy na niego przez wielkie okna we frontowej ścianie, rękoma zaczesując do tyłu niesforne kasztanowe włosy. Posłał jej swój najlepszy uśmiech i szedł jeszcze chwilę, aż ukrył się przed jej wzrokiem. Skręcił w boczną uliczkę. Po około stu metrach zawrócił. Dużym łukiem okrążył hotel i sąsiednie budynki. Podobało mu się tu. Ładne, choć zaniedbane budynki, położone wśród drzew i krzewów, nadawały uroku temu miejscu. Minął posąg żubra. Nie miał czasu dokładnie mu się przyjrzeć, tak jak wcześniej drewnianemu kościołowi.

Po piętnastu minutach był na przystanku, stanął z boku, za drzewami. Na ławce siedziała starsza para czekająca, jak pomyślał, na autobus do miasta. Rozmawiali ze sobą, nie zwracając uwagi na kolejnego pasażera. Wyjął lornetkę, spojrzał przez nią w kierunku, w którym odjechał Mały, lecz nie zauważył ani opla, ani jego. Był tego pewien. Mały nie wysiadł z samochodu i nie poszedł w jego stronę, zwłaszcza bez broni. Znał go. Bez gnata za pazuchą był bezradny. Może gdzieś tam czeka na rozkazy Szefa.

Nadjechał autobus, przepuścił starszą parę, kupił u kierowcy bilet do stacji końcowej, jedno miasto dalej niż to, w którym wcześniej był. Usiadł pośrodku, z prawej strony, zaciągnął firankę do połowy okna i obserwował. W autobusie nie było wiele osób, więc widział drogę zarówno przed sobą, jak i po stronie kierowcy. Wypatrywał Małego, ale do samego miasta nie zauważył znajomego samochodu. Tak jak sobie założył, Mały zadzwonił do Szefa, a ten odwołał go do siebie. Szef nigdy nie działał pochopnie. Wszystkie jego poczynania były zaplanowane, przemyślane w najdrobniejszych szczegółach. Nic nie robił na chybcika, a zwłaszcza zemsta musiała być rozpisana od uwertury aż do wielkiego finału. Jak w teatrze lalek, Szef dyrygował każdą laleczką, a bohater tragedii myśląc, że ma asy w rękawie, w końcu grał rolę napisaną dla niego.

Od jutra zarządzi wielkie łowy. Ludzie organizacji ruszą w teren. Będą pytać w Łodzi, obstawią jego mieszkanie, będą pytać i szukać na wschodzie i na zachodzie Polski, na południu i północy. Ścigający uruchomią swoje kontakty w policji i innych służbach. Rano będą w hotelu. Dowiedzą się, że wynajął pokój na cztery dni, ale już od innej recepcjonistki. Nim znajdą dziewczynę z kasztanowymi włosami i dowiedzą się, co zamierzał robić, minie może cały dzień. Nie przyzna się, jak bardzo chciała spędzić z nim noc. Obstawią dyskretnie hotel, czekając na niego. Lecz gdy zorientują się, że nie wróci, zaczną szukać taksówkarzy, którzy wieźli go do Warszawy lub innego miasta, i nie znajdą, ale nie wpadną na to, że pojechał autobusem. Nikt z nich nie korzysta z dobrodziejstw komunikacji międzymiastowej. Szef zacznie podejrzewać: przeszedł do konkurencji, stoi za tym Warszawa. Tam nie ma wtyk. Nawet kryminalni nie będą w stanie dowiedzieć się czegokolwiek w tak krótkim czasie. I co? I pat. Szef okopie się, ściągnie do siebie najlepszych ludzi, rozpocznie przygotowania do wojny z Warszawą, bo po cóż „warszawka" miałaby przeciągnąć Anioła na swoją stronę, jeśli nie na walkę z nim. To daje cztery–pięć tygodni. Ale Szef jest rozsądny. Wyśle negocjatorów, obieca wycofanie się z jakiegoś interesu, dojdzie do porozumienia i będzie wiedział, że jego pupil zadziałał na własną rękę. Tylko dlaczego? Będą kolejne dwa tygodnie na uporządkowanie spraw. Potrzebował tygodnia, góra dwóch. Tyle czasu mu wystarczy. Miał już plan.

Gdy tak analizował wszystko po kolei, autobus dojechał do celu. Wysiadł na dworcu. Sprawdził połączenie do Poznania. Zapytał o bank. Było niedaleko. Wypłacił z konta wszystkie pieniądze. Wymieni je w Poznaniu na euro. Nie chciał spędzić tutaj zbyt wiele czasu. Niezbędne zakupy i w dalszą drogę.

Taksówką podjechał do marketu. W galerii handlowej Fokus Mall kupił jeansy i spodnie w kolorze khaki, dwie koszule, granatową i beżową kurtkę, dwie pary bokserek i skarpet, dwie różne czapki z daszkiem, dwie pary okularów, przybory toaletowe i torbę na ramię. Przebrał się, garnitur i koszulę włożył do papierowej torby, resztę spakował do kupionej i wyszedł przez parking, wrzucając papierową torbę do kontenera na śmieci.

Wrócił na dworzec, kupił bilet i po kilku godzinach był już w Poznaniu. Pozbył się pistoletu Małego, tłumika i noży.

Następnie Berlin, Hamburg, a tam Hans nie odmówi mu pomocy.

Rozdział IV

Bakersfield

Michael minął lotnisko Bakersfield Municipal Airport. Skręcił w prawo w Pacheco Road i po chwili wyjechał na dziewięćdziesiątkę dziewiątkę. Teraz prosto Golden State do Los Angeles. Mniej więcej za dwadzieścia mil połączy się ona z autostradą numer 5, więc cała droga będzie prosta i wygodna.

„Jakieś 110 mil jazdy, dwie godziny" – pomyślał.

Postanowił jednak jechać spokojnie, nie spieszyć się. Nie mógł doprowadzić do kolizji czy policyjnej kontroli. Za dużo sprzętu miał przy sobie, a jeszcze więcej czasu. Nie musiał się spieszyć. Po kilku milach zjechał na przydrożny parking i nie wychodząc z samochodu schował pistolet, tłumik, odklejone wąsy i czapkę do skrytki umieszczonej pod siedzeniem. Wyjął czystego gnata. Wysiadł, otworzył bagażnik i do torby ze sprzętem do tenisa, który woził dla kamuflażu, włożył marynarkę, zakładając kurtkę sportową. Wyjął nową czapkę i skierował się do Miasta Aniołów.

Joe Rose, jego szef, wysłał go do Bakersfield w konkretnej, lecz trudnej sprawie. Gość nazywał się Ron Darby i był pod ochroną federalnych. Na razie nic nie mówił, wozili go codziennie na zeznania, a on opowiadał im pierdoły. Codziennie, albo prawie codziennie, choć nie powiedział nic od dwóch tygodni. Szukali na niego haków i wiedzieli, że w końcu znajdą i zmiękczą go. Już znaleźli. Utrzymywał młodą cizię i chłoptasia, z którym nakryła go żona, ale nie odeszła. Nie miała nic swojego, wszystko było zapisane na niego. Mieli spisaną intercyzę. To na sto procent wiedział Joe Rose, podsunął mu przecież kochanków, lecz oni musieli jeszcze sprawdzić, a żona Darby'ego nie chciała z nimi rozmawiać. Na razie wychodził z domu rano, wsiadał do samochodu i odjeżdżał na spowiedź.

Agenci federalni nie pilnowali Darby'ego zbyt starannie. Tak naprawdę nie chodziło o pilnowanie, lecz o nękanie, żeby facet widział, że jest systematycznie inwigilowany. Starali się jak najbardziej uprzykrzyć mu życie, aby pękł. Nie mógł i nie chciał ich oskarżyć o nękanie, gdyż pokazali mu zdjęcia uzyskane od chłoptasia.

Wsiadał do ich samochodu o dziesiątej rano, odwozili go około czwartej po południu. W drodze powrotnej, lub w trakcie przesłuchań, pozwalali Darby'emu robić zakupy w sklepie, kupować gazety, chodzić na obiady do knajpki po przeciwnej stronie ulicy, na wprost ich biura. Wtedy zawsze towarzyszył mu federalny. Nie zwracał na niego szczególnej uwagi, rozglądał się za młodymi dupami, czytał gazetę. Stał lub siedział przed butikiem, gdy ten coś kupował czy zamawiał.

Ludzie Joe Rose'a sprawdzili dokładnie rozkład dnia Rona Darby'ego. Michael spędził w Bakersfield całe dwa dni i spostrzegł, że Darby, kupując książki, gazety i czasopisma w księgarni, rozmawia ze sprzedawcą, gdy nie ma w pobliżu agenta. Potem idzie w głąb, pomiędzy półki z książkami i czasopismami, przegląda je, bierze i podaje sprzedawcy, płaci, odbiera zapakowane w papierową torbę i wychodzi, kierując się do samochodu, a z nim agent. Gdyby federalni byli bystrzy, zauważyliby, że zawsze zostaje jakaś książka lub czasopismo. W jakim celu, nie miało to w tej chwili dla Michaela większego znaczenia.

Zwrócił uwagę, że księgarnia ma drugie wyjście na pasaż handlowy, widoczne z miejsca, w którym sterczał agent, lecz ten nie zawsze widział Darby'ego, schylającego się pośród półek. W tym momencie nie widział go również sprzedawca i większość klientów.

Michael zlustrował ulicę, na której mieszkał Darby. Zawsze pod domem było dwóch tajniaków. Wieczorem i w nocy samochód z dwoma agentami stał przy podjeździe. Agenci nie wchodzili do środka. Dokładnie przyjrzał się zabudowaniom i ulicy, sąsiednim budynkom i ulicy na zapleczu.

Dom Darby'ego przylegał do podobnej posesji, położonej przy równoległej ulicy. Pomiędzy działkami były niskie ogrodzenia, obsadzone licznymi krzewami i drzewami. Szczelny żywopłot, nisko przystrzyżony, najwyżej na wysokość jednego metra, oddzielał nieruchomości od drogi. Nie zauważył żadnych zabezpieczeń przy budynkach. Nie było ani kamer, ani alarmów. Nikt chyba nie miał psa. Okolica była bezpieczna, mało ruchliwe ulice, wszędzie takie same domy ludzi więcej niż klasy średniej, menadżerów, urzędników.

Ron Darby był księgowym w firmie, zajmującej się realizacją kontraktów na roboty budowlane głównie sektora publicznego. Firma wygrała wiele przetargów, nie mając robotników, sprzętu, kadry technicznej, a roboty realizowała, zlecając nawet tym, którzy w przetargach oferowali wyższe ceny. Wzbudziło to duże zainteresowanie instytucji, stojących na straży praworządności. Jeszcze większe zainteresowanie wzbudzały ogromne majątki właścicieli firmy i jej księgowego. O ile majątki prezesów: Wiliama Davisa, Kendala Boldena i Leo Jamesa, można było jakoś tłumaczyć, a oni szli w zaparte, to skąd Ron Darby miał na rancho w Oklahomie i dom na Florydzie, na duży pakiet akcji i utrzymanków. Idealnie nadawał się na świadka koronnego, ale wymagał dużej pracy, delikatnej i systematycznej. Federalni wiedzieli, że mają czas i powoli dopną celu. Nie obawiali się, że przełożeni Darby'ego będą naciskać na niego. Prezesi byli śledzeni, na podsłuchu, wszędzie z ogonem. Nie mogli nic zrobić, a każdy zły ruch byłby gwoździem do ich trumny.

Joe Rose nie miał czasu, a właściwie nie chciał czekać. Był ochroną wszystkich przedsięwzięć trójki z B, jak ich nazywał. Oni mówili, o jaki kontrakt chodzi, kto go prowadzi ze strony inwestora, kto będzie konkurentem, jak przedstawia się kalkulacja i ile jest na łapówki. Wysyłał swoich zbirów do konkurencji i pracowników inwestora, a ci groźbą i prośbą prowadzili wstępne negocjacje, które okazywały się ostateczne. Teraz musiał szybko załatwić sprawę. Darby trzymał w swoich rękach nici wszystkich przekrętów. Znał łobuzów Joe. Należało go wyeliminować, a jego szefowie przestraszeni odetchną i zwalą wszystko na księgowego.

Miał do tego trzech niezawodnych ludzi – Michaela Greena, Foya Dixona i Moe Mayo. Foy i Moe bywali w Bakersfield, więc został tylko Michael.

Na naradzie, która odbyła się w biurze Joe, z udziałem prawnika organizacji Franka Salesa, Moe Mayo, oraz Michaela, zaakceptowano propozycję tego pierwszego. Każdy miał jakieś wątpliwości, ale przeważył głos Moe Mayo.

– To musi być jutro. Szef wie dlaczego?

– Tak, nie można czekać – zawyrokował Joe i spojrzał na Franka.

– Michael pojedzie przed świtem do Bakersfield, zostawi samochód na parkingu w centrum handlowym i poczeka, aż Darby przyjdzie z obstawą do księgarni. Wejdzie za nim, a gdy ten zacznie przeglądać pisma na dolnych półkach, wyjmie pistolet z tłumikiem i odda strzał w tył głowy. Następnie spokojnie wyjdzie na parking i odjedzie. Samochód pozostawi w umówionym miejscu, w Los Angeles, odbiorą go nasi ludzie, wróci do domu, a następnego dnia zda sprawozdanie.

Szefowi scenariusz wydał się najbardziej odpowiedni i bezpieczny. Michael, mając pewne wątpliwości, lecz nie ujawniając ich, poprosił o niezbyt duży pistolet z bardzo cichym tłumikiem oraz podstawienie samochodu zaraz po południu, w umówione miejsce. Chciał go wcześniej sprawdzić. Pistolet ostrzelał jeszcze tego samego dnia, wsiadł do samochodu i przestawił go w zupełnie inne miejsce, na parking, na którym stał jego ford Mustang. Był nie nowy, lecz dobrze przygotowany przez mechaników, a najważniejsze, że nikt w organizacji o nim nie wiedział. Już kiedyś ledwie wydostał się z matni publiczną komunikacją, nie przewidując, że będzie mu potrzebny samochód. Teraz był już ostrożny. Drugi, który dostał z firmy, garażował w zachodniej części miasta, przed jego domem przy North Citrus Avenue, wynajmowanym od Joe Rose'a. Boss na nim też zarabiał.

Cały wieczór myślał usilnie i ciągle jego obawy budził sposób wycofania się z centrum handlowego po wykonaniu zadania. Wszędzie kamery, liczna ochrona, pojawiające się od czasu do czasu policyjne radiowozy i chcący się popisać, niejednokrotnie uzbrojeni, klienci marketu. Może być wiele trupów, w tym on.

Wieczorem zmodyfikował plan. Dlaczego Joe i Moe tak się spieszyli, chyba nie chcieli go wystawić, gdy wykona zadanie? Położył się bardzo wcześnie, przespał kilka godzin i tuż po północy wyjechał swoim samochodem do Bakersfield, zostawiając podstawiony przez ludzi Joe na parkingu.

Tego samochodu nikt w firmie nie znał, a kierowca z przyklejonymi wąsami, w bejsbolówce i w ciemnych okularach na nosie, był raczej niepodobny do niego. Dotarł na miejsce tuż po trzeciej, w sam raz.

Samochód zaparkował wśród innych, trzy przecznice dalej. Na ulicach nie było nikogo. Skierował się do posesji na tyłach domu Darby'ego, przeszedł przez niski żywopłot i wzdłuż bocznego ogrodzenia przedostał na teren ogrodu. Ogród był ładnie urządzony, z licznymi ozdobnymi krzewami, wielką pergolą, rozwieszonym hamakiem, meblami ogrodowymi zarzuconymi ładnymi poduchami i osłoniętymi parasolami. Widać było kobiecą rękę. Żona Darby'ego miała gust i lubiła porządek. Wszystkie te ozdoby ogrodowe pomogły mu niezauważenie podkraść się do budynku i stanowiły dodatkową osłonę przed tajniakami siedzącymi w samochodzie przy podjeździe. Obejrzał dokładnie dom i jak wcześniej zauważył, nie było żadnych kamer, alarmów i innych zabezpieczeń, a upewniło go to, że dwa okna zostawiono uchylone. Jedno w salonie, a drugie, jak sądził, w sypialni. W domu było ciemno, tylko jakaś niewielka lampka świeciła w holu, rozświetlając salon i pozostałe pomieszczenia. Podszedł do drugiego okna. Przez szybę i lekko uchylone żaluzje zobaczył duże małżeńskie łóżko, a w nim mężczyznę. Najwyraźniej spał. Brakowało kobiety. Wrócił do okna w salonie, chwilę nadsłuchiwał, delikatnie podważył i po chwili był w środku. Salon urządzono z wielką elegancją, ale bez przepychu. Nie miał czasu podziwiać ręki gospodyni. Zauważył tylko, że wszystko było starannie dobrane, od mebli i dywanów po najdrobniejsze bibeloty.

Wyjął pistolet z tłumikiem i powoli skierował się do najbliższego pomieszczenia. Wewnątrz, w świetle lampki stojącej w holu na komodzie, widział dużo lepiej niż przez szybę. Sypialnia była umeblowana również gustownie, jak pozostała część domu. Elegancka toaletka pomiędzy drzwiami do kolejnych dwóch pomieszczeń, chyba łazienki i garderoby, z ustawionymi kosmetykami, lustro na ścianie w stylowej ramie, krzesło, na którym pani domu robi codzienny makijaż i fotel z porzuconą na nim atłasową podomką. Obok łóżka stała nocna szafka, a na niej zgaszona lampa, książka i okulary. W łóżku Michael zobaczył żonę Darby'ego. Spała z przepaską na oczach, chroniącą przed porannym światłem. Było jej ciepło. Przykrycie odrzuciła na bok. Spała na plecach z rozrzuconymi nogami, w krótkiej, bardzo krótkiej, jedwabnej, nocnej koszulce z cieniutkimi ramiączkami. Koszulka podciągnęła się do góry, odsłaniając uda, gładko wygolony wzgórek, niewielki brzuszek i pępek. Pod cienkim jedwabiem wyraźnie rysowały się pełne piersi. Miała ponad czterdzieści pięć lat, a wyglądała bardzo apetycznie, mimo lekkiej nadwagi, a może właśnie dlatego. Przyglądał się długo. Była zgrabna, ciało miała gładkie, zadbane, włosy kasztanowe. Paznokcie rąk i nóg miała pomalowane na krwistoczerwony kolor. Były wypielęgnowane. Żałował, że nie było widać oczu.

„Może ma niewiarygodnie duże, brązowe oczy" – zaświtało mu w głowie.

Miał dwadzieścia dziewięć lat, a ona podobała mu się, mimo że twarzy dobrze nie widział i zbliżała się do pięćdziesiątki. Niejeden mężczyzna oddałby wiele dla niej. A Darby?

Ocknął się i wycofał. Wszedł do sypialni z uchylonym oknem i przyjrzał uważnie mężczyźnie. To był Ron Darby. Spał na boku, cicho pochrapując przez sen, w błękitnej pidżamie, przykryty wysoko swoją narzutą, mimo że noc była wyjątkowo ciepła. Obok łóżka leżała poduszka, zrzucona podczas snu.

Podszedł do mężczyzny, podniósł poduszkę z podłogi, docisnął do głowy, szybko przyłożył pistolet i wystrzelił dwa razy. Dwa ciche plaśnięcia, cichsze niż odgłos budzących się ptaków w ogrodzie i cykanie świerszczy. Nic nie zmąciło ciszy nocy.

Wrócił do kobiety. Jeszcze raz spojrzał na nią. Spała głęboko. Nie zmieniła pozycji. Podziękował Bogu, że zesłał na nią sen i cicho wyszedł z domu, bez pośpiechu kierując się do samochodu.

Rozdział V

Hans

Dojechał do autostrady nr 5, wiodącej na południe – do Los Angeles. Było wcześnie, więc postanowił zmienić plany. Od dłuższego czasu poszukiwał drugiego lokum. Miał takie w Chinatown. Ludzie Joe Rose'a znali tylko jego stałe miejsce w zachodnim Los Angeles. To przy Yale Street było tajemnicą, miejscem ewentualnego, chwilowego ukrycia. Zamierzał zmienić je i wynająć mieszkanie lub mały dom dalej od centrum. Odłożył przez trzy lata pobytu w Kalifornii sporą gotówkę i mógł sobie pozwolić na lepszą dzielnicę.

Postanowił za Santa Clarita skręcić w czterysta piątkę i dojechać do Long Beach, a później na północ. Tym sposobem nie natknie się na nikogo w śródmieściu. Miał jeden adres w Montebello i dwa w Monterey Park. Był już tam, sprawdził okolice i miejsca pasowały mu. Były ciche, z łatwym dojazdem, na uboczu, lecz wśród ludzi. Włączył się w nurt autostrady Golden State. Rozmyślał o swoim dawnym życiu.

Do Kalifornii przyleciał prawie trzy lata temu. Pomógł mu w tym Moe Mayo. Wcześniej miał inne plany. Jednak los, a zwłaszcza zdarzenia w Hamburgu zweryfikowały je boleśnie.

Uciekał z Polski. Wysiadł na dworcu w Poznaniu. Kupił bilet do Berlina. Przebrał się w dworcowej toalecie. Stare ubranie spakował do torby. Wszystkie pieniądze wymienił na euro, zostawiając na wszelki wypadek niewielkie drobne.

„Niewiele ponad sześć tysięcy euro" – zastanowił się. – „Musi na razie wystarczyć".

W swoim mieszkaniu, w Hamburgu, miał trochę forsy, a u Hansa sporo gotówki. Starczy na kilka lat spokojnego życia. Wyjedzie do Australii, może do Kanady, zna bezbłędnie angielski. Będzie podróżował. Zwiedzi Australię i Amerykę, zahaczy o Azję. Będzie dorywczo pracował.

Marzył o południowej Francji, w wolnym czasie uczył się języka żabojadów. Miał wyjątkowe zdolności językowe. Może skończy jakieś studia, znajdzie pracę. Kiedyś osiądzie w pięknej winnicy, w małym miasteczku blisko Morza Śródziemnego. Założy rodzinę. „Marzenia spełniają się nieraz" – uśmiechnął się do siebie.

Wszystko szło na razie zgodnie z planem, który opracował w samochodzie Małego. Przesiadka w Berlinie i Hauptbahnhof w Hamburgu.

Wysiadł na dworcu i od razu skierował się do Hansa. Było wczesne przedpołudnie, więc na pewno był w swoim biurze przy Lindenstrasse, niedaleko Arcotel Rubin, z kilometr od dworca, kilka minut drogi. Biuro mieściło się w kamienicy. Schodziło się do niego w dół, po dwóch schodkach. Tam Hans Esser urzędował z pracownikami i załatwiał swoje ciemne, nielegalne sprawy. Samochody stawiali na chodniku, zasłaniając przed ciekawskimi nisko osadzone okna.

Hans zajmował się przemytem towarów i narkotyków, wyłudzaniem podatku VAT, ochroną przekrętów w porcie, kradzieżami z kontenerów. Michael dla Hansa był Maxem. Poznał go, gdy Wielki Szef wszedł na teren Hamburga i zaczął robić interesy związane z przemytem drogą morską towarów z Hamburga do Szczecina, a w drugą stronę – narkotyków z Bałkanów. Max spodobał się Hansowi. Rzutki chłopak, bystry, inteligentny, ale twardy i niebezpieczny dla wrogów, jak się konkurenci Hansa szybko przekonali. W prowadzonym przez Hansa biznesie był nieocenionym nabytkiem, gdyż znał angielski, a Hans prowadził transakcje z Amerykanami. Z Maxem dogadywał się bez problemu, po niemiecku i polsku.

Amerykanin przyjeżdżał, uzgadniał cenę, potem wracał w ustalonym czasie po pieniądze, żadnych przelewów, tylko gotówka do ręki. Wszystkie rozmowy prowadził z Maxem, ale przy udziale Hansa i tylko jego. Hans ledwo co znał angielski, rozumiał co piąte słowo, spostrzegł jednak, że Polak nie oszukuje go, tak mu wychodziło z wyliczeń, a w rachunkach był dobry. Dwa lata współpracy przyniosły mu sporo gotówki. Rozliczał się siedemdziesiąt do trzydziestu, a Maxowi oddawał pięć procent ze swoich trzydziestu. Fortunę lokował w nieruchomości na nazwiska cichych wspólników, a za pieniądze Maxa kupił mały apartament w Strasburgu. Resztę trzymał w domu, w skrytce znanej sobie i córce, nie w sejfie.

Wszedł mu na kark szósty krzyżyk, pora na wycofanie w legalną działalność i zapewnienie córce normalnego życia. Kilkanaście milionów w nieruchomościach da niezły dochód i spokój. Zdawał sobie sprawę, że nic nie trwa wiecznie. Wielu patrzyło zawistnie na jego biznes, a przede wszystkim na współpracę z Amerykanami. Marzyli o jego przejęciu, lecz otwartej walki nie podejmowali. Hans miał dobrych, sprawdzonych ludzi. Nie to jednak ich powstrzymywało. Układy w policji i opłacani przez niego wysocy funkcjonariusze – to było jego główną polisą na życie. Również współpraca z ludźmi zza oceanu powstrzymywała chętnych, w obawie odwetu.

Hans był realistą. Jeden fałszywy krok, tylko jedno bezpodstawne podejrzenie, a straci wszystko. Pieniądze, życie i córkę. Wyłowią go z rzeki, znajdą z poderżniętym gardłem. Wzdrygał się, gdy na rozmowy i po pieniądze przyjeżdżał ten o ospowatej twarzy Amerykanin. Zdawał sobie sprawę, że pora poprzestać.

Jeszcze jedno. Hans był wdowcem z córką, prawie pełnoletnią. Jak każdy z ojców patrzył na Maxa również oczyma córki.

Wielki Szef nie domyślał się, że jego człowiek prowadzi w Hamburgu własną grę. Wszystko szło dobrze, były zyski, tylko jedno leżało mu na żołądku. Do Polski płynęły towary ze Stanów przez Hamburg, a z powrotem narkotyki, ale nie tylko jego. Postanowił to ukrócić. Dlaczego inni mieli zarabiać na tranzycie przez Polskę, na załadunku w jej portach, które on już prawie kontrolował? Dlaczego jakiś Hans z Hamburga zarabiał na tym kokosy? Potrzebował odbiorcy, a jego znał Hans.

Max wyszedł z dworca, nie brał taksówki, bo i po co. Poszedł okrężną drogą. Minął kościół przy Georgs Kirchhof i swoje mieszkanie, które wynajmował przy Koppel pod numerem 5/7. Mieściło się na piętrze nowego budynku z wejściem do klatki schodowej w głębi ogrodzonego terenu. Miało balkon z widokiem na ulicę. Dla bezpieczeństwa zainstalował niewidoczne z zewnątrz niewielkie kamery, i będąc w mieszkaniu, mógł na komputerze obserwować, co się dzieje przed budynkiem.

Zbliżył się do biura Hansa. Nie było przy nim samochodów Hansa i ludzi obstawy. Na chodniku stał policyjny radiowóz, policjanci w mundurach i dwóch wyglądających na tajniaków mężczyzn, a z daleka zobaczył oklejone taśmami okna biura. Nie zatrzymując się, skręcił w najbliższą bramę. Wszedł na podwórko, rozejrzał się niespiesznie, wyszedł i zawrócił. Minął swoje mieszkanie, obserwując teren, lecz nie zauważył nic podejrzanego. Doszedł prawie do dworca. W markecie zrobił zakupy na kilka dni, tak na wszelki wypadek, i ponownie ruszył do mieszkania. Nie było policji. Jeśli coś stało się z Hansem, ci co to zrobili, nie zastawiliby zasadzki pod okiem śledczych, operujących kilka przecznic dalej. Dlaczego mieliby to zrobić? Przecież nikt nie wie, że tu przyjechał. Nie zapowiadał swojej wizyty, a ludzie Szefa dopiero zaczynali go szukać, ale nie tutaj. Wszedł przez furtkę, otworzył drzwi wejściowe, włożył rękę pod kurtkę, odbezpieczając pistolet i prawie odskoczył, natykając się na sąsiadkę z dołu.

– Dzień dobry – ukłonił się starszej kobiecie.

– Dzień dobry – odpowiedziała, dodając: – Dawno Pana nie widziałam.

– Byłem jakiś czas pod Hanowerem, na warsztatach fotograficznych. Pytał ktoś o mnie?

– Nie, a właściwie tak. Jakaś młoda dziewczyna z torbą przychodziła wczoraj kilka razy, wchodziła na górę, dzwoniła do drzwi, siadała na schodach i czekała na pana. – Taka ruda – dodała. – Skąd miała klucz do drzwi wejściowych?

– Dałem jej, aby przyniosła mi swoje prace. Może zgubiła ten od drzwi do mieszkania.

– Taka jest dzisiejsza młodzież – skwitowała sąsiadka. – Wyjątkowo niechlujna. Taki pan przystojny i nie może znaleźć sobie miłej, porządnej dziewczyny. Tyle ładnych i schludnych chodzi ulicami. Mam bardzo ładną siostrzenicę, w pana wieku.

– To nie jest moja dziewczyna. Przyniosła swoje prace fotograficzne. Mam nadzieję poznać niedługo pani siostrzenicę.

– Powiem jej to, a teraz muszę iść i kupić coś na obiad.

– Do zobaczenia – uśmiechnął się.

Spojrzała na niego życzliwie i lekko kiwnęła ręką na pożegnanie.

Wszedł po schodach na górę. Przed drzwiami siedziała córka Hansa, ściskając sporych rozmiarów płócienną torbę. Oczy miała zamknięte. Ubrana w krótkie do kolan zielone spodenki, z ciemną plamą z przodu, fioletową szeroką bluzę z napisem na piersi, w różowe buty do tenisa, bez skarpetek, spała oparta o ścianę. Całe jej ubranie było ubrudzone ziemią, gliną, czymś zielonym i mocno wymięte. Włożył klucz w zamek, przekręcił i lekko szturchnął Martę. Zerwała się na równe nogi. Nie wiedzieć dlaczego, powiedziała dziękuję i rozpłakała się. Tak się trzęsła, że nie miała siły wejść. Wziął torbę, pomógł jej, wprowadził do pokoju i posadził na fotelu. Wrócił, przekręcił klucz w zamku, zasunął zasuwę, ryglując drzwi od wewnątrz. Marta jeszcze płakała.

– Jesteś głodna? – zapytał.

– Tak – odpowiedziała. – Zabili tatę.

– Kto?

Rozdział VI

Zwierzyna

Opowiedziała, jak dwa dni temu wieczorem, tuż przed zamknięciem biura, wracając z tenisa, weszła do ojca. Niezbyt często tu przychodziła. Teraz potrzebowała pieniędzy na hamburgera i colę. Była głodna, a portfel zostawiła w domu. Ojciec stwierdził, że zjedzą coś razem. Odesłał pracowników mówiąc, że pójdą pieszo do restauracji, a potem pojadą taksówką do domu. Kazał córce umyć się na zapleczu i włożyć sukienkę, którą miała w torbie z rakietami, a nie włożyła po treningu.

– Weź przy okazji śmieci i wyrzuć w podwórku – powiedział, podając worek.

Wyjęła klucze z torby, zasunęła na końcu pomieszczeń kotarę, nie chcąc, aby ojciec widział ją, gdy będzie się przebierała. Nie miała stanika, nie nosiła. Otworzyła kluczem drzwi i poszła wrzucić worek do kontenera. Drzwi pozostawiła otwarte. Zaplecze kamienicy, w którym mieściło się biuro, oddzielało niskie ogrodzenie od budowy, prowadzonej na sąsiedniej działce. Wznoszono na niej nowoczesny, wysoki biurowiec. Wykonawca zbudował na razie tylko piwnice i parter. Na placu leżały sterty desek, drewnianych bali, składowano rury, betonowe kręgi, wykonano wykopy pod układanie instalacji. Widziała prospekt, w którym oferowano już pomieszczenia do wynajmu. Budynek był ładny. Przyglądała się przez kilka chwil. Na budowie o tej porze nic się już nie działo. Odwróciła się, weszła do biura i usłyszała podniesione głosy. Nie zamknęła za sobą drzwi. Stanęła za kotarą i przez szparę zobaczyła ojca, rozmawiającego z dwoma wysokimi, mocno zbudowanymi mężczyznami. Mówili na przemian po niemiecku i polsku. Domyśliła się, że to Polacy, z którymi ojciec robił jakieś interesy. Nie było wśród nich Maxa, nie był nim też mężczyzna, stojący na zewnątrz przy samochodzie. Ojciec powiedział jej, że prowadzi niebezpieczne sprawy i zwodził, że jeszcze tylko trochę, może rok lub dwa, niedługo. Tłumaczył, jak ma się zachować w krytycznym momencie. Stała więc za kotarą cicha jak mysz, obserwując przez szparę rozmawiających. Wyższy z mężczyzn przyłożył ojcu pistolet do głowy.

– Podaj nazwiska, terminy dostaw, a podzielimy się po połowie – zażądał, uderzając ojca otwartą ręką w twarz.

– Nie mam stałych kontaktów z Amerykanami. Jak mają towar, to przychodzą do mnie i go od nich kupuję. Trochę samochodów, sprzęt elektroniczny, ciuchy. Dwa razy to się zdarzyło.

– Nie kłam. Wiemy, co twoi przywożą do Gdańska i Gdyni. Widzieliśmy rozładunek kontenerów na metach i to, co było w nich wywożone. Narkotyki to my – i nie będzie żadnej konkurencji.

– Przysięgam. Nie działam w narkotykach.

Niższy z mężczyzn uderzył Hansa pięścią w twarz. Cios był tak silny, że rzuciło nim do tyłu – rozbił stojącą lampę, uderzając w nią skronią.

– Może przysięgniesz na głowę córki? – zapytał z ironią w głosie wyższy z mężczyzn, podnosząc Hansa jedną ręką z podłogi i sadzając na krześle, a drugą wkładając pistolet do jego ust.

Marta, zobaczywszy zakrwawioną twarz ojca, wydała jęk ledwie słyszalny, ale nie tak cichy, żeby nie dotarł do uszu mężczyzn.

Odwrócili się w jej kierunku. Ojciec usiłował coś powiedzieć, lecz rozbite usta i lufa pistoletu nie pozwoliły mu.

– Ktoś tam jest.

A po sekundzie głos niższego:

– Łap go.

Wyższy rzucił się w pogoń, zawadził o leżącą na podłodze rozbitą lampę. Pistolet wypalił i mózg Hansa znalazł się na ścianie biura – kolejna abstrakcyjna mozaika, jak stwierdzili kilka godzin później policyjni fotografowie, robiąc zdjęcie zwłok, miejsca zdarzenia i wszystkich ścian, obwieszonych picassowskimi reprodukcjami.

– Coś ty zrobił? – usłyszała jeszcze Marta, rzucając się do ucieczki.

Potknięcie wyższego i śmierć ojca uratowały jej życie. Zanim niższy obiegł ciało i zerwał kotarę, wypadła na zewnątrz, pchnęła za sobą drzwi i nim dobiegł do nich, już się zatrzasnęły.

Usłyszała, jak krzyczy:

– Bierz samochód i jedź z drugiej strony. Jak nie znajdę kluczy, wyważę drzwi.

Przeskoczyła przez ogrodzenie. Ojciec uczył ją: – myśl dziecko, myśl.

Wiedziała, że gdy wyjdzie na ulicę i będzie uciekała w jedną lub drugą stronę, to nie zdąży, bo już słyszała warkot silnika. Objadą kamienice i za kilka minut będą mieli ją jak na dłoni. Ukryje się na budowie. Przeszukają piwnice i parter budynku, nie znajdą i pomyślą, że schowała się u kogoś w kamienicy. Mają tylko czas do przyjazdu policji. Później wyjadą pospiesznie z Hamburga, nie będą chcieli ryzykować.

Podbiegła do leżących na ziemi desek. Wpełzła pod nie, wciągając za sobą puste worki po cemencie. Przywarła do podłoża, zamaskowała workami wylot, wcisnęła twarz w mokrą ziemię i już słyszała głosy mężczyzn.

– Sprawdzę budynek, a ty zobacz w wykopach i za tymi stertami.

Zapadał zmierzch, było jej zimno i niewygodnie. Nie mogła się ruszyć, nie zdradzając swojej kryjówki.

– W budynku jej nie ma.

– Ja też jej nie widzę.

– Schowała się w którejś kamienicy – podeszli do desek.

– Za chwilę będzie policja, zwiewamy. Wrócimy jeszcze po nią. Zna jego tajemnice.

Nie znała tajemnic ojca. Ciągle tylko powtarzał, że jeśli coś mu się stanie, to nie będzie bezpieczna. Pokazał skrytkę, kazał ją opróżnić i uciekać na drugi koniec kraju do ciotki Grety.

Po kilkunastu minutach usłyszała syreny policyjne. Wyczołgała się z kryjówki, strzepnęła ziemię, przetarła twarz i ruszyła. Mieszkali w strzeżonym apartamentowcu przy Brennerstrase, niedaleko hotelu Astoria. Dotarła tam po kilku minutach. Przyłożyła do czytnika kartę z chipem, przypiętą do kluczy, furtka otworzyła się i po chwili była przy drzwiach wejściowych.

Portier, zajęty rozmową z kierowcą wyjeżdżającego auta, nie zwrócił na nią specjalnej uwagi. Poznał, ale nie przyglądał się.

Ta sama karta umożliwiła jej wejście do holu, windą na czwarte piętro i już po chwili była w mieszkaniu. Marzyła o ciepłej kąpieli, chciała coś zjeść, lecz instynkt podpowiadał jej, że najpierw musi opróżnić skrytkę. Wyciągnęła z garderoby pierwszą z brzegu, dużą płócienną torbę, podeszła do kominka w salonie, wcisnęła jedne, przekręciła drugie okucie i otworzyła skrytkę. Skrytka była przemyślnie skonstruowana, wmontowana w ścianę udawała obudowę kominka. Wyjęła wszystko na podłogę. Były tam paczki zaklejone taśmą, kilka papierowych teczek i koperty z napisami. Na jednej z nich zobaczyła imię – Max. Wrzuciła wszystko do torby i wyniosła do przedpokoju.

„Teraz umyję się i coś zjem" – czuła pustkę w brzuchu.

Weszła do kuchni wyjąć przed kąpielą masło z lodówki.

„Odtaje, będzie łatwiej rozsmarować".

Spojrzała w okno i zamarła. Przed bramą stał samochód, który widziała przed biurem ojca, a w nim ten mężczyzna. Niższy Polak siedział z portierem w stróżówce, a wyższy zbliżał się już do drzwi. Była pewna, że portier, widząc lufę pistoletu, wyjawił kod techniczny do drzwi wejściowych, a teraz siedział cicho, robiąc pod siebie i zastanawiając się, dlaczego jej szukają. Nie obchodziła go, chciał przeżyć.

Rzuciła się do wyjścia, zatrzaskując po drodze skrytkę. Złapała torbę, wzięła z komody klucze i ciemne okulary, a z wieszaka czapkę i bluzę ojca. W lustrze zobaczyła, jaka jest brudna. Cicho otworzyła i powoli zamknęła za sobą drzwi. Jeszcze ciszej zaczęła iść w górę.

Na siódmym, ostatnim piętrze budynku, znajdują się pomieszczenia techniczne, siłownia, fitness, wyjście na taras. Dostęp do nich mają mieszkańcy z wszystkich klatek. Drzwi otwierają się tym samym chipem. Idąc w górę, słyszała, jak wchodzi do środka, naciska przycisk windy. Gdy winda ruszyła, weszła do pomieszczeń technicznych i biegiem pomknęła do ostatniej klatki, wychodzącej na zewnątrz z boku apartamentowca.

– Nie zobaczą mnie – powiedziała do siebie, schodząc schodami w dół.

Wyszła na zewnątrz. Podeszła do ogrodzenia, wspięła się na drzewo, tak jak robiła to dawno temu z dzieciakami sąsiadów, zeskoczyła do przyległego parku i pobiegła w boczną alejkę.

Jako dzieci mieli tam, wśród gęstych krzewów, swoją kryjówkę, której teraz tak potrzebowała. Niewiele się zmieniło. Krzewy dochodziły z jednej strony do żwirowej alejki, a z drugiej do kamiennego wysokiego muru. Wiele lat temu zrobili w nich swoje tajemne miejsce spotkań. Wciągnęli dwa drewniane bale, szykowane przez ogrodników na ławki, i znaleziony w parku plastikowy pojemnik, służący do ładowania liści w trakcie porządków. Siadywali na balach przy odwróconym do góry dnem pojemniku, udającym niski stolik. Przynosili słodycze, napoje i rozmawiali o wielkich sprawach, niewidziani przez dorosłych. Sami w swoim szczęśliwym świecie.

– Już minionym – stwierdziła.

Przedarła się przez krzewy. Było tu jak kiedyś, tylko drewniane bale, lekko spróchniałe, zapadały się w ziemię, a plastikowy pojemnik z jakiegoś powodu pękł. Nikt już tutaj nie przychodził. Jej koledzy z dziecinnych zabaw, starsi od niej, wychowywali własne dzieci, które niedługo będą gdzieś indziej tworzyć swoje światy niedostępne dla dorosłych.

Założyła bluzę ojca, położyła się na drewnianym balu, wsunęła pod głowę torbę i zaczęła płakać. Zapadł zmierzch. Przed zamkniętymi oczyma przesuwały się obrazy jej życia z ojcem, z matką pół Polką pół Niemką z Opola. Z nią rozmawiała po polsku i niemiecku, ale tylko do dziewiątego roku życia. Później matka odeszła na zawsze. Za śmierć matki obarczała ojca. To jego ciemne interesy wykończyły ją. W głowie kłębiły się myśli.

„Co mam robić?".

Nagle zdrętwiała. Nie z zimna, choć trzęsła się w chłodzie nocy. Wyświetlił jej się widok ojca stojącego w biurze i wręczającego mężczyźnie gruby plik banknotów w foliowej torbie. Weszła wtedy niespodzianie do biura i ich zaskoczyła. Mężczyzna wziął pieniądze, włożył do kieszeni i wrednie uśmiechając się, uszczypnął ją w policzek. Na odchodne powiedział:

– Milutka ta twoja córeczka.

Ten trzeci mężczyzna, w biurze, i później w samochodzie to on. Wtedy był w mundurze kapitana policji.

„To już koniec" – pomyślała, usypiając.

Budził ją każdy szelest, przebiegająca nornica, głos ptaka. Niewiele nocy przespała. Myśli kierowały ją raz do ucieczki na koniec świata, innym razem do pójścia na policję, a następnie do ukrycia się u znajomych w Hamburgu. Za i przeciw. Nastał świt. Odczekała do momentu, gdy ludzie pojawili się w parku i usłyszała, jak o dziewiątej otworzyła się krata w znajomej kafejce na ulicy za murem. Wiedziała, co zrobi.

Zdjęła bluzę i podkoszulek. Na gołe ciało włożyła z powrotem tylko bluzę, a podkoszulek do torby i wyszła z kryjówki. Usiadła na ławce przy fontannie. Ludzi w parku było niewielu. Co jakiś czas ktoś przechodził, spiesząc się do pracy, gospodynie domowe w drodze na zakupy mijały ją sąsiednimi alejkami. Wiedziała, jak wygląda. Nie mogła tak pokazać się na ulicy. Podwinęła rękawy zbyt szerokiej bluzy i gdy nie było nikogo w pobliżu, zanurzyła głowę w fontannie, spłukała starannie glinę i ziemię z włosów. Umyła twarz, ręce i nogi. Wytarła podkoszulkiem. Zdjęte buty wyczyściła skarpetkami i założyła na gołe stopy. Spojrzała na siebie, ostatnie poprawki wilgotnym podkoszulkiem. Przetarła nim spodenki, lecz ciemna plama z przodu, a także pozostałe, nie zeszły.

Przeczesała rękoma swoje rude włosy, włożyła na głowę czapkę i okulary na oczy, wyrzuciła podkoszulek i skarpetki do kosza i ruszyła po ratunek.

O świcie, w kryjówce, sprawdziła kopertę z napisem „Max". Znalazła w niej dokumenty, pieniądze i cztery klucze spięte breloczkiem. Miała nadzieję, że do mieszkania Maxa.

Doszła do budynku, w którym mieszkał Max, unikając policjantów i odwracając się na widok radiowozów. Jeden klucz pasował do furtki, następny do drzwi wejściowych klatki schodowej. Minęła lokatorkę z parteru.

– Pani tu mieszka?

– Nie, ja tylko do pana Maxa. Może pani wie, czy jest w domu.

– Nie wiem. Ostatnio go nie widziałam.

– Zobaczę. Może jest.

Weszła na górę. Drzwi były zamknięte na dwa zamki. Jeden klucz pasował, drugi nie. Usiadła na schodach.

– Poczekam.

Przychodziła jeszcze trzy razy, wchodziła na piętro, pukała do drzwi, siadała na schodach czekając. Przez resztę czasu przemierzała ulice, bojąc się kamer, omijała główne place, sklepy. Nie miała dokąd iść. Bała się.

Wieczorem wróciła do kryjówki, spędziła tam kolejną noc, a rankiem przyszła pod drzwi Maxa, zapukała i usiadła na schodach.

„Nie mam już sił, nie ruszę się stąd".

Rozdział VII

Max

Posadził ją w fotelu. Cały czas trzęsła się i płakała. Próbowała coś powiedzieć, lecz nie mogła wydusić ani jednego słowa.

– Jesteś głodna? – powtórzył pytanie.

Teraz w odpowiedzi potrząsnęła przecząco głową.

Usiadł na oparciu obok niej, objął ramieniem, a drugą ręką delikatnie głaskał jej rude włosy. Znał ją już ponad dwa lata. Gdy przyjeżdżał do Hansa, zawsze przychodziła i uśmiechnięta, nawijała bez przerwy łamanym angielskim.

Z ojcem nie miała kontaktu. Mieszkała z nim, opłacał wszystko, co chciała, ale widywali się tylko wieczorami i jadając wspólnie obiady w restauracjach, gdy on i ona mieli trochę wolnego czasu. W szkole uczyła się języka francuskiego, lecz zapisała się na kurs angielskiego, aby łatwiej porozumieć się z Maxem, gdyż nie chciał z nią rozmawiać ani po niemiecku, ani po polsku. Często wtrącała zdania po francusku.

– Jesteś szalenie przystojny.

– Chyba się w tobie zadurzę.

– Zakochałam się w tobie.

– Pokochasz mnie? Nie, na pewno nie. Nie jestem dla ciebie. A może jednak?

– Przytul mnie.

Udawał, że nie rozumie i mówił:

– Ucz się angielskiego. Po angielsku porozumiesz się z całym światem. Czy wiesz, że połowa ludzi na świecie mówi po angielsku? Ty też musisz.

Zobaczyła go pierwszy raz, gdy przyszła do restauracji zjeść obiad z ojcem. Spodobał jej się. Serce mocno zabiło. Była to wielka miłość od pierwszego wyjrzenia. Miłość nieopierzonej nastolatki. Żałowała, że bez wzajemności. Był dla niej grzeczny, miły, nieraz dał jej drobny prezent, ale to wszystko. Gdy Max przyjeżdżał do ojca, wpadała po szkole do biura, aby patrzeć na niego, zamienić kilka słów, usłyszeć komplement. Po raz pierwszy od dawna mogła kogoś kochać. Gdy załatwiali jakieś swoje interesy, ojciec wyganiał ją, każąc przyjść dopiero na obiad, do restauracji. Krążyła ulicami, nie mogąc doczekać się wyznaczonej godziny. Wieczorami, w łazience, patrzyła na swoje odbicie w lustrze i mówiła do siebie:

– Przecież ty nie jesteś dla niego.

Kładła się do łóżka, wtulając twarz w poduszkę: – A i tak będę go kochała. Będę go kochała nawet, jak będzie miał inną.

Pomogła mu znaleźć mieszkanie. Była tam tylko raz, gdy się do niego wprowadzał. Nigdy więcej nie zaprosił jej do siebie. Nie chciał dawać jakiejkolwiek nadziei, zwłaszcza że była córką Hansa. Nigdy nie myślał o niej jako o dziewczynie, kobiecie.

Gdy się uspokoiła, pomógł jej wstać.

– Idź do łazienki. Weź ciepłą kąpiel. Płyn do kąpieli stoi na półce nad wanną.

– Zaraz przyniosę ubranie do przebrania i ręczniki – dodał. – Może znajdzie się coś na ciebie.

W sypialni długo szukał, aż wreszcie wyjął z szafy miękką białą koszulę i bokserki w niebieską kratkę. Nie miał nic, co by pasowało na nią. To musiało wystarczyć. Słyszał, jak napuszcza wodę do wanny. Wziął ręczniki i wszedł do łazienki. Szumiała woda, napełniająca wannę, a Marta stała naga przed lustrem i dotykając palcami policzków, przyglądała się swojej zmęczonej twarzy.

Chwilę patrzył na nią. Nie zasłoniła się, niczym nie okryła. Podał ubranie i ręczniki, odwrócił się i nie domykając do końca drzwi, powiedział:

– Nie zamykaj drzwi, boję się, że zasłabniesz i utoniesz. Zrobię coś do jedzenia.

Zawsze widział ją w spodniach, krótkich spodenkach, szerokim podkoszulku lub bluzie. Nie przyglądał się wtedy. Teraz zorientował się, że ukrywała niedoskonałości swojego ciała. Nie była ładna. Blada, lekko piegowata twarz z małym noskiem, okolona rudymi włosami była zwyczajna. Ładny był uśmiech i perłowe zęby i to wszystko. Zauważył, że górę ciała ma szczupłą, z bardzo małymi piersiami zakończonymi dużymi sutkami, ręce też szczupłe z delikatnymi piegami, jak na całym ciele. Góra kontrastowała z rozbudowanymi biodrami, dość dużą pupą i przygrubymi udami. Nie była zgrabna i mogła mieć, na pewno miała, z tego powodu kompleksy. Nie podobała się chłopakom z jej środowiska, kolegom szkolnym z elitarnej szkoły w Hamburgu. Przyznała mu się do tego. Ile mogła mieć lat? Na początku wiosny obchodziła urodziny. Które? Nie mógł sobie przypomnieć. Powiedziała, że od roku jest pełnoletnia. Więc dziewiętnaście.

Wszedł do kuchni. Zrobił kanapki z wędliną, serem i pomidorem, wsypał herbatę do kubków. Wstawił wodę i zapytał, nie słysząc plusku wody w łazience.

– Jak tam, długo jeszcze?

– Poleżę jeszcze przez chwilę – odpowiedziała z prośbą w głosie.

– Dobrze, ale jedzenie jest już gotowe. Powiedz, kiedy zaparzyć herbatę.

– Za kilka chwil.

Postawił kanapki na stoliku. Wyjął wszystko z torby, którą przyniosła i położył na biurku obok laptopa. Włączył go i uruchomił podgląd z kamer zainstalowanych na balkonie. Teren przy budynku i ulica były puste. Raczej nikt nie wiedział, że jest w Hamburgu.

Wszedł do kuchni, jeszcze raz włączył wodę, zalał herbatę wrzątkiem i zaniósł do salonu. Kolejny raz powtórzył pytanie.

– Kończysz kąpiel? Jedzenie gotowe.

– Już, za minutę.

Słyszał, jak wychodzi z wanny, wyciera się ręcznikiem. Po chwili była w pokoju, w koszuli sięgającej jej do połowy ud, zapiętej od dołu do piersi. Rękawy podwinęła. Miała mniej niż sto sześćdziesiąt centymetrów wzrostu, a on był od niej wyższy o ponad ćwierć metra. Koszula była za szeroka i za długa. W ręku trzymała bokserki. Położyła je na oparciu fotela.

– Spadły mi z tyłka, za duże.

– Nie mam innych.

– Później wypiorę swoje.

– Siadaj i zjedz.

Zjadła połowę kanapek, on drugą. Była głodna. Bardzo głodna. Dokroił wędliny i sera, sparzył i obrał ze skórki pomidory. Posmarował masłem jeszcze kilka kromek chleba. Pochłonęła również i to.

– Kiedy jadłaś ostatni raz? – zapytał.

– Dwa dni temu. Tylko śniadanie.

Gdy kończyli herbatę, zaczęła opowiadać, co wydarzyło się w ciągu ostatnich dni. Jak zamordowali ojca, jak ją ścigali, jak schowała się na budowie, a później w parku. Jak czekała na niego. Opisała ludzi, którzy zabili ojca. Powiedziała, że to Polacy. Z opisu poznał, że wyższym był zawsze narwany Lewy, prostak, mięśniak od mokrej roboty. Drugi to Zegar, bystry i inteligentny gość. Jego należało się obawiać, ale po takiej drace są już w Polsce. Opowiedziała o towarzyszącym im wysokim funkcjonariuszu policji. Nabrał pewności, że wyjechali, ale policjant prywatnie, a jego koledzy służbowo, będą jej szukać. Rozegra to tak, że znajdzie ją pierwszy, a pomogą mu podwładni, opłacani przez niego pieniędzmi Hansa. Zrobi wszystko, aby ją dorwać przed innymi i wyprawić na tamten świat. A co jej jeszcze zrobi, aby poznać tajemnice Hansa, nie chciał nawet myśleć. Łowy już się rozpoczęły.

Skończyła i opadła bez sił na poduszkę.

– Jak leżałam na budowie, pod deskami, twarzą do ziemi, żeby nie słyszeli mojego oddechu, to się zsikałam – i dodała – dwa razy, stąd ta plama na moich spodniach.

– Jesteś zmęczona, ja też – powiedział. – Jest wprawdzie dopiero szesnasta, ale połóżmy się i prześpijmy. Może mi się przyśni jakieś światełko na końcu naszego tunelu.

– Idę pod prysznic, a jak skończę, umyjesz ząbki – dodał.

– Odstawię naczynia do kuchni. Jutro pozmywam. Teraz nie mam sił.

Wziął podkoszulek z szafy, bokserki z fotela i wszedł do łazienki. Zrzucił wszystko, co miał na sobie, na podłogę obok jej bluzy, spodenek i majtek. Jutro spakuje do worka i wyrzuci do śmieci. Gdy brał prysznic, weszła do łazienki. Nabrała wody w usta, wypłukała, wypluła do umywalki. Nałożyła na jego szczoteczkę pastę i szorując zęby, patrzyła na niego przez szklany parawan. Wolno myła zęby i cały czas patrzyła, gdy namydlał się i spłukiwał wodą. Skończyła i wyszła do salonu.

Wytarł się, umył zęby, ogolił kilkudniowy zarost, założył bokserki i podkoszulek.

– Mam tylko jedno łóżko. Muszę się wyspać, żeby jutro trzeźwo myśleć. Tobie też przyda się porządny sen. Będziemy spać razem. Łóżko jest szerokie, nakrycie też. Mam dodatkowe poduszki.

Wszedł do sypialni, Marta za nim. Zdjął wierzchnią narzutę, odsunął tę, pod którą sypiał, wyjął z szafy dodatkową poduszkę, rzucił na materac, poklepał i powiedział.

– Kładź się. Ja będę spał od strony drzwi. Spróbuj zasnąć od razu.

– Dobrze.

Położyła się na plecach, obciągając do dołu koszulę. Przykrył ją i wsunął się pod narzutę. W sypialni mimo zaciągniętych rolet było dość jasno. Czuł, że patrzy z boku na niego. Zamknął oczy.

– Dobranoc – usłyszał.

– Śpij – odpowiedział.

Rozdział VIII

Marta

Minęła chwila albo dłużej. Jeszcze nie zasnął. Poczuł, jak Marta przytula się do niego. Objęła go ręką, a nogę położyła na jego nogach. Nie odezwał się i nie ruszył. Wtuliła twarz w jego pachę, ręka powędrowała powoli w dół, uniosła podkoszulek. Palce gładziły brzuch, wędrowały w górę. Podkoszulek przeszkadzał, więc powoli, z uporem próbowała pociągnąć go do góry i wysunąć spod pleców. Było to dla niej dość trudne, przy jego wadze prawie dziewięćdziesięciu kilogramów. Pomógł jej, unosząc tors lekko w górę. Podkoszulek znalazł się pod brodą, a usta Marty na jego piersi. Całowała każdy dostępny fragment jego ciała. Jej ręka zawędrowała w okolice bokserek. Najpierw z boku, a potem pośrodku gładziła go przez materiał. Było mu dobrze, lecz nadal leżał nieruchomo. Wycofała rękę na górę spodenek, usta dotarły już do jego brzucha. Powoli wsunęła za gumkę jeden palec, później drugi badając teren, a może sprawdzając, czy jej pozwoli. Cała ręka wsunęła się w bokserki, zbliżając do celu. Im była bliżej, tym bardziej mu się podnosił. Gdy dotarła, był już gotowy do działania. Zaczęła drżeć, wzdychając co chwilę.

Było mu dobrze. Wysunęła rękę i położyła się na nim. Podciągała się wolniutko w górę, usiłując zdjąć z niego podkoszulek. Czuł na sobie jej gołe ciało, rozpięta przez nią wcześniej koszula, okrywała tylko ręce i plecy. Sięgnął rękoma do podkoszulka i ściągnął go przez głowę.

Dotarła ustami do jego ust. Całowała jego wargi, na przemian delikatnie liżąc koniuszkiem języka i jeszcze delikatniej przygryzając. Wsunął jedną rękę pod koszulę i objął jej kibić, drugą położył na głowie, przyciskając jej twarz do siebie. Wsunęła mu lekko język między wargi. Cała drżała, serce pospiesznie biło, a jej brzuch, biodra i uda tarły o jego ciało.

Powoli przewrócił ją na plecy. Leżała pod nim naga, patrząc mu w oczy w sposób, którego nie będzie mu dane zapomnieć do końca życia. W jej spojrzeniu nie było już przerażenia, lecz miłość, wdzięczność, podziękowanie i prośba, aby jej nie odtrącał.

Oddychała szybko. Małe piersi unosiły się rytmicznie, nabrzmiałe sutki były jeszcze większe. Między nogami pozostawiła wąski, pionowy pasek zarostu rudego koloru, trochę jaśniejszego, jak włosy na głowie, zlewający się z kolorem ciała. Nogi były zapraszająco rozchylone.

Ukłęknął między nimi, zsunął bokserki i rzucił na podłogę. Uniósł jej nogi lekko do góry, trzymając pod kolanami. Opuściła wzrok z jego twarzy i patrzyła jak wsuwa się w nią swoim twardym i nabrzmiałym. Powoli, delikatnie, poruszał się w niej, oparty na rękach. Patrzyła raz na jego twarz, raz w dół, jak to robi. Po chwili głośno westchnęła, zamknęła oczy, przyciągnęła go do siebie i objęła mocno rękoma i nogami.

Wchodził w nią wolno i delikatnie, raz za razem, czując, że chyba niewiele razy w życiu uprawiała seks. Czuł ciepło w całym ciele. W rytm jego pchnięć jej biodra falowały, jakby pomagając mu w tym akcie. Z ust wydobywał się dźwięk, nie krzyki czy jęczenie, które udawane lub nie wiele razy już słyszał. Był to świst, przerywany świst, wydobywający się z jej ust razem z głębokim oddechem. Pierwszy raz dziewczyna tak reagowała w jego ramionach.

Było to dla niego miłe. Jej oddech stawał się coraz szybszy, dźwięk intensywniejszy. Marta dochodziła. On też. Nie zapytał wcześniej, a nie chciał teraz, czy jest zabezpieczona, więc w ostatniej chwili wyszedł z niej, przytulił i przyjemnie mokro zrobiło się między nimi. Marta mocno obejmowała go nogami, rękoma przyciągała do siebie i nadal rytmicznie poruszała biodrami, oddychając spazmatycznie i świszcząc przez otwarte usta.

Leżał na niej jeszcze kilka minut nim się uspokoiła.

– Puść mnie. Musimy się umyć.

– Nie musimy. Proszę zostań, to cię puszczę – nakryła ich narzutą.

Trzymała go mocno.

– Jutro upiorę pościel. Nie wstawaj – poprosiła. – Przytul się do mnie.

– Dobrze, mogę leżeć na tobie do rana. Jak usnę, to zaduszę cię swoim ciężarem.

– Słodka śmierć – przyssała się do jego ust – choć ciężka.

Podniosła do góry ręce prosząc, aby ściągnął jej koszulę. Nogi mocniej zacisnęła na jego lędźwiach.

– Nie bój się nie wstanę – odrzucił koszulę w kierunku szafy.

– Leż tak nadal – opuściła nogi, ale rękoma objęła go mocniej.

Leżeli kolejne chwile, aż oddech jej się wyrównał. Uścisk zelżał, zasnęła. Zsunął się z niej i delikatnie odwrócił ją na bok tyłem do siebie.

– Niemożliwe – poruszyła się, chcąc się odwrócić. – Jak to się stało. Widziałam się w lustrze. Ja nie jestem z twojej ligi. Zostań ze mną choć na tę noc. Nie wiesz nawet, jakie mnie szczęście spotkało.

Przytulił się do niej, objął ręką. Wzięła ją w swoje dłonie i przycisnęła do piersi. Pupą przywarła do niego i zasnęła.

Nie mógł myśleć, co będzie musiał zrobić w bliskiej przyszłości, nie mówiąc o dalszych planach. Prawdę mówiąc, nie miał na to siły. Runął nakreślony przez niego plan. Dotarł tutaj, ale Hans już mu nie pomoże. Teraz on musi pomóc jego córce. Sama zginie. Dopadną ją wcześniej lub później. Zastanawiał się, co ma zrobić. Nie mógł niczego wymyślić. Nic nie przychodziło mu do głowy. Zasnął. Przez sen czuł i słyszał, jak Marta momentami ciężko oddycha, budzi się, zrywa, łapie jego rękę i przyciska do swojego ciała. Wtula się w niego i usypia. Kolejny raz zasypiając, mówił w myślach do siebie:

„Musisz jej pomóc. Nie możesz jej zostawić".

Obudził się w środku nocy, słysząc coś. W sypialni było ciemno, latarnie świecące na ulicy niewiele dawały światła, ale stamtąd nie dochodził żaden dźwięk. To Marta leżąc na boku, ciężko oddychając i poświstując, wciskała się w jego krocze. Rękę trzymała na jego pośladku, starając się przyciągnąć go bardziej do siebie. Gdy on spał, jego członek sam zadbał o siebie. Wpompował krew w ciała jamiste i teraz był w gotowości. Ciało Marty odebrało ten sygnał i poprzez półsen próbowało połączyć się z jego.

Pochylił Martę jeszcze bardziej, aż jej głowa znalazła się na skraju łóżka, a pośladki wypięły się mocniej w jego kierunku. Wszedł w nią od tyłu, aż tym razem jęknęła. Wchodził łatwiej, gdyż była już odprężona i w środku bardziej wilgotna. Robił to, tym razem rytmicznie, może mniej delikatnie, ale wiedział, że sprawia jej zadowolenie. Sam też był bardzo podniecony, gdyż po raz pierwszy od wielu lat kochał się z prawdziwą dziewczyną. Uprawiał seks ze zwykłą dziewczyną z krwi i kości, która dawała mu wszystko, całą siebie bez ograniczeń.

W swoim dorosłym życiu miał tylko dziewczyny takiej jak on kategorii, dziwki, galerianki, dziewczyny gangsterów, będące na usługach organizacji – inne niż te z młodości, z ogólniaka. Tamte odeszły w zapomnienie. Już nie wrócą. Są nie dla niego.

Nie wychodząc z niej, przekręcił ją na brzuch, podłożył poduszkę pod biodra. Nie przestawał rytmicznie wchodzić w nią. Słychać było plask jego ciała o pośladki i jej głos powtarzający:

– O Boże, o Boże…

Chciał ją przewrócić na plecy, lecz przejęła inicjatywę. Pchnęła go na poduszkę i usiadła na nim. Ręką pomogła włożyć mu między swoje nogi. Teraz ona systematycznie kochała go, siedząc na nim z podkurczonymi nogami, ale jej sił nie starczyło na długo. Zsunęła się z niego, pocałowała i kładąc na boku, poprosiła:

– Tak jak na początku.

Przywarł do niej, przyciągnął dwoma rękoma i tak trzymając, kochał się z nią, aż poczuł znajome dreszcze swojego ciała. Czekał do ostatniej chwili, na ostatni sygnał. Szybko wysunął się z niej. Nie próbował wstać. Marta trzęsła się jak galareta. Poprawił poduszkę pod jej głową, okrył ich pościelą i przytulił do niej, klejąc się do mokrej pupy.

Gdy się obudził, ona oparta na ręce leżała i patrzyła na niego.

– Kocham cię – powiedziała.

– Wstajemy! – rozkazał, zrzucając narzutę.

Podniósł się i zobaczył, że całe prześcieradło i narzuta są w plamach i ubrudzone krwią.

– Co się stało?

– Nic, wszystko w porządku – zarzuciła na siebie przykrycie, chowając głowę pod nie. – Wszystko jest tak, jak powinno być.

– Ale co to jest? – próbował je z niej ściągnąć.

Spod narzuty usłyszał:

– To mój pierwszy raz. Nigdy tego nie robiłam.

– Niemożliwe?

– A właśnie, że możliwe.

– Nikt i nigdy nie da mi wiary. Prawie dwudziestoletnia dziewczyna i dziewica – wszedł do łazienki.

Rozdział IX

Pożegnanie

Wstał pierwszy. Wziął prysznic, ogolił się, umył zęby i wrócił do sypialni. Marta naga, nachylona tyłem do niego, zdejmowała pościel. Poczuła wzrok na sobie. Odwróciła się i stanęła nieruchomo, uśmiechając się. Widział dzisiaj błyszczące zielone oczy i rozchylone usta.

– Jesteś piękna – powiedział.

– Tak wiem, w środku – i dodała: – Tylko serce mam piękne, ale dziękuję za komplement.

Pozbierała wszystko, podniosła z podłogi rozrzucone ubranie i zaniosła do łazienki. Gdy pluskała się w wannie, wyjął z szafy bieliznę, koszulę i spodnie, ubrał się i przyszykował dla niej zielony podkoszulek z krótkimi rękawkami, w sam raz pod kolor oczu.

Przygotował śniadanie. Zjadła tyle samo co on.

– Masz wilczy apetyt – stwierdził.

– Gdybyś napracował się w nocy tyle co ja, też byś miał apetyt – zażartowała.

Zabrała talerze i kubki do umycia, a on rozpakowywał to, co przyniosła w torbie ze skrytki Hansa. Teczki i koperty kładł na podłogę wraz z kartkami, z wypisanymi na nich kolumnami liczb i dat, nic mu niemówiącymi. Co zawierają, wiedział tylko Hans i tajemnicę zabrał do grobu. Jeśli gdzieś pojawiło się jakieś nazwisko, adres lub opis zdarzenia, odkładał na stolik. Po prawej ręce kładł rzeczy, które dotyczyły bezpośrednio Hansa, Marty i jego samego. Odłożył tam notes z nazwiskiem Klaus Beyer i z dopiskiem „pozostali policjanci".

Marta skończyła zmywać i usiadła obok, gdy otworzył kopertę z napisanym na wierzchu jej imieniem. Wyjął z niej dowód, paszport i prawo jazdy z imieniem i nazwiskiem Marta Rilke i jej zdjęciami. Był też akt urodzenia, inne dokumenty i plik zdjęć związany czerwoną tasiemką, kilka kartek świątecznych wysłanych na poste restante, z życzeniami, każda z pytaniem „kiedy przyjedziecie?" i podpisem – Greta. Akt urodzenia wystawiono w Rumunii, w mieście Satu Mare. Hans o wszystkim pomyślał. Załatwił córce nową tożsamość.

Sięgnęła po zdjęcia i zaczęła płakać.

Na kolejnych dokumentach widniało nazwisko Erwin Rilke i zdjęcia Hansa. Hans rzeczywiście szykował się do ucieczki, w legalny świat.

Gdy przeglądała zdjęcia z dzieciństwa, zapytał:

– Kto to jest Greta?

Opowiedziała, jak po śmierci matki ojciec zabrał ją do małej miejscowości Nimburg koło Freiburga. Poznał z Gretą Rilke, swoją koleżanką ze szkoły średniej. Jak powiedział, a Greta potwierdziła, był jej wielką miłością. Po jego ślubie wyjechała z Hamburga do Nimburga i pracowała na poczcie. Nigdy nie wyszła za mąż, może czekała na Hansa. Spędzili tam cały tydzień. Marta polubiła Gretę, a ona ją. Na odchodne padły znamienne słowa. Greta, żegnając się, przytuliła Martę i powiedziała :

– Zawsze chciałam mieć taką córkę jak ty.

– Nie takie marzenia się spełniają – stwierdził ojciec.

Nigdy więcej Grety nie odwiedzili. Tylko ojciec ciągle powtarzał:

– Jak mi się coś stanie, uciekaj do Grety i zapomnij o wszystkim.

– Dlaczego nigdy więcej nie byliśmy u niej? – zapytała Marta.

– Twój ojciec chciał mieć miejsce, gdzie będzie się mógł schronić, o którym nikt nie będzie wiedział i dlatego jej nie odwiedzał. A może bywał u niej, a ty o tym nie wiesz? – powiedział Max, przeglądając na koniec kopertę ze swoim nazwiskiem.

Znalazł w niej dokumenty na nazwisko Max Mer, które kazał załatwić Hansowi, sto tysięcy euro i akt kupna apartamentu w Strasburgu na osobę, której nie znał. Klucze wyjęła wcześniej Marta. Czwarty klucz nie pasował, gdyż wymienił zamek, nie dając zapasowego.

Wrócił do notesu z nazwiskiem Klaus Beyer. Do pierwszej strony doszyto zszywką zdjęcie mężczyzny w mundurze kapitana policji, zrobione z ukrycia, jak się zorientował, na tle eleganckiej rezydencji. Na kolejnych było całe dossier Beyera, wypisane ręką Hansa daty i sumy, duże kwoty.

– Kto to jest Klaus Beyer? – pokazał jej zdjęcie.

– To ten policjant przed biurem. Ojciec wspominał, żebym się go strzegła.

Przyniósł z kuchni foliowy worek, wrzucił do niego to, co leżało na podłodze, dorzucił brudne ubrania z łazienki i postawił w przedpokoju. Odłożył na bok potrzebne dokumenty i pieniądze, a pozostałe kazał jej drobniutko pociąć. Wyrwał z notesu kartkę z nazwiskiem i adresem Beyera.

– Zostawię fotografie – poprosiła.

Nie wyraził zgody, ale w końcu uległ i pozwolił tylko na te z dzieciństwa.

– Żadnego zdjęcia z ojcem. Teraz wychodzę kupić dla ciebie ubranie. Który numer butów nosisz?

Spisał na kartce wszystkie jej rozmiary. Nawet numer stanika.

– Nie wychodź i nie wpuszczaj nikogo.

Na dworcu sprawdził na rozkładzie jazdy pociągi do Freiburga i Rotterdamu, kupił bilety na następny dzień. Doszedł do postoju taksówek i pojechał na drugi kraniec miasta. W galerii handlowej kupił potrzebne jej rzeczy. Młode sprzedawczynie z zazdrością patrzyły, jak dobrze zbudowany, przystojny i elegancki mężczyzna kupuje bieliznę, sukienki i kosmetyki swojej dziewczynie. Gdy pytał je o radę, nogi miały już z waty i w marzeniach widziały się na miejscu tamtej.

Wszystko spakował do kupionej, dużej podróżnej walizki na kółkach. Pomyślał, czy nie zapomniał czegoś. Chyba nie.

– Niskie czółenka i adidasy, dwie sukienki, para spodni, krótkie spodenki, garsonka, sweterek, bluzki, podkoszulki, kilka par majtek, dwa eleganckie staniki, tyle wystarczy – stwierdził.

Gdy kupował prawie najmniejsze rozmiary staników, ładna sprzedawczyni wyprężyła swój śliczny, duży biust wypadający z dekoltu, dając do zrozumienia, że jak chce, to może mieć coś o wiele ładniejszego. Kupił pidżamę, kosmetyki, średniej wielkości skórkową torbę na ramię, dwa kapelusiki z szerokimi rondami, czapkę z daszkiem, dwie pary przeciwsłonecznych okularów z oprawami w różnych kolorach i najważniejsze – czarną farbę do włosów.

Wrócił do domu. Na ulicy nie było nic podejrzanego. Marta zobaczywszy go, wydała cichy okrzyk radości.

– Nie mogłam się ciebie doczekać. Martwiłam się. Ciągle spoglądałam przez kamery na ulicę, czy już wracasz. Wszystko zrobiłam, co kazałeś – paplała tak jak dawniej.

– Usmażyłam naleśniki. Zaraz włożę dżem i odsmażę. Zrobię...

– Już dobrze. Idź do kuchni i zrób – usiadł przy komputerze.

Po posiłku zebrał pocięte przez Martę skrawki i partiami wrzucał do sedesu, spuszczając co chwila wodę. Ona w tym czasie przymierzała ubranie na drogę. Wyjął z komody swój stary portfel i włożył w niego jej dokumenty i zdjęcia, które wybrała.

– Nie schowałaś jakiegoś zdjęcia? – zapytał.

– Nie, powinieneś wiedzieć, że nie zrobię nic bez twojej zgody.

Spakował do torby potrzebne mu rzeczy. Odsunął tylną ścianę szafy i wyjął dokumenty, paszport i prawo jazdy na nazwisko Michael Green oraz notes z adresami i zapiskami, uwiarygodniającymi jego przemianę w Amerykanina, podróżującego po całej Europie w celach handlowych. Dokumenty załatwił mu Moe Mayo, kontakt Hansa z organizacją w Los Angeles.

Pomógł Marcie spakować ubranie do podróżnej walizki. Pozostawił elegancką bieliznę, garsonkę i bluzkę. Wybrał pasujące do całości czółenka. Do walizki włożył jeszcze ręcznik i kosmetyki. Do torby na ramię dokumenty, zdjęcia i pieniądze. Dziewięćdziesiąt tysięcy euro wsunął w kopercie na dno, przykrywając apaszką, kładąc na nich zdjęcia, kosmetyczkę z cieniami, tuszem do rzęs i szminką, a do bocznej, wewnętrznej kieszeni – portfel z dokumentami i bilet do Freiburga.

– Zobacz, gdzie masz wszystko.

– Po co mi tyle pieniędzy?

– Potrzebujesz, a to co mam, mi wystarczy.

Kazał jej przymierzyć odłożone rzeczy. Wszystko pasowało. Założyła kapelusik na głowę.

– Wyglądasz jak dama.

– Dokąd jedziesz? Weź mnie ze sobą.

– Nie mogę z tobą jechać ani zabrać ciebie.

Łzy napłynęły jej do oczu, objęła go i trzęsąc się, szlochała. Nie mógł jej uspokoić.

– Nie zostawiaj mnie – broda trzęsła się jej, przełykała ślinę i połykała wpadające do ust łzy.

– Nie mamy innego wyjścia. Ciebie poszukuje policja i gangsterzy. Sama możesz się ukryć. Jeśli będziesz mądra i ostrożna, nigdy nie wspomnisz o Hamburgu, ojcu i o mnie, o tym, co się tu zdarzyło, będziesz bezpieczna. Mnie tropią jeszcze groźniejsi ludzie i nie spoczną. Stanowię dla ciebie wielkie niebezpieczeństwo. Za pięć, dziesięć lat mnie dopadną, chyba że rozwiążę problem wcześniej, i twój, i mój. Poznasz dobrego chłopaka, który się tobą zaopiekuje, ale nic mu nie mów. Urządź sobie zwykłe spokojne życie. Przy mnie nie będziesz takiego miała. Pojedziesz do Grety Rilke i zostaniesz z nią. Powiedz, że tata nie żyje i każ jej o wszystkim zapomnieć, niech nie mówi nigdy o nim, niech ma go tylko w myślach. Zrobisz tak?

– Powiedziałam w nocy, że nie jestem w twojej lidze. Zewnętrznie na pewno, ale nasze serca biją identycznie. Wiem, że muszę posłuchać. Pojadę do Grety i zostanę z nią. Urodzę dzieci, czy będę miała męża, czy nie. Dwójkę, nie trójkę. Nie będę na ciebie czekała, jak Greta na ojca i nie zostanę sama jak ona. Będę miała dzieci, ale ciebie nigdy, przenigdy nie zapomnę, choć nikomu o tobie nie powiem.

Rozebrała się, poukładała starannie ubranie, by się nie pogniotło, wzięła prysznic i umyła zęby. Wyszła naga z łazienki i idąc do sypialni, powtórzyła jego słowa.

– Muszę się wyspać, żeby jutro trzeźwo myśleć. Tobie też przyda się porządny sen.

Jeszcze dwie godziny zajęło mu porządkowanie spraw. Zniszczył polskie dokumenty, tak samo jak poprzednie, i wszystkie zbędne zapiski. Wrzucił do worków ubrania, których nie zabierał. Wyniósł na zewnątrz, do kontenera. Mieszkanie miał opłacone do końca lata, jeszcze prawie trzy miesiące. Zadzwoni i wypowie umowę z końcem września. Chyba o wszystkim pomyślał. Marta ma pociąg w południe, on o drugiej jedzie do Bremen, przesiadka i Rotterdam.

Wykąpał się i też nic nie zakładając, wszedł do łóżka. Marta leżała na boku, udawała, że śpi. Gdy wsunął się pod przykrycie, przywarła tyłem do niego. Obejmując ją, dotknął poduszki. Była mokra. Płakała przez cały czas, czekając na niego.

Wszystkie zdarzenia z poprzedniej nocy powtórzyły się, lecz nie odbyło się to dwa razy, ale od wieczora do samego rana. Próbowała go zatrzymać, aby z niej nie wychodził.

– Nie można – powiedział.

Rano zbudzili się tuż przed ósmą. Zjedli śniadanie, posprzątali, wrzucili resztki jedzenia do worka i wykąpali się. Pomógł jej ufarbować włosy na czarno. Podał tusz do rzęs i szminkę, a gdy robiła makijaż, zapytał:

– Pamiętasz wszystko? Wiesz, co masz robić?

– Tak.

– Od teraz nie zwracaj się do mnie „Max". Już tak nie mam na imię. Mów „kochanie", będzie bezpieczniej.

Kiwnęła głową, ubierając się w przygotowane rzeczy. Max założył błękitną koszulę i sportowy garnitur, pod pachą przypiął kaburę z pistoletem. Spojrzał na nią. Wyglądała elegancko. Założył jej kapelusz i podał okulary. Jeszcze raz rozejrzał się po mieszkaniu, sprawdzając, czy wszystko jest w porządku. Podjechała umówiona wczoraj taksówka. Zeszli na dół, wyrzucając ostatnie śmieci. Bez przeszkód dostali się na dworzec.

Zostawił swoją torbę w przechowalni bagażu. Weszli do pociągu. W przedziale nie było jeszcze nikogo.

– Pamiętaj, że jesteś Martą Rilke.

– Tak, wiem. Będziesz mnie nieraz wspominał? Ja nie zapomnę ciebie do końca życia.

– Będę o tobie myślał i wszystkim spotkanym facetom opowiadał, że miałem kiedyś najlepszą dupę w życiu i do tego dziewicę.

– Miły jesteś – łzy lały jej się ciurkiem.

Sięgnęła ręką do torebki i wyjęła fotografię, na której miała około dziesięciu–jedenastu lat. Napisała na odwrocie „M kocham Cię nad życie – M " i podała mu.

– Jak będziesz mnie kiedyś szukał i nie znajdziesz, to pójdziesz do Grety i pokażesz, a ona przyprowadzi do mnie pięknego mężczyznę. Powiem jej, że ma przyprowadzić tego, który pokaże moją fotografię z taką dedykacją.

Chwilę milczała.

– Idź już, za kilka minut odjeżdżam. Idź już, bo za chwilę wpiję się w ciebie i nie puszczę.

Pocałował ją na pożegnanie. Wysiadł z wagonu. Czekał, aż pociąg ruszy.

Patrzyła na niego przez okno rozpędzającego się pociągu. Do oczu napłynęły łzy, a serce chciało wyskoczyć i zostać z nim na peronie.

Rozdział X

Stryczek

Wjechał na San Diego Freeway, skręcając w stronę oceanu. Minął po prawej Santa Monica, miejsce marzeń, które powoli zabijało te wcześniejsze, w południowej Francji. Nadal uczył się francuskiego, kupił nawet kasety i słuchał wieczorami, kiedy tylko miał wolny czas. Czytał książki, jedną za drugą, a kumple od Joe Rose'a, widząc je w jego samochodzie, śmiali się, nadając mu przydomek „profesorek".

Po rozstaniu z Martą przez Bremen dostał się do Rotterdamu. Zadzwonił do Moe Mayo, który na szczęście był na miejscu. Umówili się w restauracji Coopvaert przy ulicy Blaak. Jedli tam kilka razy obiad, gdy odwoził duże pieniądze, po które Moe nie mógł przyjechać. Po drugim razie zorientował się, że sprawdza go.

Moe już czekał na niego.

– Co ci zamówić?

– Zdaję się jak zwykle na ciebie.

Gdy kelner odszedł, Max zapytał:

– Wiesz, co się stało?

– Tak, moi donieśli mi.

– Może uratowałbym go, gdybym był w Hamburgu.

– Nie wiemy, kto to zrobił – odrzekł Moe. – Nie chcemy i nie będziemy wnikać, nie będziemy nikogo ścigać. Nie chcemy tutaj wojny. Może to jacyś wolni strzelcy. Nam nie zagrażają. Hamburg jest dla nas tylko miejscem tranzytowym. Hans, na ten moment, był z nami rozliczony. Mamy nawiązane kontakty z innymi ludźmi. Ja wracam do Stanów. W Hamburgu zastąpi mnie Brandon.

Po obiedzie zamówili kawę i porcję lodów dla Moe, który był łasuchem i uwielbiał słodycze.

– Przyjechałem do ciebie prosić o pomoc – zaczął Max.

– Spodziewam się, że jest ci potrzebna – odpowiedział Moe pretensjonalnie, tak aby rozmówca odczuł, jak dużo będzie jemu zawdzięczał. – Myślałem od początku o tobie. Spodobałeś mi się. Chciałem zrobić ciebie naszym rezydentem na Hamburg i powierzyć sprawy związane z Bałkanami i Bliskim Wschodem. Mam przeczucie, że nie zawiódłbyś mnie. Teraz to nieaktualne. Za cztery dni wylatuję, pożyczę ci trochę forsy i przylecisz do Los Angeles dwa dni po mnie. Roy, zobaczysz go, gdy będę wsiadał do samochodu, jest tutaj moim kierowcą, odbierze cię na miejscu, na lotnisku.

Max wyjął dokumenty na nazwisko Max Mer, położył tak, aby Moe dobrze je widział.

– Mogę je zniszczyć? Nazywam się teraz Michael Green?

Moe zapłacił, wyszli przed restaurację. Z samochodu wygramolił się Roy, otworzył drzwi swojemu szefowi, „dyrektorowi firmy handlowej" i czekał.

– Tak, nazywasz się teraz Michael Green, jesteś z Kalifornii – i wręczył mu plik banknotów.

W następnym tygodniu spotkali się w Mieście Aniołów.

W Long Beach spędził niewiele czasu. Właściwie przejechał przez nie, zatrzymując się tylko na chwilę, aby sprawdzić w notesie ogłoszenia o wynajmie lokali, otrzymane przed tygodniem w estate agency[1]. Adresy znał na pamięć, był już tam, ale wolał

---

[1] Agencja nieruchomości.

sobie przypomnieć, zwłaszcza dojazdy z centrum rozrysowane na prospektach. Zawrócił na północ, do Montebello.

Iguala Street to gdzieś w lewo z przechodzącego przez miasto bulwaru o tej samej nazwie. Tylko 10 mil, 20 minut, gdy nie ma korków, od centrum Los Angeles. Spokojna, cicha dzielnica zabudowana parterowym domami, w małych ogródkach. Nieduży dom, który znalazł przy Iguala Street, jako nieliczny w okolicy nie ma basenu. Dlatego cena jest na jego kieszeń.

Jechał bulwarem Montebello na północny wschód. Przed sobą zobaczył znajomy samochód ludzi Joe Rose'a. Zwolnił, ale nadal jechał za nim, nie mając jak zawrócić. Bulwar Montebello ma dwie jezdnie, z dwoma pasami, przedzielone linią ciągłą, a po bokach znaki z zakazem zawracania. Mógł zawrócić jedynie na skrzyżowaniu. Łamać przepisów nie chciał w tak błahej sprawie. Na najbliższym, z Liberty Avenue, jadący przed nim skręcili w lewo.

– To tam gdzie miałem jechać – zauważył.

Nie zwalniając, dotarł do centrum handlowego, skręcił w lewo i zatrzymał się na skraju dużego parkingu, w miejscu niewidocznym dla ewentualnych kamer. Zgasił silnik.

„Czy to tylko przypadek, czy jakaś planowana akcja?" – zastanawiał się. – „Jeśli planowana, to przeciwko komu? Przeciwko mnie? Nie, mój kark mogą skręcić w każdej chwili, bez sensu robić aż takie zabiegi. Dlaczego ja nic nie wiem?".

Ale było wytłumaczenie.

To Joe planował wszystko i wtajemniczał tylko osoby potrzebne do realizacji zadania. Z większością zapoznawał Franka Salesa, prawnika trzymającego finanse firmy i Moe Mayo, człowieka od zadań specjalnych i brudnej roboty. Foy Dixon dowiadywał się tylko o tym, co miał wykonać, a Michael, mimo tych kilu lat spędzonych w organizacji, dopiero w niej raczkował.

Tamci zostali wysłani z jakimś zadaniem.

Zastanawiał się, jak ma postąpić. Nie zauważyli go, był zbyt daleko za nimi. Gdy jutro na naradzie spytają o sprawę, powie, że z Bakersfield wracał do Los Angeles na okrągło, przez Santa

Monica, Long Beach i wschodnie dzielnice. Dlatego, że obawiał się ogonów.

Postanowił, że pojedzie dalej, omijając miejsce akcji, jak je filmowo w myślach określił.

Wyjechał z parkingu. Coś jednak podkusiło go i zamiast skręcić w lewo, zawrócił. Przejechał około pół mili, był już na wysokości uliczki Rio Blanco.

Rio Blanco Street jest ślepą, uroczą uliczką z wjazdem i wyjazdem jedynie z i na Liberty Avenue i Savannah Street. Po jednej i drugiej stronie stoją parterowe domy. Zabudowania i ogrody od południa przylegają bezpośrednio do Montebello. Ogrodzenia stoją wyżej, na skarpie, tak że hałas z bulwaru nie jest zbyt dokuczliwy. Kamienista skarpa, porośnięta rzadką pustynną roślinnością, krzakami, nielicznymi drzewami i wyjątkowo palmami, dochodzi do wąskiego chodnika z zasadzonymi na nim drzewami. Ruch jest na niej niewielki.

Było sennie i gorąco, minęło właśnie południe.

Zobaczył postać wspinającą się na jedno z ogrodzeń od strony bulwaru. Gdy była na górze, spadła na krzewy rosnące na skarpie. Podniosła się szybko. Dostrzegł, że to dziewczyna w jasnej sukience, z jasnymi włosami spiętymi w warkocz, mająca na rękach jakieś dziwne, czerwone rękawiczki.

Zwolnił. Dziewczyna zbiegała ze skarpy, potykając się co chwila. Sturlała się na chodnik w momencie, gdy zrównał się z nią. Zahamował. Gdy podniosła się, zauważył, że na rękach nie ma rękawiczek. Obie jej dłonie mocno krwawiły.

Otworzył drzwi samochodu. Nie zastanawiając się, wskoczyła na przednie siedzenie i krzyknęła:

– Uciekaj!

Nie było czasu na myślenie. Nacisnął pedał gazu i ruszył przed siebie. We wstecznym lusterku zobaczył mężczyznę, zbiegającego ze skarpy. Mężczyzna chwilę patrzył za nimi, zapisując w pamięci markę samochodu, jego kolor i numery rejestracji. Odwrócił się i pobiegł pod górę.

– O kurwa! – wyrwało się Michaelowi.

Poznał go. Był to Moe Mayo.

Moe pobiegnie do samochodu, wsiądzie z ludźmi i ruszy w pościg za nim na południe, dokąd on teraz zmierza. Instynkt zadziałał i Michael zawrócił, przeciął pas rozdzielający jezdnie i pomknął w drugą stronę, mijając po lewej centrum handlowe.

Wtedy dotarło do niego, co zrobił. Spojrzał na nią. Siedziała skulona na przednim siedzeniu, głowę miała pochyloną. Ręce wciskała między kolana, a sukienka robiła się czerwona, coraz bardziej czerwona.

– Ja to kurwa mam szczęście, pierdolone szczęście – rzekł głośno. – Czy ja jestem Fulko de Lorche[2], obrońca dziewic? Dlaczego tylko mnie to się przytrafia?

Skuliła się jeszcze bardziej. Zrobiło mu się przykro.

„Chciałem jakoś ułożyć sobie życie" – tym razem w myślach. – „Osiąść w dziurze, gdzieś na wsi, czytać książki, zajmować się błahymi sprawami, siedzieć na tarasie małego domku, pić wino i patrzeć na swoją kobietę z uczepioną do jej kiecki gromadką naszych dzieci".

– Kurwa, ja tego nie dożyję – tym razem głośno. – Sam sobie założyłem na szyję stryczek i nikt mnie nie odetnie.

Nic nie mówiła, ale widział jak się trzęsie. Słyszał płacz.

Skręcił na północ w kierunku Monterey Park. Znalazł wyjście z sytuacji. Zostawi ją i pojedzie dalej. Nie zapamięta ani jego, ani samochodu.

– Dojedziemy do Garfield Medical Center i tam cię zostawię.

– Nie!

– Zostawię przy szpitalu i tam opatrzą ci ręce.

– Dobrze, ale wróć za pół godziny z czarnym workiem odebrać mojego trupa.

Spojrzał na nią z niedowierzaniem. Nie spodziewał się po tak młodej dziewczynie takiej dojrzałości. Miała z wyglądu mniej niż dwadzieścia lat, ale rozsądek bardzo dorosłej osoby.

---

[2] Postać z *Krzyżaków* Henryka Sienkiewicza.

Moe Mayo był bezwzględnym draniem, wyjątkowym bandziorem. Jeśli w czymś zawiniła jemu lub jego ludziom, pokroi ją na paseczki.

Dojeżdżali do Medical Center.

Patrzyła na niego z przerażeniem. Dopiero teraz spostrzegł, że prawą stronę twarzy ma spuchniętą, a z rozbitych warg sączy się krew.

„Moe dał próbkę, na co go stać" – ciarki go przeszły. – „Co musiało im zrobić to dziecko, że je tak zmasakrowali? Czym zawinił ten mały aniołek? Co uczynił?".

Moe był zdolny do obdarcia człowieka ze skóry, czego kiedyś dał dowód. Nie zawaha się tego zrobić z nią. Nienawidził pięknych kobiet, choć lubił je, ale tylko w łóżku. Lubił rżnąć, a po fakcie dawać wycisk.

Widział ból w jej oczach.

Rozdział XI

Anioły

Ile razy w życiu widział już takie spojrzenie. Prawie od dzieciństwa.

Spotkał na swej drodze kilka aniołów, a dokładnie trzy. Jeden spogląda już na niego z góry, wstydząc się przed swoimi kumplami z chmur, że ma takiego syna, opłakując jego nędzne życie. Matka mówiła do niego „Jakubku, mój aniołku", zawsze te trzy słowa razem. Kochał ją bardzo. Była dla niego wszystkim, w odróżnieniu od ojca, człowieka niezwykle ambitnego, terroryzującego swoją pedanterią całą rodzinę, służących pod nim żołnierzy i podległych pracowników. Ojciec nawyki wojskowe starał się zaszczepić w domu, ustalając co do milimetra, gdzie i co ma leżeć, co do minuty, kiedy i co ma się zacząć i skończyć, w co żona ma się ubrać, co czytać, kim zostanie w przyszłości jego syn.

Gdy ojciec doszedł do stopnia majora i zaczął pracę w ministerstwie, przeprowadzili się do Warszawy. Wtedy to się stało. Matka zachorowała. Ojciec nie mógł znieść, że w jego domu jest ktoś niesprawny – bezużyteczny – jak mówił. Czy kochał wcześniej żonę? Chyba nie. Kochał jedynie swoje ambicje, pracę i musztry, tworzenie ważnych, strategicznych planów, w których żołnierze ze wschodu walczyli z tymi z zachodu, ci z południa z tymi z północy.

Poślubił ją, gdyż była piękną, bardzo zgrabną dziewczyną z małej podwarszawskiej wsi, łatwą do sterowania. Sam był przystojnym, wysokim mężczyzną o szlachetnych, jak mówiono, rysach.

Odziedziczył po nich wszystkie najlepsze zewnętrzne cechy: wygląd, posturę i sposób poruszania, i jak mu się zdawało – charakter matki. Ojciec od dzieciństwa szykował go na żołnierza. Marzył mu się syn w stopniu generała. Wszystkie działania podporządkował temu. Podsuwał książki o dokonaniach Kartagińczyka Hanibala Barkasa i jego przeciwnika Scypiona Afrykańskiego, o sztuce wojennej Carla von Clausewitza i innych. Syn miał skończyć wojskową szkołę techniczną, później Akademia Sztabu Generalnego i wtedy kariera jeszcze błyskotliwsza niż jego.

Jakubowi podobały się książki traktujące o historii, ale o strategii wojennej, sposobie użycia czołgów i piechoty – nie. Czytał dużo, uczył się bardzo dobrze. Miał wyjątkowe zdolności językowe, znakomitą pamięć. W szkole uzyskiwał najlepsze oceny. Marzył o studiach dziennikarskich.

Ojciec zapisał go do wszelkich możliwych sekcji sportowych. Od dziecka ćwiczył sporty walki, karate, judo, zapasy, a dzięki znajomościom ojca – posługiwanie się bronią. Uczestniczył w prawdziwych ćwiczeniach, które załatwiali mu przyjaciele ojca z jednostek sił specjalnych. Całe wakacje spędzał na poligonach.

Choroba niszczyła matkę kilka lat. Przez całą jego szkołę średnią. Ojciec nie chciał na to patrzeć. Nie zajmował się żoną, cały czas spędzając w ministerstwie. Załatwił opiekunkę – pielęgniarkę, która przychodziła codziennie rano, pomagała chorej, sprzątała i gotowała obiady dla niej i syna.

Pod koniec matka prawie cały czas leżała w łóżku, nie mogła już czytać, więc siadał przy niej i czytał jej dwa, trzy rozdziały książki. Przed zaśnięciem prosiła o bajkę, ale nie smutną – Andersena czy braci Grimm. Opowiadał jej wymyślone przez siebie historie, ułożone wcześniej. Patrzyła wtedy na niego błagalnymi oczyma.

Ojca, który wieczorem był już w domu, denerwowało, że syn poświęca tyle czasu matce. Nie wiedzieć, dlaczego mówił:

– Jesteś jak chomik w kołowrotku. Jedno i to samo, bajki i bajki. Szkoda czasu.

– Uważaj, bo gdy chomik się potyka, to kołowrotek już sam się kręci i tłucze nim o dno klatki – kontynuował.

Jakże go nienawidził.

Matka zmarła tuż przed jego maturą. Wtedy dopiero zrozumiał, że patrząc na niego, nie błagała go o jeszcze kilka chwil życia, lecz Boga o lepsze życie dla syna.

Odszedł Anioł jego życia. Przegrał bitwę z losem.

Zdał maturę najlepiej w całej szkole. Wstąpił do komandosów. Na złość ojcu.

Nie powiedział mu. Zdradził się jedynie swojej szkolnej miłości, drobnej, zgrabnej, kruczowłosej dziewczynie o imieniu Agata.

Nie spodziewał się, że tak go kocha. Siedzieli na ławce na boisku szkolnym. Uklękła przed nim, prosząc, by tego nie robił.

– Pójdziemy na studia – mówiła. – Będziemy dodatkowo pracować. Moi rodzice pomogą nam.

Nie posłuchał. Po jakimś czasie dowiedział się, że wyszła za mąż. Nigdy nikogo nie pytał, co robi, gdzie mieszka, nie próbował skontaktować się z nią.

Drugi Aniołek przegrał bitwę o niego. Wygrał jednak kolejną.

Ojciec, gdy dowiedział się o jego decyzji, wpadł w szał. Wskoczył do samochodu i jadąc do jednostki komandosów, w której służył syn, wpadł pod ciężarówkę. Zginął na miejscu.

Nie obeszło go to zbytnio. Nie był na pogrzebie.

W czerwonych beretach wyróżniał się. W wieku dwudziestu trzech lat był już na tak zwanej misji pokojowej z udziałem sojuszników, młodych chłopaków, takich jak on, dowodzonych przez ograniczonych sierżantów i cwanych oficerów.

Wyróżniał się. Służący w amerykańskich oddziałach dwaj żołnierze, pochodzący z plemienia Navaho, twierdzili, że w walce w tym dzikim, półpustynnym terenie jest prawie tak dobry, jak słynny Geronimo[3].

---

[3] Wódz Apaczów znany z bezkompromisowej walki z wojskami amerykańskimi i meksykańskimi.

Niedługo trwał jego epizod na pokojowej misji. W walkach zabił kilku bojowników, a może tylko ranił. Nie widział ich twarzy. Widział za to twarz tego zadufanego w sobie debila w stopniu kapitana, grożącego pistoletem swoim podwładnym i jego ludziom, rozkazującego zaatakować doskonale umocnione pozycje wroga, uzbrojonego po zęby nie tylko w broń lekką. Dzień wcześniej pokazali, że mają granatniki i wyrzutnie rakiet, rozbijając w pył amerykański opancerzony oddział. Trzeba mu było oddać honor, gdyż z odwagą próbował wstać i krzyknąć „do ataku". Nie zdążył. Musiało być cicho. Tylko tak mogli się wycofać niepostrzeżenie. Opuścili pozycje o zmroku, niezauważeni przez bojowników, a kapitana wynosili na naprędce zrobionych noszach, nieprzytomnego, ze złamanym kręgosłupem. Użył za dużo siły.

Uratował swoje życie i życie kilkunastu chłopaków, ale dowództwo postanowiło zareagować, chcąc wejść w dupę sojusznikom. Wojskowy prokurator wydał nakaz aresztowania i samolotem odtransportowano go do kraju, na popisowy proces.

Gdy w białym więziennym stroju wsiadał do samochodu, mającego odwieźć go na lotnisko, podszedł do niego dowódca amerykańskiego oddziału, z którego ludźmi uczestniczył w kilku akcjach i powiedział z nieukrywanym podziwem:

– You look like an angel but you are a very dangerous man[4].

Gdy przetłumaczono to na polski, żołnierze zapamiętali głównie słowo anioł i taki przydomek mu pozostał.

Anioł odleciał do kraju.

Zastanowił się przez chwilę:

„Aniołem to ja nie jestem. Kim więc? Zwykłym bandziorem, przeciętnym gangsterem, który przegrał swoje życie na ruletce losu. Czego dokonałem? Zabiłem lub raniłem kilku bojowników, ale dlaczego, co mi zrobili? Liczmy ich za jednego. Kapitan też prawie zginął z mojej ręki, ale to była obrona. Ocaliłem własne życie i kolegów. Ratując kiedyś skórę Moe, zastrzeliłem gościa, który

---

[4] Wyglądasz jak anioł, lecz jesteś bardzo niebezpiecznym człowiekiem.

zasadził się na niego z izraelskim uzi, no i Ron Darby. Zasłużył na śmierć. Mając taką żonę, taką dupę we własnym domu, rżnął dziwki i chłoptasia. Daje to trzech i pół człowieka".

Nie musiał zabijać. Wystarczały mu sprawne ręce, znajomość sztuk walki, a nieraz tylko spojrzenie. Joe Rose miał do tego innych, zwykłych cyngli i Moe Mayo, który lubił mordować.

„Nazwali mnie Aniołem, a ja jestem bandytą".

„A Marta? Może z jej powodu Bóg ulituje się nade mną".

Pomógł, ocalił jej młode życie. Nie miał żadnych wiadomości o niej. Było to zbyt niebezpieczne. Przez trzy lata, które minęły od ich rozstania, tylko kilka razy myślał o niej. Czy Bóg położy te uczynki na szali, aby przeważyły podłą jego duszę i pociągnęły ją w górę? Ale tak naprawdę, w czym pomógł Marcie? Przecież ten Rudy Aniołek musiał sam walczyć o siebie. W strachu, zsikany, przetrwał. Dał radę zbirom i ocalił życie. Czy dalej wygrywa swoje bitwy?

Paradoksem było to, że mężczyźni bali się go, a jeśli już nie, to darzyli wielkim szacunkiem, czując emanującą z niego jakąś niesamowitą siłę. Kobiety tymczasem lgnęły do niego, chcąc dać wszystko, co posiadały. Od sprzedawczyń przez urzędniczki do lekarek, były gotowe związać z nim życie. Nie korzystał z tego. Obracał się tylko wśród dziwek, dziewczyn na chwilę, za pieniądze, bo cóż mógł ofiarować tym dobrym, normalnym, on gangster.

Spojrzał w bok na dziewczynę. Nie spuszczała z niego błagalnego wzroku.

„Teraz ten Niebieskooki Aniołek patrzy na mnie oczyma z wyrazem, który znam od dzieciństwa. Czy mogę go zawieść? Lecz czy jest warta mojego życia?".

– Pojedziemy do Chinatown – dodał głośno. – Tam znajomy Chińczyk, lekarz, opatrzy ci ręce i zrobi coś z buzią.

Rozdział XII

Chinatown

Do Chińczyka nie było już daleko. Poznał go, gdy musiał zeszyć ranę na lewej ręce. W dzieciństwie i młodości często był poobijany, podrapany, z drobnymi skaleczeniami. Na misji pokojowej i później nie odniósł żadnej rany. Tylko wtedy, po zastrzeleniu gościa z uzi, który zasadził się na Moe, gdy uciekał w jedną stronę, a Moe w drugą, zahaczył o wystający z ogrodzenia drut, rozdarł rękaw marynarki i paskudnie skaleczył lewą rękę. Wracając przez Chinatown, zobaczył na budynku napis – „lekarz, chirurg, położnik", a pod spodem chyba to samo po chińsku. Starszy mężczyzna, nie pytając o nic, zacerował mu fachowo rękę, założył opatrunek i dał kilka tabletek przeciwbólowych. Gdy skończył, powiedział:

– Jeśli chcesz, możesz przyjść jutro na opatrunek. Trzeba go często zmieniać.

Nie pytając ile, zapłacił, a Chińczyk wręczył mu mały słoiczek z maścią, mówiąc:

– Po zdjęciu szwów masz smarować.

Nie wrócił do niego. Nie wiedział, czy może mu zaufać. Sam zdjął szwy, smarował maścią, ręka wygoiła się. Nie został ślad.

Podjechał pod „klinikę" Chińczyka. Na ulicy nie było nikogo. Wysiadł z samochodu, rozejrzał się, otworzył bagażnik i wyciągnął kurtkę. Pomógł dziewczynie wyjść i okrył ją staranie. Za drzwiami w małej poczekalni nie było pacjentów. Wprowadził ją do pomieszczenia, w którym kiedyś opatrywano jego rany. Nie zastał w nim Chińczyka. Posadził dziewczynę na leżance za parawanem, zdjął z niej kurtkę i wyszedł szukać lekarza. Chińczyk wychodził z sąsiadujących z gabinetem pomieszczeń mieszkalnych. Poznał go.

– Znów się skaleczyłeś?

– Nie. Tym razem nie ja. Przywiozłem pacjentkę. Jest w gabinecie.

Chińczyk wszedł do środka. Spojrzał na twarz, wziął obie ręce dziewczyny w swoje dłonie i oglądając je z każdej strony, powiedział:

– Nieźle się urządziłaś. Masz pełno drobnego szkła w ranach, trzeba wyjąć wszystkie kawałeczki. Nic nie może zostać. Dam ci zastrzyk przeciwbólowy i jeszcze jeden, aby nie było zakażenia. Będzie to długo trwało. Musimy wszystko wyjąć i oczyścić rany. Poruszaj palcami. Dłonie są opuchnięte i pogniecione, ale nie ma chyba wewnętrznych uszkodzeń. Będzie bolało, ale zastrzyk trochę złagodzi ból. Boisz się zastrzyków?

– Nie. Nie będę płakała.

– Takie śliczne dziewczynki mogą płakać. Nie powstrzymuj się.

– Co z buzią? – wtrącił Michael.

– Później się tym zajmiemy. Idź i zamknij na klucz drzwi wejściowe. Przewróć też kartkę, aby widzieli, że jest zamknięte. Zaciągnij żaluzje w oknach. Nie są nam teraz potrzebni kolejni pacjenci.

Gdy wrócił, Chińczyk kończył podawanie zastrzyków. Przemył obie dłonie środkiem odkażającym i pęsetą, kawałek po kawałku, wyjmował szkło.

– Nie widziałem jeszcze tylu ran w jednym miejscu, choć zszywałem wszystkich lokalnych opryszków. Jest ich bardzo dużo, ale tylko kilka wymaga szycia. Ci, których zszywam, mieli najwyżej kilka ran, choć niektóre nawet na wylot, a tutaj są ich dziesiątki. Nie mogę zostawić nawet najmniejszej cząstki.

Na stoliku, na którym oparła ręce, rosła sterta mniejszych i większych kawałków szkła. Krew od nowa wydostawała się z ran. Na koniec przemył dłoń jednym środkiem, posmarował drugim, założył opatrunek i owinął całą bandażem.

– Codziennie trzeba zmieniać opatrunek – zabrał się do drugiej dłoni. – Jeśli zasłabnie lub wda się zakażenie, musi iść koniecznie do szpitala. Ja wtedy jej już nie pomogę.

– Jutro i przez następny tydzień ma być u mnie.

– Nie wiem, czy będziemy mogli przyjeżdżać – wtrącił Michael.

– Masz ją przywozić! – rozkazał Michaelowi.

Słowa o szpitalu otrzeźwiły ją. Wcześniej roniła łzy, cicho pojękiwała. Postanowiła opanować się i pokazać, że jest silna, że rany nie są bolesne. Nie dopuści do tego, żeby ją zostawił przed szpitalem.

– Będzie dobrze – powiedziała.

– Musi być dobrze – zawtórował jej lekarz.

Chińczyk kończył, a Michael myślał, co mu się przydarzyło. Przyszły mu do głowy słowa ojca: „Gdy chomik się potyka, to kołowrotek już sam się kręci i tłucze nim o dno klatki". Tak było z nim. Ledwo wyszedł z opresji, ledwo zakończył sprawę z Martą, a tu przeznaczenie zesłało mu drugą Martę, Alice, Dorothy, czy jak jej tam. Wpuściło go na kołowrotek, a on myślał, że biegnie w przód, a ono widząc, jak się bezsensownie miota, nie mogąc znaleźć miejsca, podłożyło mu nogę i teraz, jak tym chomikiem, wali nim o ziemię. Jakie licho go tam zawiodło? Jakie kazało mu zawrócić, otworzyć drzwi samochodu i to na oczach Moe. Stanął pomiędzy nim i Joe a dziewczyną. Przecież Moe nie działał sam. On nic nie robił bez rozkazów od szefa. Joe za tym stoi.

„Mam przeciw sobie całą organizację Joe Rose'a, z jej potęgą, kontaktami, pieniędzmi. Oni są w stanie załatwić każdego. W co ja się pakuję? Po co mi to?" – patrzył na zapłakaną dziewczynę.

Może to sen, jakieś niewytłumaczalne *déjà vu*. Tak by myślał, gdyby nie ten tak realny Chińczyk.

– „Nic dwa razy się nie zdarza i nie zdarzy" – zacytował głośno słowa poetki.

Spojrzeli na niego, nic nie mówiąc.

„Kurwa – dorzucił w myślach – dobrze, że autorka mnie nie zna. Wyrzuciłaby swój wiersz do kosza. Przecież mam już napisany scenariusz. Wiem, co będzie dalej, tylko finał będzie inny, z kulką w mojej głowie".

Lekarz zakończył opatrywanie drugiej dłoni.

– Zobaczmy, co stało się z tą śliczną buzią. Zderzenie z ciężarówką było porządne. Nic nie jest połamane, duży siniak i opuchlizna. Piękne ząbki w całości. Usta z prawej strony rozbite, wargi pocięte. Nie będą już krwawić. Opuchlizna nie zejdzie szybko i wargi też się do rana nie zagoją. Nie będziesz mogła jeść jakiś czas kanapek ani się całować. Nie radzę tego robić do czasu wygojenia. Należy przykładać coś zimnego. Może być lód, ale szybko się roztopi, lepiej zmrożone mięso w foli, dłużej trzyma zimno.

Zmył jej twarz i wytarł ramiona. Przejrzał podrapane, pokaleczone nogi.

– Tylko przemyjemy. Dam płyn do przemywania ran na rękach i nogach. Rób to często. Tu jeszcze tabletki przeciwbólowe. To wszystko.

– Dziękuję bardzo. Jest pan kochany. Nigdy nie spotkałam tak miłego lekarza. Gdyby mnie buzia nie bolała, pocałowałabym pana w policzek.

Chińczyk zaczerwienił się.

Michael podziękował, wręczając zwitek banknotów.

– Mam przy sobie tylko tyle, przywiozę następnym razem.

– Wystarczy, to i tak za dużo. Cieszę się, że mogłem pomóc tak miłej i pięknej dziewczynie.

Wyszedł z nimi do przedpokoju, wyjął z szafy damski płaszcz.

– Okryj ją dokładnie. Dla was lepiej, jak nikt nie zobaczy zakrwawionej sukienki.

Gdy wychodzili, rzucił za nimi:

– Pamiętaj, ma tu być jutro, na opatrunku. Tym razem nie zapomnij o tym.

Do mieszkania przy Yale Street, obok Ocean Seafood, miał już niedaleko. Mieściło się na drugim piętrze pięciokondygnacyjnego, biało-czerwonego budynku. Podjechał na parking od strony ulicy. Pomógł jej wyjść z samochodu i szybko wprowadził do klatki schodowej. Na piętro weszli po schodach. Nikt w zasadzie ich nie używał. Leniwi lokatorzy korzystali z windy. Otworzył drzwi i wprowadził ją do przytulnego mieszkanka, składającego się z przedpokoju, dużego salonu z częścią kuchenną, sypialni i łazienki. Z salonu wychodziło się na loggię z widokiem na ulicę.

Zdjął z niej płaszcz i powiesił w przedpokoju.

– Usiądź gdzieś. Idę do samochodu po torbę.

Usiadła na sofie, patrząc na niego niepewnie.

– Nie bój się, zaraz wracam.

Wyjął torbę z bagażnika, spakował do niej wszystko, co było w samochodzie i wrócił na górę.

Siedziała na brzegu sofy, tam gdzie ją posadził, z obandażowanymi rękoma między kolanami, pochylona do przodu. Gdy wszedł, zerwała się i odetchnęła z ulgą.

Patrząc się na niego niepewnie, powiedziała:

– Muszę iść do łazienki.

– Tamte drzwi – wskazał ręką. – Przepraszam, ale nie pomyślałem, że potrzebujesz.

Podniosła do góry obie dłonie w bandażach, spuściła głowę:

– O tym też nie pomyślałeś.

Wszedł za nią do łazienki. Po raz pierwszy w życiu był spięty w obecności dziewczyny. Stanęła przodem do niego. Nie wiedział co ma zrobić.

– Dłużej nie wytrzymam. Sama majtek nie zdejmę.

Wsunął ręce pod sukienkę, złapał za gumkę z boku i powoli ściągał w dół. Pomagając je zdjąć, ukląkł przed nią, gdy podnosiła stopy.

Miała na sobie piękne, koronkowe, białe figi. Były mokre.

Mimo śladów po uderzeniu i spuchlizny zobaczył, jak bardzo się czerwieni.

– To ze strachu – powiedziała ze wstydem w głosie. – Bardzo się bałam.

Zostawił ją i poszedł przeglądać rzeczy przyniesione z samochodu. Ręcznikiem dokładnie wytarł pistolet i tłumik, którymi posłużył się w Bakersfield i włożył do foliowej torby przyniesionej z kuchni. Kurtkę, płaszcz od Chińczyka, marynarkę i czapkę, które miał w domu Darby'ego, pociął nożem, tak aby nie nadawały się do użytku i wrzucił do worka na śmieci, stawiając go przy drzwiach wyjściowych. Założył wyjętą z szafy nową marynarkę. Przyklejane wąsy włożył do kieszeni.

– Wyrzucę je po drodze. Ja to kiedyś robiłem – mruczał pod nosem. – Jakieś *déjà vu*.

Wszedł do kuchni, zajrzał do lodówki, tak na wszelki wypadek. Wiedział, że jest pusta, tylko kilka butelek piwa i kostki lodu do whisky. Nie miał nic do jedzenia. Nawet paczki krakersów. Nalał do wysokiej szklanki wodę z butelki i postawił na stoliku przy fotelach, nie zakręcając butelki. Położył na łóżku wyjęte z szafy prześcieradło i pled do przykrycia. Wyjął poduszkę.

Dziewczyna wyszła tymczasem z łazienki. Spojrzała na torebkę foliową z pistoletem w środku i leżący obok nóż sprężynowy. Pod jego odchyloną marynarką zobaczyła drugi. Nic nie mówiąc, usiadła w fotelu. Patrzyła na niego. Czekała, co powie.

– Nie mam nic do jedzenia – oznajmił. – Nalałem wodę do szklanki.

Sięgnęła po nią dwoma rękoma. Podszedł do niej, wziął i przysunął jej do ust. Piła powolutku drobnymi łyczkami. Z trudem przełykała.

– Dziękuję – powiedziała skończywszy – nie jestem głodna.

– Połóż się teraz i prześpij. Ja muszę wyjść i załatwić pewne sprawy. Wrócę za kilka godzin, postaram się przed północą. Nie mam cię w co przebrać. Gdy wrócę, to coś wymyślę.

Zaprowadził ją do łóżka, pomógł się położyć i przykrył do połowy pledem. Zaciągnął żaluzje.

– Wrócisz do mnie? Sam?

– Tak. Dobrze wiesz, że nie pozwolę zapakować cię w plastikowy worek.

W odpowiedzi słyszał już tylko płacz.

Wszedł jeszcze do łazienki sprawdzić, czy wszystko jest w porządku. Jakimś cudem podniosła zdjęte przez niego majtki i wcisnęła między szafkę i umywalkę, żeby nie widział. Włożył je do umywalki, uprał mydłem, wypłukał i powiesił obok ręczników, do wyschnięcia.

– Może będzie potrzebowała.

Wychodząc, spojrzał na nią. Spała.

Zgasił światło, wziął worek ze śmieciami i wyszedł.

Rozdział XIII

Jatka

Nie spała, gdy wychodził. Oczy miała otwarte, ale tego nie widział.

„Muszę być twarda. Wszystko już się stało. Mama oddała za mnie życie nie po to, żebym się teraz poddała".

Mężczyzna, który ją uratował, nie był przeciętnym człowiekiem – urzędnikiem lub robotnikiem. Przyglądała mu się dokładnie, ale gdy patrzył na nią, spuszczała wzrok najpierw z obawy, a później ze wstydu. Musiał zajmować się czymś nielegalnym, czymś na granicy prawa. Świadczyła o tym broń, którą miał przy sobie, a zwłaszcza tłumik w foliowej torbie. Po co mu to wszystko? Do czego potrzebna mu broń? Wiedziała do czego służy tłumik i kto go używa. Trochę się go bała, ale postanowiła mu zaufać. „Nie mam innej drogi. Sama nie dam sobie rady. Nie wyjdę stąd szukać pomocy, bo wcześniej tamci mnie znajdą i dobiją".

Tamci przyszli rano, tak samo jak osiem miesięcy później.

Mieszkała z rodzicami w Bostonie, w eleganckim domu przy Kerr Way. Kilka lat wcześniej przeprowadzili się tu z mieszkania w dwupiętrowym budynku z czerwonej cegły przy Hereford Street.

Podjechali dużym, czarnym samochodem pod wejście do domu. Z samochodu wyszło dwóch mężczyzn. Matka jeszcze w nocnej koszuli, z narzuconą na nią podomką, otworzyła im drzwi.

Poprzedniego dnia, gdy wróciła po południu z zajęć na uniwersytecie, ojciec był już w domu. Wchodząc, słyszała podniesiony głos matki i ojca tłumaczącego się z czegoś. Było to dziwne, gdyż nigdy nie widziała rodziców kłócących się.

Matka jej, Evelyn Lee, była piękną i zgrabną kobietą, a przy tym niezwykle elegancką. Pochodziła ze starej szanowanej rodziny zamieszkującej Georgię. Podczas nauki w Spelman College w Atlancie poznała Nilsa Andersona, Amerykanina w pierwszym pokoleniu, z rodziny szwedzkich imigrantów. Był, jak mówiono, „cholernie przystojny". Wysoki, postawny, dobrze zbudowany, z niesamowitymi falującymi blond włosami, no i oczyma błękitnymi jak jej. Zakochała się w nim od razu i to od razu z wzajemnością. Wszystkie dziewczyny zazdrościły jej takiego chłopaka. Jeden problem rzucał się cieniem na ich miłość. Rodzina Nilsa była biedna, jak myszy kościelne, a on – przeciętnym uczniem. Nie rokował żadnych nadziei, więc ojciec i matka Evelyn nie tolerowali go.

Wbrew wszystkim poślubiła go, a rodzice zerwali z nią wszelkie kontakty. Młodzi przenieśli się do Bostonu. Zamieszkali w wynajętym mieszkanku. Urodziła im się córka, której na cześć słynnych przodków Evelyn dała na imię Lee. Dziadkowie nigdy nie widzieli swojej ślicznej wnuczki. Nie chcieli widzieć córki, a złość przelali na jedyną swoją wnuczkę.

Nils zajmował się wycenami robót budowlanych, przeprowadzaniem przetargów na roboty publiczne i rozliczaniem wydatków z tym związanych. Awansował na coraz wyższe stanowiska w firmie. Powoli dorobił się małego majątku i kupił duży, ładny dom przy Kerr Way, w dobrej dzielnicy.

Gdy weszła do domu, rodzice zamilkli.

– Porozmawiamy później – stwierdził ojciec.

– Nie. Teraz będziemy mówić. Lee jest już dorosła i musi wiedzieć o wszystkich naszych sprawach. Zwłaszcza o tych, które dotyczą naszego i jej bezpieczeństwa.

Ojciec nalał sobie szklaneczkę burbona i zaczął od nowa opowiadać:

– Kilka lat temu przyszli do mnie pewni ludzie. Zaproponowali układ. Ja odpowiednio zrobię kosztorys ofertowy na roboty, pomogę wygrać im przetarg, a oni odwdzięczą się małym procentem. Byliśmy biedni i dlatego mnie to skusiło. Im większe były roboty, tym więcej dostawałem. Wszystko, co mamy, to za pieniądze tych ludzi. Kilka razy chciałem się wycofać, ale wtedy przychodzili inni, straszyli bronią, mówili że połamią mi ręce. Straszyli, że za mnie wy odpowiecie. Opowiadali, co wam zrobią, jak się wycofam. Dlatego brnąłem w to. Tydzień temu przyszli do mnie i do mojego zastępcy Martina. Straszyli nas i kazali trzymać język za zębami. Martin spanikował. Był samotnikiem, nie miał rodziny, więc spakował się, pożegnał ze mną i uciekł z miasta. Myślał, że mu się uda. Nie wiem, gdzie chciał się schronić. Kilka dni temu znaleziono go w Lynn Woods. Miał połamane ręce i nogi, pociętą twarz i poderżnięte gardło. Pokazali, jak kończą nielojalni.

– Dlaczego to zrobiłeś? – zapytała matka.

– Ja to wszystko robiłem dla was. Chciałem dla was lepszego życia. Dzisiaj zabrałem z biura to, co miałem na nich – dokumenty i notatki, które mogą ich pogrążyć i zadzwoniłem na policję. Kazali mi przyjść jutro rano z całą dokumentacją.

– Zrobiłeś coś strasznego. Oni nie darują tego tobie i nam. Bardzo się boję. Co będzie z Lee? Czy nie pomyślałeś, że źle robisz?

– Nie martw się, policja nas ochroni.

Lee przez całą noc słyszała, jak matka chodziła po mieszkaniu, rozmawiała z ojcem, pytała o coś, on jej odpowiadał. Słysząc jej płacz, chowała głowę pod poduszkę.

Rano ojciec jeszcze raz zadzwonił na policję i poprosił o ochronę. Ci, którzy odebrali telefon, kazali mu czekać na przyjazd detektywów.

– Zjawią się koło południa.

Ich koledzy zadzwonili, gdzie trzeba i już odbierali zasłużoną nagrodę od Joe Rose'a. Ludzie Joe od kilku dni pacyfikowali Boston. Dostali kolejne zadanie. Martin Moor otworzył wrota piekieł. Do drzwi podeszło dwóch barczystych mężczyzn, a trzeci niższy, siedząc za kierownicą w zaparkowanym samochodzie, patrzył za nimi. Zapukali. Evelyn Lee Anderson otworzyła im drzwi.

Potężny z ospowatą twarzą pchnął ją w kierunku fotela. Drugi z bandytów, ryży, z równie ryżą, rzadką bródką, uderzył ojca w twarz i pokazał na krzesło. Wyciągnął pistolet i kierując po kolei w każdego z nich, rozkazał:

– Ma być cicho, bardzo cicho. My mówimy, a wy tylko odpowiadacie i wykonujecie polecenia. Nie będę się więcej powtarzał.

– Siadaj – wskazał matce fotel.

Ospowaty podszedł do ojca.

– Znasz mnie!

Wtedy Lee nie wiedziała jeszcze, że jest to Moe Mayo.

– Czy ty naprawdę wierzyłeś w to, że policja obroni cię przed nami? Jak mogłeś być tak naiwny myśląc, że jeśli zbierzesz na nas kwity i wszystko im opowiesz, to oni w te pędy przyjadą strzec twojego domu i twoich pięknych dziwek? – spojrzał w stronę matki.

– Nie, oni dali mi ciebie na talerzu. Tu i w Mieście Aniołów to my jesteśmy władzą ustawodawczą, sądowniczą i wykonawczą. To my ustawiamy wszystkich w pionie, wydajemy wyroki i je wykonujemy. I wiedz, że od naszych wyroków nie ma odwołania. Nie ma sądu nad nami. To my jesteśmy pierwszą i ostatnią instancją. Sędzią i katem.

Lee wstała razem z rodzicami. Kilka minut wcześniej wyszła do ogrodu zadzwonić do wykładowcy – opiekuna grupy teatralnej, że nie przyjdzie na próbę. Dzisiaj nie miała do tego głowy. Siedziała w ogrodowym fotelu osłonięta przez wielki różanecznik i gdy weszli, kończyła rozmowę. Niewidoczna dla nich, była świadkiem scen, rozgrywających się wewnątrz. Widząc upadającą matkę, zdążyła dodać:

– Proszę, niech pan zadzwoni na policję. Bandyci wdarli się do naszego domu. Proszę mi uwierzyć. To nie fikcja, to się dzieje naprawdę.

Wykładowca, słysząc trwogę w głosie swojej studentki, zadzwonił na policję.

– Chcę od ciebie dokumenty, które wczoraj zabrałeś z biura – kontynuował bandyta, wciskając ojcu kciuk w oko. – Tylko dokumenty.

– Zostawcie go, on jest dobrym człowiekiem, odda wszystko i nikomu o was nie powie – prosiła matka. – Zostawcie nas. Nic nie powiemy policji.

– Pozwoliłem mówić?! – ryży stojący obok, uderzył ją w twarz i pchnął w stronę fotela.

– Proszę, nie róbcie nam krzywdy.

– Tony, pokaż tej dziwce zdjęcia, niech zobaczy jakiego dobrego męża i tatusia mają w domu.

Nazwany przez kumpla Tonym, nie odkładając pistoletu, wyjął z wewnętrznej kieszeni marynarki zdjęcia i wręczył żonie Nilsa. Na fotografiach był Nils, mężczyźni w jego wieku, młode, bardzo młode dziewczyny i młodzi chłopcy. Nadzy robili rzeczy, o których jej się nie śniło. Kobieta zamarła, nigdy czegoś takiego nie widziała. Zamknęła oczy i upuściła fotografie.

Joe Rose zadbał o wszystko.

– Coś ty zrobił? To na to były potrzebne pieniądze? – załamanym głosem wyszeptała.

Nils nie odpowiedział. Spuścił głowę. Nie patrzył na żonę.

Moe podszedł do ściany, oglądał wiszące fotografie Lee, jej z rodzicami, samych rodziców. Przyglądał im się chichocząc i komentując.

– Piękne masz zdjęcia, niepotrzebnie robiliśmy nowe – szydził.

– Gdzie masz dokumenty? – podszedł do niego i uderzył w twarz.

– Nie mam tutaj.

– Spytamy się żony i córeczki. Tony, spytaj się tamtej. Może wie.

Tony podszedł do matki, włożył rękę za koszulę nocną i mocno ścisnął jej pierś.

– Niezła dupa. Nie ma kwitów. Będę musiał ją dokładniej przeszukać. Zobaczę czy nie schowała na dole – schylił się, sięgając pod podomkę.

Odepchnęła mu rękę. Uderzył ją w twarz.

– Nie stawiaj się, bo skrócę ci paluszki – wyciągnął z kieszeni nóż sprężynowy.

– Zostaw ją teraz. W domu musi być córeczka. Idź i poszukaj. Może jest w sypialni, tylko nie zabawiaj się z nią za długo. Przyprowadź ją tutaj. Przeszukamy ją przy świadkach.

Odwrócił się do przerażonego Nilsa.

– Oddasz dokumenty, czy mamy rozpieprzyć ci dom i twoje kobiety? Widziałeś, jak pękają kości w rękach i nogach? Ten, jak mu tam, chyba Martin, mógłby ci powiedzieć, ale bardzo go gardło boli – zaśmiał się. – Chcesz sprawdzić jak to boli?

Moe patrzył na Nilsa, zastanawiając się, czy będzie próbował coś zrobić. Nils Anderson powoli wyjął z szafki grubą papierową teczkę. Był przerażony.

Lee zrozumiała, że ona, matka i ojciec już są martwi. Jeśli ojciec go zna, jeśli wyjawił imię swojego kumpla, to nikt z nich nie będzie miał prawa przeżyć. Dostali już to, co chcieli, więc ona i rodzice nie są im potrzebni. Zjawili się zaledwie w pół godziny po telefonie ojca. Gdy teraz przyjedzie policja, a ona i rodzice będą jeszcze żyli, to tylko po to, żeby ich dobić. Przyjadą w mundurach kumple bandziorów.

Evelyn Lee Anderson też nie miała złudzeń, ale za wszelką cenę gotowa była bronić swojej kruszyny. Gdy Tony ruszył w stronę sypialni i puścił jej nadgarstek, dama z Georgii przemieniła się w lwicę, walczącą o swojego małego, bezbronnego kociaka. Złapała leżący przy gazetach ozdobny długi nóż do papieru i dźgnęła go w ramię. Pistolet wypadł mu z ręki. Rozległ się huk wystrzału. Kula trafiła w ścianę, rozbijając po drodze szklany wazon. Rzuciła się w stronę Moe.

Moe usunął się w bok, złapał rękę Evelyn Lee Anderson, skręcił i wbił jej w twarz trzymany przez nią nóż.

Lee zobaczyła upadającą na kolana matkę, wbity w oko nóż, wychodzący z tyłu głowy i wypływającą z jednej i drugiej strony strugę krwi.

Mdlejąc, usłyszała wycie policyjnych syren, dwa wystrzały i głos:

– Słyszysz? Zwiewamy!

Rozdział XIV

Przynęta

Uratował ją wykładowca historii teatru. Mimo że miał do czynienia ze studentami grającymi najrozmaitsze role, robiącymi nagminnie psikusy, wcielającymi się w przeróżne postaci, to z jakiegoś niewiadomego powodu jej uwierzył. Podświadomie poczuł, że mówi prawdę. Zadzwonił na lokalny komisariat, i to także ją ocaliło. Policjanci z posterunku nie znali Joe Rose'a, więc wsiedli do radiowozu, włączyli koguty, wezwali posiłki i po kilkunastu minutach byli na miejscu. Samochodu ludzi Joe już nie było, może minęli go po drodze, nie wiedząc o tym. Bandytów nie było, ale w salonie leżały dwa trupy – kobiety i mężczyzny.

Wezwali całą ekipę niezbędną w takich sprawach. Przeszukali cały dom. Nikogo więcej nie było. Dopiero w ogrodzie znaleziono nieprzytomną dziewczynę. Nie było z nią żadnego kontaktu. Wezwano pogotowie i odwieziono do miejskiego szpitala.

Lekarze po zbadaniu stwierdzili, że jest w szoku, więc przesłuchanie odłożono na później, zostawiając ją w szpitalnym łóżku.

W domu Andersonów ekipa dochodzeniowa zabrała się do roboty. Śladów pozostawionych przez obcych było niewiele. Napastnicy nie zostawili odcisków palców, łusek, niedopałków papierosów.

– Mogę się założyć o wszystko, że mamy do czynienia z napadem rabunkowym – zawyrokował prowadzący śledztwo Earl Buller. – Jutro przesłuchamy dziewczynę, może widziała sprawców. Musimy sprawdzić, co zginęło. Dziewczyna nam powie.

Technicy zabezpieczali ślady, a przyjęty ledwie kilka miesięcy temu do policji młody Jan Laz, patrolujący codziennie tę i sąsiednie ulice, próbował porozmawiać z wszystkowiedzącym Bullerem. Gdy go dopuszczono i ledwie zdążył powiedzieć:

– Ten facet, co tu leży, był szefem tamtego, co go znaleziono w Lynn Woods, tego Martina Moora... – Earl złapał go za kark, pchnął do wyjścia i krzyknął:

– Jeszcze czterech ze mną! Dwa radiowozy i migiem do szpitala!

– Skąd wiesz? – pytał, gdy mknęli do Massachusetts General Hospital.

– Ten gość, co go wcześniej rąbnęli, odwoził nieraz tego, co go dzisiaj... i mówił do niego szefie. Słyszałem, jak patrolowałem tę ulicę.

– A co tak często sterczałeś pod jego domem?

– Ma śliczną córkę.

W szpitalu, przed salą, Buller pozostawił dwóch ludzi, pozostałych dwóch w recepcji, na samym dole, i zadzwonił po radiowóz z dwoma policjantami uzbrojonymi w broń długą. Ustawił ich na parkingu. Połapał się, jak ważną sprawę ma w swoich rękach.

– Tylko nie spieprzyć, nie zmarnować, a awans możliwy – pomyślał. – Odbiorą mi ją wprawdzie, ale będą wiedzieli, kto to odkrył. Będzie to w aktach. Przyda się na przyszłość.

Tak jak przewidział, sprawę przejęło Federalne Biuro Śledcze.

Niewiele udało się ustalić w domu Andersenów. Zabezpieczono wszystkie możliwe ślady, trzy pociski – jeden w ścianie i dwa w głowie Nilsa Andersona. Nie było żadnych obcych odcisków palców, oprócz odcisków domowników i kobiety, przychodzącej co drugi dzień do sprzątania. Napastnicy musieli mieć na rękach rękawiczki. Nie było świadków. Nikt nie widział samochodu. Nie usłyszano trzech strzałów. Nie znaleziono by żadnych śladów, gdyby nie Lee.

Ze względu na jej stan, przesłuchano ją dopiero po trzech dniach, a później wielokrotnie. Opowiedziała, co widziała i co słyszała. Opisała morderców, choć nie widziała ich za dobrze przez różanecznik i szybę.

Powtórzyła całą zasłyszaną rozmowę i wymieniła imię „Tony", którego użył jeden z napastników.

– Tego Tony'ego, moja mama pchnęła nożem.

– Jakim nożem?

– Tym, którym ją zabito.

Wyodrębniono z krwi na nożu DNA Evelyn Anderson i obcej osoby. FBI miało imię i DNA jednego z bandytów i to wszystko. Nie znaleziono takiego w policyjnych kartotekach. Przyciśnięto miejscowych gangsterów, większych i mniejszych, tajniacy dotarli do wszystkich informatorów, policjanci pytali w każdym sąsiednim domu, każdej gospodyni domowej, sprzątaczki, dorosłych i dzieci.

Mordercy zapadli się pod ziemią. Nie pomogły portrety pamięciowe. Może były zbyt mało dokładne? Sprawdzono firmę, w której pracowali Anderson i Moor. Brakowało w niej bardzo wielu dokumentów. Zniknęły całe teczki akt.

Wielomiesięczne śledztwo zaczynało rozrastać się na inne stany, było coraz więcej podejrzanych. Na razie podejrzanych, ale kto i dlaczego zabił Andersonów, nadal pozostawało tajemnicą. Może ktoś nie chciał tego wyjaśnić?

Jedynym świadkiem była Lee.

Tego samego dnia, w nocy, doszło do incydentu pod szpitalem.

Czterech młodych ludzi, miejscowych łobuzów, zaatakowało siedzących w samochodzie policjantów po cywilnemu. Wynik awantury był nadspodziewanie zły. Postrzelony policjant zmarł w szpitalu, a na miejscu zginął przywódca napastników. Aresztowani przez przybyłe policyjne patrole, zrzucali całą winę na zabitego kumpla, który podobno namówił ich do draki. Przysięgali, że nie wiedzieli, że chcą dać wycisk policjantom. Dziwne tylko było, że kula w głowie napastnika nie pasowała do żadnego pistoletu, użytego w trakcie strzelaniny. Nie pochodziła ani z broni policyjnej, ani z użytej przez bandytów.

Choć nie dowiedziono związku incydentu z pobytem Lee w szpitalu i zabójstwem Andersonów, wzmocniono ochronę.

Z obawy o jej życie, jedynego świadka, który widział napastników i może ich rozpoznać, zadecydowano o jej ukryciu. Zmieniano miejsca pobytu. Mieszkała w Lincoln w Nebrasce, w Laramie w Wyoming, przeniesiono ją do Austin w Teksasie, aż po siedmiu miesiącach znalazła się w Los Angeles, w domku przy Rio Blanco Street.

Za każdym razem zmieniano ludzi z jej ochrony. W Los Angeles przez cały miesiąc pilnowali jej dwaj agenci o imionach Zack i John na zmianę z Adamem i Margaret.

Jedynym zajęciem Lee przez te miesiące było czytanie książek i babskich pism, oglądanie telewizji, układanie pasjansów. Ledwie kilka razy agenci zabrali ją na zakupy do marketu. Z rodzinnego domu pozwolono jej wziąć trochę ubrań, kosmetyków, kilkanaście zdjęć w ramkach, które wieszała na ścianach „nowych" domów i dwa albumy ze zdjęciami.

Bardzo przeżyła śmierć rodziców, długo nie mogła dojść do siebie. Lekką odmianą „w jej ponurym życiu świadka koronnego", jak to określiła, było pojawienie się kobiety w jej ochronie.

Zawiązała się między nimi nić porozumienia. Margaret polubiła Lee i traktowała ją, jak swoje dziecko. Lee mogła się teraz wypłakać w jej ramionach, porozmawiać o kobiecych sprawach. Rozmawiały o modzie, kreacjach, których nie miały, o makijażu i kosmetykach. Wymieniały się przepisami na ciasta i sałatki, choć ciast nie piekły, a sałatek nie robiły. Margaret pomagała Lee pleść piękny warkocz.

– Margaret, powiedz mi, czy ja jestem świadkiem koronnym?

– Nie, tylko świadkiem.

– Margaret, a może ja jestem przynętą?

– Nie, nie martw się dziecko – Margaret spuszczała głowę, słysząc pytanie kolejny raz.

– Dlaczego teraz tu jestem? On powiedział, że jest władzą w Mieście Aniołów.

Nie wiedziała lub nie mogła jej odpowiedzieć. Co mogła powiedzieć?

Ustalały jadłospis i policjant po cywilnemu przywoził posiłki.

Tego dnia zamówiły lazanię z mięsem i szpinakiem, zupę z brokułów i szarlotkę na deser.

Przed południem podjechał czarny samochód. Wysiadło z niego dwóch mężczyzn. Kierowca został na miejscu. Jeden niósł pojemniki z posiłkami. Adam sięgnął po pistolet, spoglądając przez okno.

– Co tak wcześnie, dopiero jedenasta? Dlaczego przysłali tego głąba Charliego, nie był tu od czterech tygodni?

– Margaret, otwórz drzwi – dodał.

Otworzyła drzwi, trzymając pistolet w ręce. Mocno zbudowany mężczyzna o ospowatej twarzy podał jej pojemniki. Ledwie wzięła je do rąk, poczuła potężne uderzenie w twarz i straciła przytomność.

Mężczyzna szybko wyciągnął pistolet z tłumikiem i oddał dwa strzały w kierunku Adama. Pierwsza kula przebiła pierś, druga trafiła w skroń. Adam upadł, zachlapując krwią wszystko wokoło. Do mieszkania wszedł Charlie, a po nim ten trzeci, ryży, z rzadką ryżą bródką.

Potężny z ospowatą twarzą złapał Lee za kark, podnosząc do góry i cisnął na stolik z karafkami i szklankami. Stolik przewrócił się, dzbanki z wodą i szklanki na terakotowej podłodze rozprysły się na drobne kawałki. Upadła, ale szybko poderwała się. Ryży podniósł Margaret z podłogi, posadził nieprzytomną na fotelu i ocucił, polewając wodą z wazonu. Trzymał ją cały czas na muszce pistoletu.

Lee zamarła z przerażenia. Poznała ich. Byli to mordercy jej rodziców.

– Pamiętasz mnie? – zapytał ospowaty. – Nazywam się Moe Mayo. Zapamiętaj, Moe Mayo. Jesteś jedyną osobą, która mi się wymknęła. Lepszym, sprawniejszym i silniejszym nigdy to się nie udało. Podziwiam cię, ale wkurzyłaś mnie. Wiesz czym? Gdyż zdążyłaś przed śmiercią zadzwonić i odwlec w czasie wyrok. Wtedy udało ci się. Teraz już nie.

Podszedł do ściany i zaczął zrywać fotografie. Robił to metodycznie, dla zabawy. Rozrywał ramki i rzucał w jej kierunku. Szkło, tłukąc się o posadzkę, zaścielało ją kolejną warstwą.

– To już przeszłość. Ciebie już nie ma. Jeszcze trochę zabawy i już ciebie nie ma. Wierz mi. Zabawa będzie wyśmienita.

Złapał Lee jedną ręką za warkocz, przyciągając twarz do siebie, drugą za krocze, wpychając środkowy palec przez materiał sukienki i majtki. Odepchnęła go. Uderzył na odlew. Upadła na rozbite szkło. Przydepnął jej dłoń, wciskając butem w kawałki szkła. Schylił się, złapał za drugą, podłożył pod drugi but i z zadowoleniem na twarzy coraz mocniej wgniatał. Krew tryskała jej z obu dłoni, płynęła z rozbitych warg i dziąseł, ból był nie do zniesienia. Patrzyła przerażona na Margaret, szukając ratunku. Margaret skinieniem głowy wskazała jej drzwi balkonowe. Zrozumiała. Ale jak ma to zrobić?

Margaret odepchnęła Tony'ego i rzuciła się do swojego pistoletu, leżącego między Moe a drzwiami. Była już blisko.

– Uciekaj! Uciekaj!

Moe odskoczył. Gdy Lee poczuła, że nie stoi na jej dłoniach, zerwała się na równe nogi, łapiąc w poranioną rękę długi kawałek szkła. Uderzyła na oślep trafiając Moe w policzek i przebijając go na wylot.

Moe był zszokowany. Jak takie dziecko mogło tak go załatwić? Stał chwilę nieruchomo, lecz szybko ocenił sytuację. Niebezpieczna w tej chwili była policjantka, sięgająca po pistolet. Wystrzelił w jej kierunku i nie trafił. Po raz pierwszy w życiu nie trafił.

Odsuwając w biegu drzwi balkonowe, Lee usłyszała kolejny cichy strzał i zobaczyła upadającą Margaret z roztrzaskaną potylicą. Gdy była już w ogrodzie, rozległy się dwa kolejne, ledwo słyszalne strzały. Nie poczuła jednak nic. Nie do niej strzelano.

Wdrapała się na płot, spadła na drugą stronę, na porośniętą krzakami skarpę. Biegła w stronę Montebello Boulevard. Potknęła się raz, a potem drugi – przed chodnikiem, i gdy stanęła na nogach, zobaczyła przed sobą samochód z otwartymi drzwiami.

Rozdział XV

Mała Lee

Wmawiała sobie, że musi być bardzo twarda, ale w ciemnościach widziała matkę, upadającą na kolana, nóż i krew. Matka nie miała twarzy, tylko czerwoną plamę. Po chwili pojawił się Moe Mayo i śmiał się szyderczo. Chciała go uderzyć ręką, lecz trafiała w pustkę, a on ciągle śmiał się. Próbowała odepchnąć obraz od siebie. Nie znikał. Gdyby było widno, może odszedłby. Nie wstała, żeby zapalić lampę. Zgasił, więc tak musi być.

Przywołała obrazy z dzieciństwa. Siebie z matką i ojcem w domu, raz na rękach u jednego, potem u drugiego.

Nie byli bogatą rodziną, lecz nic jej nie brakowało. Mieszkali w wynajętym mieszkaniu, w niezamożnej dzielnicy, wśród takich samych ludzi jak oni.

Chodziła do szkoły z takimi samymi dziećmi jak ona, wyróżniała się tylko tym, że lubiła się uczyć. Miłość do książek i nauki wpoiła jej matka, której uczucie do ojca i szybka ciąża przerwały studia. Nie żałowała tego. Gdy o to pytała, odpowiadała:

– Ty jesteś dla mnie więcej warta, niż dyplomy Harvardu i Princeton razem wzięte.

Matka była osobą bardzo inteligentną, oczytaną. Każdy jej szkolny problem potrafiła rozwiązać albo od razu, albo po wcześniejszym poszukaniu w książkach, słownikach, encyklopediach lub Internecie. W czasach komputerów mieli dużą bibliotekę, od beletrystyki do publikacji naukowych. Gdy Lee odrabiała lekcję, kładła się na jej łóżku i czytała. Nie wtrącała się do tego, co ona robiła, dopóki Lee nie poprosiła jej o pomoc. Zabierała córkę na wystawy, do muzeów, kina i teatru. Pokazywała jej najpiękniejsze miejsca Bostonu, a później, gdy już mieli pieniądze, zwiedzili wiele najciekawszych miejsc Stanów Zjednoczonych i Kanady. Fotografowała namiętnie swoją najukochańszą córeczkę, męża, ich razem. Gdy w domu jeszcze się nie przelewało, kupiła drogi aparat fotograficzny ze statywem.

– Nie muszę mieć modnej sukienki – mówiła – ale zdjęcia córeczki, tak.

Opuszczając rodzinny dom, zabrała tylko kilka fotografii, za to w swoim nowym domu na każdej ścianie wieszała zrobione przez siebie zdjęcia. Na półkach stało kilkanaście albumów ze zdjęciami. Po śmierci rodziców była w domu swojego dzieciństwa. Nie znalazła tam żadnych śladów świadczących o jej życiu w tym miejscu. Zawzięci rodzice odeszli na tamten świat, zapisując cały majątek organizacji charytatywnej. Evelyn Lee nie walczyła o niego.

Ojciec dużo pracował. Nie miał takich zainteresowań jak matka. Cieszyło go, że pracuje w coraz lepszej firmie, że zarabia coraz więcej pieniędzy, że rodzina podnosi swój status społeczny. Tym wyrażał swoją miłość do nich. Naprawdę kochał żonę i córkę.

W weekendy zabierał je na lody, spacerowali ulicami Beacon Hill, zapuszczali się w Louisburg Square i siadywali na ławkach w Boston Common.

Evelyn fotografowała park, drzewa, kwiaty, ptaki, ich siedzących i rozmawiających, a Nils, pokazując eleganckie rezydencje, ludzi w drogich samochodach szykownie ubranych, mówił:

– My kiedyś będziemy też tak żyć.

Kilka razy byli w Disneylandzie, chodzili do wesołych miasteczek. Bardzo to lubił. Nie przepadał za muzeami, galeriami, męczył się oglądaniem obrazów i nudził na teatralnych sztukach.

– Dlaczego on nam to zrobił? – zadawała sobie po raz kolejny to samo pytanie.

Kochała go jednak. W całym życiu miała obok siebie jedynie matkę, którą uwielbiała, i jego. Nie ma już ich. Matka, upadając na kolana, już nie żyła, a ojciec? Ojciec też.

Teraz jest przy niej ten gburowaty, nieprzystępny mężczyzna. Nie, jest uczciwym, normalnym, przeciętnym człowiekiem. Jest dobrym człowiekiem, bo tylko dobry mógł się na to zdobyć. Jednak taka ilość i rodzaj broni świadczy, że zarabia na życie w nieuczciwy sposób.

Przypomniała sobie jego reakcję na widok mężczyzny, który ją gonił. Gdy go zobaczył w lusterku samochodu, zaklął. Znał go, ponad wszelką wątpliwość znał go. Spojrzała w boczne i spostrzegła, że biegł za nią ten, który przedstawił się jako Moe Mayo.

Takiego człowieka znają tylko ci, którym coś zrobił, a takich nie ma już na świecie, albo są na jego krańcach, drżąc ze strachu, aby nie przypomniał sobie o nich.

– Tacy jak ja – powiedziała do siebie cicho.

Jeżeli go znał i miał odwagę zrobić, to co zrobił, wyrwać ją z łap tego bandziora, przywieźć tutaj, to musi mu być równy. Nie bał się go, tak jak ona.

Co będzie, jeśli są kumplami i pójdzie do Moe Mayo i żeby mieć święty spokój, powie mu wszystko, wskaże adres mieszkania? – Na wspomnienie szkła wbitego w policzek bandziora zatrzęsła się.

Przyjadą, jak do jej domu i zamęczą. Ślinili się na jej i matki widok. Później zabiją. Zrobią to tak, by długo i jak najwięcej cierpiała. Za nóż wbity przez matkę, za rozharatany szkłem policzek. Wrzucą do wanny, zaklęją taśmą usta, by nie było słychać krzyku i będą kroić nożem na kawałki, a kawałki pakować do czarnego worka. Krew spłuczą i nikt nie uroni nad nią choć jednej łzy. Przekonała się, że nie mają uczuć. Nie mają serca, nawet maleńkiego kawałeczka, nawet odrobiny.

„Muszę stąd uciekać" – kotłowało jej się w głowie. – „Schować się do mysiej dziury, gdzieś w środku pustyni lub dżungli".

Wstrząsnął nią płacz.

„Jestem mała Lee, bez domu, bez mamy i taty, sama na tym świecie. Nie mogę nawet wziąć kija w pocięte, zabandażowane ręce i bronić się przed złymi. Jestem maleńka Lee, mniejsza niż najmniejsza myszka uciekająca do dziury. Myszce w końcu się uda, a mnie wredny los przydepnął ogonek i nie mogę się wyrwać".

Wtuliła twarz w mokrą poduszkę.

„Dokąd ucieknę? Gdzie się ukryję. Nie zdążę zrobić nawet dwóch kroków. Kierowcy jadący do pracy znajdą mnie zatłuczoną przy krawężniku. Śmieciarze wysypią moje resztki z worka i będą pytać, czy to mała Lee".

„Nie. Muszę tutaj zostać".

Odrzuciła czarny scenariusz. Ten, który ją tu przywiózł, nie wyda jej. Mógł to zrobić od razu lub wyrzucić z samochodu w pierwszym lepszym miejscu. Nie zrobił tego, zabrał ją, zawiózł do lekarza i przywiózł do swojego mieszkania. Może ich zna, lecz jest inny, musi mieć dobre serce. Jest dobrym człowiekiem. Któż inny naraziłby swoje życie dla nieznajomej, ściganej przez największych zbirów na ziemi. Kto miałby taką odwagę? Ojciec nawet nie drgnął, gdy ginęła matka, sparaliżowało go.

„Tylko mama zdobyła się na odwagę, a ja nawet się nie ruszyłam. Ale co miałam zrobić?".

„Jak wróci, muszę być dobra dla niego, nie denerwować go, schlebiać mu – naiwne myśli pojawiały jej się w głowie. – Jest gburem, ale będę grzecznie mu odpowiadała. Gdybym miała zdrowe ręce, to zrobiłabym mu kawę".

Znów zaniosła się płaczem.

„Nie wiem, jak będzie. Może nie wróci. Obiecał, że wróci".

„Powiedział, że czarny worek nie będzie potrzebny" – uśmiechnęła się przez łzy.

Nie mogła zasnąć, przewracała się z boku na bok. Ból powracał. Co chwilę spoglądała w stronę drzwi. Wstała, weszła do salonu, przyłożyła ucho do drzwi wejściowych. Na klatce schodowej było cicho. Winda stała na dole albo na którymś z pięter. Nie było słychać kroków.

– Nie wraca, musi być jeszcze wcześnie.

Nie mogła sobie znaleźć miejsca. Dochodziła do drzwi, słuchała, szła do okna balkonowego i ukradkiem spoglądała na ulicę przez niedomknięte żaluzje sprawdzając, czy już przyjechał. Usiadła na sofie, dwoma rękoma wzięła szklankę z nalaną przez niego wodą.

– Udało się – stwierdziła, oblewając sukienkę tylko odrobiną wody.

Rozglądała się po mieszkaniu. Było schludne, czyste. W salonie stała duża sofa, dwa fotele, podłużny mały stolik z szufladami pod spodem, komoda, a na niej telewizor. Obok odtwarzacz i płyty. Dużo płyt. Na drugiej komodzie, po przeciwnej stronie, leżały książki. Zauważyła, że w trzech językach: angielskim, francuskim i chyba niemieckim. Zdziwiło ją to.

„Kto je czyta? Czy mieszka tu więcej osób?" – zatrwożyła się.

„Nie, to chyba przypadek, albo dla szpanu".

W sypialni, obok wielkiego łóżka, na którym leżała, stały dwie szafki nocne. Jedną całą ścianę zajmowała szafa. Kolejna szafa znajdowała się w przedpokoju, a obok niej mały, wysoki stolik. Kuchnia wyglądała na nieużywaną. Zajrzała do łazienki.

– Wyprał moje majtki! – zaniemówiła.

„Kim on jest? Dlaczego tak bardzo o mnie dba? Źle go osądzam. Nie może być tym, za kogo go biorę. Jest na pewno dobrym człowiekiem, a pistolety i nóż to tylko przypadek".

Usłyszała dźwięk windy i kroki w korytarzu. Podeszła do drzwi wejściowych. Przyłożyła ucho. Kroki zbliżały się. Odskoczyła i przycisnęła ręce do piersi. Ktoś włożył klucz do zamka. Nogi ugięły się pod nią.

Rozdział XVI

Bolero

Pozbył się worka ze śmieciami i zniszczonym ubraniem, wrzucając go do kontenera. Wsiadł do samochodu. Foliową torbę włożył pod siedzenie. Teraz należało coś zrobić z fordem Mustangiem, a później odstawić firmowy samochód w umówione miejsce, do garażu ludzi Joe Rose'a.

Podjechał w pobliże parkingu, gdzie wczoraj zostawił samochód. Zaparkował dużo wcześniej, w szemranej okolicy. Wyjął torbę z pistoletem i tłumikiem. Schował do kieszeni. Pozostawił kluczyki w stacyjce. Mógł się założyć, że jeszcze tego wieczoru samochód zniknie. Zatroszczy się o niego miejscowa młodzież i jeśli wcześniej go nie rozbiją, to rozłożą na części. Nie obawiał się, że ktoś powiąże go z Mustangiem. W samochodzie nie pozostawił odcisków palców. Zawsze prowadził w skórkowych, szpanerskich rękawiczkach. A jak chłopcy zajmą się nim, zmieni się nie do poznania.

– Nie postoi długo. Chłopcy zaopiekują się nim – rozejrzał się wokoło. – Na razie nie ma nikogo.

Nie zadzwonił po taksówkę, kolejna osoba, która może go zapamiętać, nie była mu potrzebna. Miał do parkingu około mili, niewiele, jak dla niego. Samochód stał tam, gdzie go zostawił. Schował pod siedzenie foliową torbę z pistoletem i odprowadził auto w umówione miejsce – pod warsztat, w którym zajmowano się samochodami Joe Rose'a, usuwano zbędne ślady, przebijano numery, przemalowywano, dokonywano niezbędnych napraw. Zostawił kluczyki w stacyjce, nikt obcy nie śmiałby go ruszyć. Mechanicy Joego zaraz wezmą się za niego.

Zostawił jednak ślad – licznik samochodu. Przejechał nim kilka mil. Do Bakersfield jest około 120 mil. Powrót przez Santa Monica i Long Beach i kluczenie to dodatkowe 160 mil. Razem prawie trzysta. Licznik się nie zgadza.

„Nie ma zbytniego zmartwienia" – zastanowił się. – „Jutro, pojutrze i w następnych dniach zostanie użyty przez innych, w podobnych jak jego, bandyckich misjach, kolejne kilometry na liczniku i nikt się nie połapie. W razie czego powiem, że wynająłem inny".

Przeszedł kilka przecznic, złapał taksówkę i kazał się wieźć do domu przy North Citrus Avenue.

– Na północ od Merlose Avenue – odpowiedział na pytanie kierowcy.

Było spokojnie, przed domem stał jego samochód, nic nie wskazywało na jakieś niespodzianki. Zawsze lustrował okolice, sprawdzał teren i obiekt. Po incydencie z facetem z uzi poradził to Moe, który niejednokrotnie był zbyt narwany.

Wszedł do domu, zamknął drzwi i rozejrzał się.

– Okay.

Nie czuł napięcia. Przez cały czas myślał logicznie. Podszedł do odtwarzacza. Wyjął pierwszą z brzegu płytę.

Bolero Ravela. Lubił dobrą muzykę. Miał dużą kolekcję płyt, w tym także z muzyką poważną, ale z tą lżejszą, jak mawiał. Słuchał wieczorami, brzmiała mu w tle, gdy czytał lub uczył się francuskiego. Nie przestał, jeszcze gdzieś w głębi marzył o winnicy nad Morzem Śródziemnym.

Wsłuchał się.

Najpierw muzyka brzmi cicho, słychać dźwięki tylko kilku instrumentów. Prosty osiemnastotaktowy temat. W tle jednostajny rytm werbla. Dzieciństwo ciche, spokojne w ramionach matki, a w tle wojskowy werbel. Pałeczki trzymane przez ojca, rytmicznie uderzają o membranę, wskazując mu drogę. Dołączają następne. Coraz głośniej. Huk, wystrzały i wybuchy, na poligonie i wojnie, nazwanej nie wiedzieć dlaczego misją pokojową. Osiemnaście taktów, tylko osiemnaście, tylko. Monotonne i proste. Kolejne instrumenty wchodzą do gry. Jeszcze głośniej. Gangsterskie początki, stracone złudzenia. Pogrzebane miłości – jego i ich. Dźwięk rozbrzmiewa coraz donośniej. Rondo, powracający dźwięk, rondo, powtarzające koleje losu. Viva America. Bajka i śmierć. Muzyka coraz głośniejsza. Młoda, czarnowłosa hiszpańska tancerka o czarnych oczach tańczy na stole. Mężczyźni wstają, każdy chciałby jej dotknąć, każdy chciałby ją mieć. Jego tancerki z blond warkoczem i błękitnymi oczami nikt nie będzie miał, a zwłaszcza Moe Mayo. Ostatnie uderzenie werbla i cisza.

– Koniec z takim życiem!

Widział w jej oczach przerażenie. Wszyscy na jej miejscu czuliby paniczny strach. Tylko dlaczego boi się jego. Ocalił jej skórę, a ona na przemian, chce by jej bronił, a za chwilę, by zniknął, był jak najdalej od niej. Marta była inna. Lgnęła do niego, ciesząc się z każdej chwili z nim i ufała mu bezgranicznie. Dlaczego ta jest inna? Irytowało go to i nie mógł powstrzymać się od małych złośliwości, odpowiedzi ze sporą dozą sarkazmu. Zły był, że utrzymuje dystans do niego, choć co chwila prosi go oczyma o pomoc.

– Nawet kazała zdjąć sobie majtki – mruknął.

Włożył do sportowej torby kilka niezbędnych rzeczy. W mieszkaniu przy Yale Street miał dla siebie wszystko. Ona nie miała nic. Takie samo nic było w lodówce.

„Nie znam jej rozmiarów. Kupię parę potrzebnych jej ciuchów".

„O Boże, jak wszystko się powtarza. Gdyby mi ktoś opowiedział taką historię, nie uwierzyłbym mu. Uznałbym za kłamcę".

W centrum handlowym kupił, tym razem bez pytania sprzedawczyń, zapinaną z przodu bawełnianą koszulę do spania, długi podkoszulek, dwie pary damskich majtek i klapki. Na wszelki wypadek kupił stanik.

– Większy niż ten w Hamburgu – uśmiechnął się do siebie.

– Całą pierś miała we krwi, może będzie jej potrzebny.

Jedzenia potrzebował dużo. Nie zapomniał o mleku, płatkach, kaszce dla dzieci, gotowych zupach w puszkach. Dołożył do koszyka trochę kosmetyków, opatrunki, bandaże, gaziki do przemywania, foliowe torebki do pakowania i kłębek sznurka. Nie chciał zwrócić na siebie uwagi sąsiadów, wnosząc zbyt dużo toreb.

Wszystko poszło sprawnie. Nie spodziewał się, że wróci przed dziesiątą. Z zakupami wjechał na piętro windą.

Otworzył drzwi. Stała w przedpokoju z rękoma przyciśniętymi do piersi.

– Myślałem, że już cię nie będzie. Uciekniesz na koniec świata przed złym człowiekiem, jakim jestem i... – zaczął z ironią w głosie.

– Nie mów tak! Proszę, nie mów tak. Mam tylko ciebie. Wiem, że masz dobre serce, lepsze niż wszyscy ludzie na świecie. Jesteś dobry i czuły, choć tego nie okazujesz. Tamten powiedział, że już mnie nie ma. A ja jestem dzięki tobie. Uratowałeś mnie. Wiem, że mnie nie zostawisz. Nie zostawisz, bo masz dobre serce i nie pozwoliłbyś nikomu mnie skrzywdzić.

– Tak tylko ci się wydaje – burknął. – Źle i zbyt szybko oceniasz ludzi. Nie widzisz, że jestem złym człowiekiem?

– Moje serce mówi co innego, a ono się nie myli.

– Umyjemy się i coś zjemy – zrobiło mu się lżej na duszy. – Kupiłem kilka rzeczy do przebrania, ale musisz się jakoś wykąpać.

Podniosła zabandażowane ręce do góry, w znajomym geście, lekko zawstydzona.

– Tak, wiem, chodź do łazienki.

Poszedł za nią, biorąc foliowe torebki i sznurek.

Spojrzała na nie ze zdziwieniem, ale jak postanowiła, nie zadała żadnych pytań.

Zdjął z niej zakrwawioną sukienkę i stanik. Stała przed nim naga, z podrapanymi, poranionymi nogami i rękoma, z twarzą spuchniętą z jednej strony, z przeciętymi wargami, z brudnymi włosami i obandażowanymi dłońmi. Ledwo stłumił w sobie głos zachwytu. Była boska. Nie widział jeszcze tak zgrabnej i tak pięknie zbudowanej dziewczyny. Miał wiele ładnych i zgrabnych dziwek, ale każdej coś brakowało, a przede wszystkim rozumu. Tę Bóg obdarzył tym, co miał najpiękniejsze i do tego dodał inteligencję, o czym przekonał się już po kilku zamienionych z nią słowach. Rozwiązał warkocz, bardzo długie blond włosy opadły na ramiona i plecy. Była piękna.

„Wszystkie te rany dodają jej uroku" – pomyślał. – Podaj ręce – powiedział już głośno.

Założył na dłonie torebki foliowe i obwiązał ręce sznurkiem.

– Wchodź pod prysznic.

– No i co dalej? – spojrzała mu zadziornie w oczy.

Zdjął koszulę i spodnie, rzucił na podłogę i w samych bokserkach wszedł za nią. Delikatnie rozczesał szczotką włosy, pasemko po pasemku i umył je. Z myciem twarzy nie było problemu. Gdy ręce powędrowały w dół poczuł, że krew mu napływa, nie tylko do twarzy. Spojrzał w dół na bokserki. Zrobiło mu się jakoś dziwnie. Po raz pierwszy w życiu był onieśmielony. Odsunął ręce od jej piersi, na ramiona.

– Musisz mnie umyć dokładnie. Wszystko trzeba umyć – powiedziała, widząc co się z nim dzieje.

Zamknęła oczy. Umył ją, spłukał i wytarł do sucha. Owinął w ręcznik, zawiązując starannie nad biustem.

– Usiądź w fotelu. Jak skończę ze sobą, wysuszę ci włosy i w coś ubiorę.

Po skończonej kąpieli założył tylko szorty. Usiadł przy niej, suszył długie, piękne włosy, rozczesując je szczotką. Sprawiało mu to przyjemność. Wiedział, że jeszcze większą będzie miał za chwilę. Zdjął z niej ręcznik i gazikami, powolutku przemywał rany na nogach, ramionach, rękach, szelmowsko się uśmiechając.

– Ale mam zajęcie.

– Jak sprawia ci to przykrość, to nie musisz. Sama dam sobie radę – burknęła tym razem ona. – Śmiejesz się ze mnie. Nic nie poradzę, że tak się stało.

Miała mu za złe, że ją lekceważy.

– Ile masz lat szczeniaku, że mówisz do mnie takim tonem? Osiemnaście, dziewiętnaście, chyba nie więcej? – parsknął śmiechem.

– Nie, dwadzieścia trzy i jestem już dorosła.

– Zupełnie nie wyglądasz na tyle, ale jeśli masz, to możesz próbować mnie ustawiać.

– Nie chcę, przepraszam, ale naprawdę mam tyle lat.

– Zrobię coś do jedzenia – powiedział, ubierając ją w nocną koszulę.

– Nie dość, że kupiłem za dużą, to jeszcze wyjątkowo brzydką, ale musi tak zostać.

– A stanik kupiłeś za mały.

Uśmiechnął się i poszedł do kuchni. Otworzył dwie puszki z zupą, przelał do garnka i postawił na kuchni.

„ Zupę łatwiej zje".

Zrobił dla siebie kanapki, zalał wrzątkiem dwa kubki herbaty. Mimo kilku lat pobytu w Stanach nie nauczył się popijać kanapek niczym innym. Pijał soki, wodę i kawę, ale do kanapek lubił wypić kubek herbaty.

Postawił wszystko przed nią na stoliku.

– Nie mam siły – usiadła na kanapie, podkurczając nogi i wciskając dół koszuli między nie.

Usiadł obok niej. Wziął talerz do ręki i karmił ją, jak małe dziecko. Po chwili w jej oczach pojawiły się łzy, a przez niedopiętą i odchyloną koszulę widział, jak jej piersi unoszą się w nierównym rytmie.

Gdy skończyła, włożył jej do buzi tabletkę przeciwbólową i pomógł wypić herbatę. Wypiła kilka łyczków, potrząsnęła przecząco głową i oparła się na zagłówku kanapy. Patrzyła na niego jak je, a z oczu płynęły łzy. O nic nie pytał, a gdy skończył powiedział:

– Teraz do łazienki, toaleta, mycie ząbków i do łóżka. Ty śpisz w sypialni, ja na kanapie w salonie.

Rano obudził się jak zwykle.

– O cholera, spóźnię się na spotkanie u Joe.

Wszedł do sypialni. Nie spała.

– Niańka przyszła.

Pomógł jej w porannej toalecie, przebrał w podkoszulek, też za duży i za długi. Nakarmił ugotowaną na mleku kaszką i dwoma jajkami na miękko, drobno pokrojoną wędliną i pomidorami. Sam zazwyczaj jadał na mieście. Teraz zjadł jajka na miękko i kanapki z wędliną i serem.

Stała i patrzyła jak się ubiera, zapina pod pachą kaburę z pistoletem i zakłada marynarkę. Nic nie mówiła.

– Jestem spóźniony. Tu są zapasowe klucze – położył na szafce.

– Nie wychodź nigdzie, nie bój się, ja wrócę.

– Będę czekała. Wróć wcześnie.

– Podaj mi swoje wymiary.

Gdy zapisywał, przypomniała mu się Marta.

– Jak z tamtą – prawie mu się wyrwało.

Przyniósł z kuchni i postawił na stoliku salaterkę z obranymi soczystymi brzoskwiniami i włożonym do nich widelcem, talerz z kaszką i łyżką, duży talerz z biszkoptami i kruchymi ciastkami, cztery szklanki z sokami i wodą. Zastanawiał się przez chwilę, co jeszcze postawić na stoliku, ale nie miał nic więcej, a dziewczyna, i z tym nie bardzo będzie mogła sobie poradzić.

– Musisz sobie jakoś radzić. Spróbuję wpaść po południu, a jeśli nie, to wrócę wieczorem – pogłaskał ją po policzku.

Gdy zamykał drzwi, usłyszał:

– Do zobaczenia.

Rozdział XVII

Joe Rose

Jadąc, opracowywał w myślach plan. Nie na teraz czy na kilka dni. Był to plan na resztę życia. Potrzebował także awaryjnego, gdyby coś nie wyszło.

„Jak nie wyjdzie, to idę do piachu, ale co z nią?".

Awaryjnego planu nie miał, w żaden sposób nie mógł go stworzyć w swojej głowie.

„Nie ma i nie będzie".

Z Yale Street do kwatery Joe Rose'a w Beverly Hills było około 12 mil. Joe miał wspaniałą posiadłość, ciągnącą się od North Hillcrest Road, gdzie w eleganckim domu było biuro i tu załatwiał interesy, aż do Flicker Way, gdzie znajdowała się jego wspaniała rezydencja, zamieszkiwana przez niego i jego trzecią żonę. Pierwszą żonę z dziećmi urządził z dala od siebie, w San Francisco. Druga zginęła z dzieckiem w wypadku samochodowym. Na starość chciał mieć święty spokój i młodą, prawie o trzydzieści lat młodszą żonę. Była młodsza od dwóch najstarszych jego córek. Wyglądała jak gwiazda porno z filmów kategorii C. Tak mówili wszyscy, ale nie do Joe. Dla niego była uosobieniem seksu. Farbowane blond włosy tapirowane na pudla, ordynarny, wyzywający makijaż, wylewający się ze zbyt dużego dekoltu wielki biust, wspomożony silikonem, krótkie minispódniczki pokazujące majtki. Joe Rose cieszył się, że ma taką efektowną żonę. Było mu z nią dobrze. Spełniała każde jego życzenie. Z miłości? Nie. Z wyrachowania, a po części ze strachu.

Michael, patrząc na nią, zauważył, że jest dość ładna i zgrabna, i gdyby była w innych rękach, to może... ale jaki pan, taki kram.

Joe po wielu latach opanował zachodnie tereny Los Angeles z częścią śródmieścia. Po latach walk i niepokojów królował na zachodzie. Na wschodzie, południu i północy rządzili inni. Pax Romana obowiązywał.

Nie wchodzili na tereny sąsiadów. Tak było lepiej, łatwiej robiło się interesy bez przelewu krwi i trupów. Nie było jednak słodko. Rozrabiali wolni strzelcy, zbuntowana młodzież, mali gangsterzy chcący coś uszczknąć z tortu z napisem LA. Tymi zajmował się głównie Moe Mayo, a także Michael i Foy Dixon lub cyngle na usługach Joe. Lali równo białych i czarnych, żółtych i czerwonych, małych i dużych, wiedząc, że nie ma wśród bitych żołnierzy z konkurencyjnych organizacji. Ci w tym czasie bili na swoim terenie swoich niepokornych.

Gdy zachodziła potrzeba likwidacji opornego, robili to zwykli cyngle lub Moe Mayo. On robił to dla rozrywki. Kochał zabijać.

Brama jak zwykle była zamknięta. Z małej dyżurki wyszedł ochroniarz, przyjrzał się Michaelowi, obejrzał samochód i wpuścił go na teren, wciskając przycisk uruchamiający mechanizm bramy. Na podjeździe przed domem stało sześć samochodów, a przy nich sześciu ludzi. Zwykle był tylko ten przy bramie i jeszcze jeden w garażu, goryl Joe, jego obstawa i kierowca i dwóch przy Flicker Way.

– Spóźniłem się, tak wyszło – powiedział, wchodząc. – Zaspałem.

W salonie był Joe Rose, prawnik Frank Sales, Foy Dixon, Moe Mayo i Tony Gert.

– Przejeżdżałem koło twojego domu, a samochodu już nie było – wtrącił Tony.

Tony był gadatliwy. Twierdził, że pochodzi ze starej, arystokratycznej, niemieckiej rodziny, mającej przed nazwiskiem Gert dodatek von. Po pijaku kazał mówić do siebie Thomas von Gert. Dlatego Moe i Foy mówili wprost do niego raz Tony, a raz von Goat[5], a inni tylko za jego plecami, z obawy o swoje zęby.

– Gdybym spał we własnym łóżku, to byłbym o czasie – odrzekł Michael. – Dziwka skuła kajdankami swoją rękę z moją, schowała kluczyk i wlazła na mnie. Dopóki nie skończyła, nie chciała mnie rozkuć.

– Nie mogłeś się uwolnić? – zaśmiał się Joe.

– Mogłem, ale nie chciałem jej urwać ręki, bo potrafi nią robić cuda. Zabrałem jej ubranie i wrzuciłem do kontenera na śmieci. Siedzi teraz goła i czeka na mnie. Muszę kupić jej coś ładnego.

– Zabiłbym kurwę – mruknął Moe.

– Udałoby ci się? – uszczypliwie skomentował Foy. – Jakoś tej małej nie dałeś rady. O mały figiel, a wysłałaby cię na tamten świat. Piękną masz gębę. Widziałeś się w lustrze?

– Spokój – uciszył wszystkich Joe.

Moe spojrzał na Foya Dixona zabójczym wzrokiem.

– Kiedyś cię zabiję – wyseplenił.

Michael, nic nie mówiąc, patrzył na twarz Moe. Twarz zawsze brzydka, wyglądała teraz szkaradnie. Na lewym policzku miał rozcięcie szerokości czterech centymetrów. Chirurg założył mu z dziesięć szwów. Policzek był opuchnięty, a Moe musiał mieć też uszkodzony język, gdyż seplenił. Oczy zaszły mu krwią ze złości, bólu i od tych wszystkich środków, którymi go nafaszerowano. Był wkurzony do granic wytrzymałości. Gdyby nie Joe, zabiłby na miejscu Foya, a może i innych.

„Tę mordę pokiereszowała mu ona!" – Michael był pod wrażeniem. – „Nieprawdopodobne, ale to ona. I ja z nią zadzierałem. Prawie wysłała drania na tamten świat. Fantastyczna dziewczyna. Moe nie spocznie, dopóki jej nie dopadnie. Nie odpuści, będzie ją ścigał do dnia sądu ostatecznego. To jest też sprawa Joe Rose'a,

---

[5] Goat – kozioł.

a on ma wielkie możliwości, będzie ją tropił wszędzie. Może wie zbyt wiele o jego interesach. Nikt, nawet policja, FBI czy prezydent Stanów Zjednoczonych jej nie pomoże. Nie odpuszczą jej".

Joe odesłał Tony'ego do samochodów, mówiąc:

– Nikomu ani słowa. Nie próbuj chlapnąć choćby jednego słówka.

– Muszę spokojnie zastanowić się, co dalej robić. Sprawy Darby'ego, o czym nie wie Michael, i tej małej, co prawie załatwiła Moe, są ze sobą powiązane. Ale to jest mniej ważne. Tę małą dziwkę tropimy już od ośmiu miesięcy. W Bostonie dwa razy nam się wymknęła. Jak jej się to udało?

– W domu wezwała policję i nie zdążyliśmy jej wykończyć, a pod szpitalem gnojki, których szef załatwił, zamiast zająć policjantów, zaczęli do nich strzelać. Zrobili taką rozróbę, że nie mogłem w żaden sposób dostać się do środka – z trudem powiedział Moe.

– Nie przerywaj mi, bo ja cię zaraz wykończę. Nie chciałem tego powiedzieć, wiesz, że cię szanuję. – Joe opanował się.

– Jak pięknie rozegrał to Michael. Zmienił plan, załatwił po cichu. Mam informację, że żona Darby'ego śpiąca obok, nie obudziła się. A ty z tym głupim Tonym, zamiast najpierw strzelać, łapiecie dziewuchę za cycki. Jeszcze rąbnęliście tego naszego policjanta Charliego. Kurwa, z kim ja pracuję!

Nalał po odrobinie burbona do pięciu szklaneczek. Podał wszystkim i wziął do ręki albumy ze zdjęciami. Długo przeglądał, aż wyjął z nich kilka zdjęć i podał Frankowi Salesowi.

– Zrób odbitki, rozdaj wszystkim chłopakom, niech biegają po cały mieście i szukają jej. Pytać wszystkich, przycisnąć opryszków, puścić w miasto naszych cyngli. Uruchomić informatorów. Musi się znaleźć.

– Joe, spokojnie, powoli – Frank po raz pierwszy zabrał głos. – Nie możemy pozwolić sobie na rozróby. I tak za dużo hałasu zrobiło się wokół tego. Trzech policjantów nie żyje. Dobrze, że Moe zabił tego Charliego. Kolejny świadek jest nam niepotrzebny. Nie można było mu ufać. Jak będziemy postępować rozważnie, wyjdziemy z tego bez szwanku.

– Mamy nic nie robić?

– Nie, Joe. Będziemy działać spokojnie. Nie możemy rzucić ludzi w miasto, zwłaszcza z fotografiami tej małej, jak jej tam, Lee. Nikt, a zwłaszcza inni szefowie, nie mogą się dowiedzieć, że mamy kłopoty. Jeśli policja złapie któregoś z naszych lub informatorów z jej zdjęciem, powiążą to z tobą, a to będzie jak strzał we własne kolano. Policjanci współpracujący z nami odwrócą się od nas, nie darują nam zabicia ich kolegów. Oni tego nie lubią. To będzie nasz koniec.

– Co więc radzisz?

– Moe będzie jej szukał we wschodniej części miasta i w Chinatown, Michael niech zajmie się śródmieściem i zachodnimi terenami, Foy będzie rozglądał się na północy. W Santa Monica, w Long Beach i na wybrzeżu będę działał osobiście, choć nie wierzę, że tam się ukryła. Ten ktoś, kto ją zabrał, jechał starym szarobrązowym Mustangiem raczej nie na południe. Niech wezmą po paru ludzi, dwóch–trzech, nie więcej. Nie pokazujcie im fotografii. Każcie im szukać samochodu. Wy trzej szukajcie lekarza lub pielęgniarki, którzy ją opatrywali, pytajcie w szpitalach, tylko bez rozgłosu, czy wczoraj kogoś nie przywieźli z takimi ranami. Jak będzie trzeba, to płaćcie za informacje.

Joe chciał coś powiedzieć, ale zrezygnował.

– Żadnych pytań do zaprzyjaźnionych policjantów, żadnych zatargów z miejscowymi ludźmi. Jak znajdziemy samochód, to znajdziemy tego, kto ją zabrał. Od niego lub od niej dowiemy się, gdzie ta mała się ukrywa. Jak zostanie znaleziona, to żadnej zbędnej zabawy, żadnego odgrywania się. Tylko kulka w łeb i co najwyżej poprawka dla pewności. Joe, powiedz to Moe, ciebie posłucha.

– Moe, słyszałeś? To jest mój rozkaz.

– Słyszałem, ale niech nikt z naszych nie wchodzi mi w paradę.

– Nie, Moe – dodał Frank. – Jeśli ktoś z naszych będzie musiał wejść na twój teren i odwrotnie, to nie może być żadnych zatargów. Macie udawać, że się nie znacie. Zrozum, ma być po cichu. Niech nikt nie wie, że nam się wymknęła.

– A co z Tonym? – spytał Moe. – Wziąć go ze sobą?

– Nie nadaje się do subtelnej roboty. Zmieni na razie Louisa w garażu.

Frank podał zdjęcia dziewczyny Foyowi i Michaelowi.

– Przyjrzyjcie jej się dokładnie.

Michael patrzył na podane fotografie. To była „jego" dziewczyna. Na zdjęciach, jak i na żywo, wyglądała równie pięknie. Ktoś, kto je zrobił, miał talent, doskonałą rękę. Przyglądał się długo i oddał Frankowi.

– Lepiej nie nosić ich w portfelu. Bardzo ładna.

– Jak ją dopadnę, będzie nie do poznania – warknął Moe, łapiąc się za bolący policzek.

– Uważaj. Tylko połowę gęby masz jeszcze całą – zaśmiał się Foy.

– Kurwa szefie. Pozwól, a go zastrzelę.

– Uspokójcie się – rzucił Joe. – Oddajcie wszystkie zdjęcia. Mówiłem, że nie chcę żadnych rozrób. Od dzisiaj działacie tutaj. Na wyjazdach zastąpią was chłopcy Otisa. Sprężcie się, musimy to szybko załatwić. Ja ruszę swoje kontakty. Jutro spotykamy się w południe, chyba że będziecie mieli jakieś ważne informacje. Przyłóżcie się. Musimy ją szybko znaleźć.

Wezwał Tony'ego i kazał mu dokładnie zrelacjonować przebieg akcji przy Rio Blanco Street, gdyż Moe nie był w stanie zbyt długo i wyraźnie mówić.

Joe wkładał zdjęcia do albumów, a Michael, słuchając, zastanawiał się, jak pod nosem Moe Mayo ma opiekować się dziewczyną. Jak robić zakupy, jak wozić ją do lekarza. Był z nią prawie cały dzień, a ani on, ani ona nie spytali się drugiego o imię. Dopiero tutaj dowiedział się, że ma na imię Lee.

Wyszli razem na zewnątrz. Michael podszedł do przydzielonych mu ludzi. Kazał im ruszyć do mechaników, do komisów i na szroty, szukać opisanego przez Moe Mayo forda Mustanga. Pytać drobnych złodziejaszków kradnących samochody i sprzedających na części, odwiedzić złomowiska.

– Ja rozejrzę się w śródmieściu – powiedział na odchodne.

– Jim, pojedziesz ze mną. Obejrzymy garaże. Spróbujmy rozejrzeć się, czy nie ma tam samochodu. Zobaczymy też pod Dogger Stadium. Stamtąd odbierze cię Russ. Jak się spotkamy, ustalimy, co robić dalej.

Joe z Frankiem stali w drzwiach biura, patrząc za wyjeżdżającym z posesji.

– Bystry chłopak – rzekł Joe do Franka.

– Tak. Bardzo bystry – Frank zamyślił się.

Michael wsiadł do samochodu cały czas myśląc, jak wyrolować Moe.

Rozdział XVIII

Moe Mayo

Moe Mayo urodził się w żydowskiej rodzinie w Nowym Jorku. Ojciec był wysokim, potężnym, silnym, ale wyjątkowo dobrodusznym mężczyzną. Matka, jego przeciwieństwo, chuda, z cienkimi ustami i orlim nosem, ciągle jazgotała i zrzędziła.

– Gila, daj spokój – prosił ojciec, gapiąc się w telewizor i popijając piwo z butelki.

– Zamknij się, Eitan. Jak ci się nie podoba, to wynocha – rzucała mu się do oczu z pazurami, nożem lub tłuczkiem do mięsa.

Wstawał, brał ze sobą butelkę piwa i wychodził przed kamienicę. Siadał na schodach przy takich samych zgnębionych mężczyznach jak on i rozmawiał z nimi o polityce, sporcie, a zwłaszcza, co zrobić, by naprawić świat. Wiedzieli wszystko. Kto i jak ma rządzić, kierować gospodarką, jak ustawić drużynę w następnym meczu. Nie wiedzieli tylko, jak poradzić sobie z żonami i w jaki sposób zapewnić byt rodzinie.

Kobiety z całej ulicy zazdrościły Gili męża, tego postawnego, potężnego, barczystego mężczyzny, jednego z nielicznych, mających stałą pracę. Nie mogły oderwać od niego oczu, a raczej od pękatej torby, którą przynosił do domu w każdą środę i sobotę.

Eitan pracował w masarni i szef pozwalał jemu i innym pracownikom, zabierać zwrócone przez sklepy wędlinę i mięso, potrącając oczywiście część kwoty z ich pensji.

– Gila to ma dobrze – mówiły. – Mąż wszystko załatwi, a taki wielki i silny chłop, niepijący, niepalący, to w domu wszystko zrobi i w łóżku wieczorami na pewno się sprawdza.

Zamieniłyby swoich pijaczków w jednej chwili na niego, gdyby nie wychowanie w tradycyjnej rodzinie, dzieci i strach przed obiciem przez mężów.

W rzeczywistości wielki Eitan był niezdarnym, fajtłapowatym mężczyzną. W domu nie potrafił nic zrobić. Cokolwiek wziął do rąk, łamało się, pękało, ulegało zniszczeniu na wszelkie możliwe sposoby.

A w łóżku? A w łóżku był tak samo niezdarny i fajtłapowaty, kończył szybko, a pot lał mu się z czoła. Nie potrafił tego robić. Gila zastanawiała się, jak zrobił jej syna. Raz tylko zrobił to dobrze, przed ślubem. Zaszła w ciążę, a matka i ojciec zmusili ją, siedemnastoletnią dziewczynę, do poślubienia Eitana. Mówili, że to dobry, zaradny człowiek.

– Do teraz tak mówią – stwierdziła, siedząc przed lustrem, rozczesując swoje wspaniałe, długie, krucze włosy i starając się umalować usta tak, aby wydawały się wielkie jak na okładkach kobiecych magazynów. Nie było kobiety, której włosy były piękniejsze. Nawet te na zdjęciach w babskich pismach nie miały wspanialszych.

Miała dość męża, syna nie kochała i nie zajmowała się nim. Wychowywała go ulica. Cieszyła się, że cały czas spędza na ulicy, przychodząc tylko na posiłki i nie przeszkadza jej w robieniu się na bóstwo. Nikomu się nie zwierzała. Do sąsiadek nie narzekała, wstydząc się i bojąc ich szyderstw. Siedziała cały czas przed lustrem, czesząc swoje piękne czarne włosy i śniąc o pięknym księciu z bajki. Do znudzenia, choć jej to nie wychodziło, nuciła przy tym *Diamonds are a girl's best friend*[6], wcielając się w marzeniach w słynną aktorkę.

---

[6] Diamenty są najlepszym przyjacielem dziewczyny – piosenka śpiewana przez Marilyn Monroe.

Któregoś dnia wezwała kominiarza, aby sprawdził komin. Piecyk źle palił, kopciło się. Kominiarz przeczyścił komin od piecyka. Zajął się też nią. Musiał to zrobić bardzo dobrze, bo Gila spakowała walizkę, wzięła ją w jedną rękę, drugą – kominiarza pod pachę i poszła z nim, jak to powiedziały Eitanowi sąsiadki, w siną dal. Eitan nigdy już jej nie zobaczył.

Moe, może nie spostrzegłby braku matki, gdyby nie głód. W domu przez kilka dni nie było obiadów, nie miał kto zrobić mu śniadania, podać kolacji. Ojciec załamał się. Nadal pracował w masarni, przynosił do domu mięso, które psuło się w lodówce i kiełbasę, którą Moe jadł, łamiąc kawałki z wielkich pęt. Eitan wciąż nosił pękatą torbę, ale zgarbiony, powłócząc nogami. Nie wychodził już z mieszkania, tylko cały czas wpatrywał się w telewizor. Ulitowała się nad nimi matka Gili. Przychodziła codziennie, gotowała obiady, robiła zakupy. Tylko tyle. Chłopak od dziesiątego roku życia był zdany na siebie. Rodziną dla niego byli tacy jak on ulicznicy, dilerzy narkotyków, przestępcy. Znienawidził matkę nie za to, że go zostawiła, ale za szyderstwa rówieśników, starszych chłopaków i dorosłych.

– Ty, krościaty – naigrawali się z niego – nawet własna matka zostawiła cię, widząc tę parszywą gębę.

Nie trwało to długo. Był inny niż ojciec. Po nim odziedziczył posturę i niesamowitą siłę, a po matce zadziorność, odwagę i nieustępliwość.

Szybko stał się przywódcą młodocianej bandy. Przewyższał wszystkich wzrostem i siłą, a przy tym nie czuł strachu. Walczył do upadłego. W wieku szesnastu lat był już niekwestionowanym przywódcą ulicznego gangu. Nie trzeba było długo czekać, by starsi schodzili mu z drogi, a mężczyźni pierwsi witali się z nim.

– Szybciej robisz niż myślisz – mówili mu bardziej doświadczeni i obyci w świecie przestępczym. – Zastanów się nieraz.

Nie docierało to do niego. Nie słuchał starszych i mądrzejszych. Nim pomyślał, to już bił, nim zaczął rozmowę, to strzelał. Taki miał charakter. W końcu Ari Breznitz, najważniejszy człowiek w dzielnicy i jeden z ważniejszych w Nowym Jorku, postanowił zaprowadzić spokój na swoim terenie. Wysłał trzech zbirów, aby porozmawiali z chłopakiem, wytłumaczyli, że źle robi i przy okazji połamali mu ręce i nogi. Nie doszło do rozmowy. Moe jak zwykle nim pomyślał, to zrobił. Pogotowie zabrało z chodnika trzech bandziorów z połamanymi żebrami i rękoma, wybitymi zębami, zmasakrowanymi facjatami i wstrząśnieniami mózgów. Lekarze cudem dwóch pozszywali, nastawili zwichnięcia, a trzeciemu nie udało się. Zszedł.

Moe prysnął na drugi koniec Stanów. Wylądował w Los Angeles, sam jeden, w dzień swoich osiemnastych urodzin. Przygarnął go kumpel Jerome, który ruszył kilka lat wcześniej szukać szczęścia w słonecznej Kalifornii.

Zaczęli od drobnych kradzieży, napadów, włamań, wymuszeń. Powoli podporządkowywali sobie okolicznych bandziorów. Interes rozwinął się na dobre. Większe włamania, rozboje, kradzieże aut osobowych i ciężarówek, a w tle brutalne pobicia, gwałty i morderstwa. Myśleli, że rządzą, a byli na terenie Joe Rose'a i mogli robić tylko tyle, na ile on pozwalał.

Joe Rose postanowił rozegrać to dyplomatycznie. Zaprosił młodych bandziorów na rozmowy w sprawie, jak to określili jego wysłannicy, podziału strefy wpływu. Podłechtało to próżność kumpla Moe Mayo i przybył w umówione miejsce ubrany w szykowny garnitur, ze złotymi łańcuchami na szyi i nadgarstku, dwoma złotymi sygnetami na palcach i w obstawie czterech uzbrojonych ludzi i Moe Mayo.

Jerome wyciągnął na powitanie rękę, a Joe Rose pistolet i zastrzelił swojego adwersarza. Padły kolejne strzały i czterech kolejnych osunęło się na ziemię. Moe nie zdążył sięgnąć po spluwę, gdy ludzie Joe rzucili się na niego. Szef kazał wziąć go żywcem.

Joe patrzył i nie mógł wyjść z podziwu. Wyznaczył do akcji najsilniejszych, znających przeróżne techniki walki żołnierzy. Doszły go słuchy o wyczynach tego wielkiego chłopaka i chciał się przekonać, czy opowieści nie są przesadzone. To, co teraz widział, przeszło wszelkie wyobrażenia. Sześciu jego ludzi nie mogło sobie z nim poradzić. Garaż, w którym zorganizowano spotkanie, wyglądał jak pobojowisko. Dwóch nieprzytomnych, jeden wrzucony przez przednią szybę do naprawianego samochodu, drugi ze złamaną szczęką wbity w półki z narzędziami. Czterech ledwo trzymało obitego Moe, przyduszając go do ziemi.

Joe podszedł szybko i przyłożył mu pistolet do głowy.

– Uspokój się, bo cię zastrzelę. Martwi mnie nie interesują. Chcę z tobą porozmawiać, ale z żywym. Będziesz spokojny? Pytam cię, zachowasz zimną krew?

– Tak – Moe kiwnął głową.

– Poszukajcie u niego spluwy, noży i co tam jeszcze ma – Joe odsunął się na kilka metrów. – A ty usiądź i bez numerów.

Rozbrojony Moe usiadł pokornie na podanym krześle ze spuszczoną ponuro głową. Oceniał sytuację. Dwóch pilnowało go celując w niego z gnatów. Pozostali cucili kumpli, a ten, który do niego mówił, siedział na krześle kilka metrów od niego z pistoletem w garści, trzymając go na muszce.

Stwierdził, że niewiele może zdziałać, więc wysłucha, co tamten ma mu do powiedzenia. Nie chcą go na razie zabić i to jest najważniejsze.

– Moe, posłuchaj – zaczął Joe Rose. – Obserwowałem ciebie i twoich kumpli już od dłuższego czasu. Póki zajmowaliście się drobnicą, nie przeszkadzało mi to, ale Jerome obrósł w piórka. Pomyślał, że mając ciebie i kilku zbirów, którzy tu leżą – wskazał ręką – może zadrzeć ze mną. Marzyło mu się wykrojenie z mojego królestwa odrębnego księstwa dla siebie. Jak on mógł być tak głupi? Chciał władzy, ustanawiać reguły, karać opornych. To nie wiedział, że ja jestem sędzią i katem? Jak on mógł być tak głupi?

– Zapamiętaj do końca życia to, co teraz powiem. W Mieście Aniołów to ja jestem władzą ustawodawczą, sądowniczą i wykonawczą. To ja ustanawiam reguły, wydaję wyroki i nakazuję je wykonać. Jestem sędzią i katem i od moich wyroków nie ma odwołania.

Moe zapamiętał te słowa, tak jak mu Joe kazał, do końca życia.

– Podobasz mi się Moe i dlatego daję ci dwa wyjścia. Jedno, że będziesz pracował dla mnie z bezwzględnym posłuszeństwem. Będziesz wykonywał to, co ci każę i nie pytał dlaczego. Będziesz lojalny i nie zawiedziesz mnie. Drugie wyjście to takie, że będziesz leżał obok swoich kumpli. Martwy.

– Myślę, że jesteś rozsądny i wybierzesz pierwszą możliwość.

– Tak jest, szefie – odpowiedział Moe. – Tylko daj mi trzy dni, bo muszę coś bardzo ważnego załatwić w Globe w Arizonie.

– Zgadzam się. To jest dowód mojego zaufania. Za trzy dni zgłoś się do mnie.

Moe nie wrócił po trzech dniach do Los Angeles i nie przyszedł do Joe. Został aresztowany w Globe jako podejrzany o zabójstwo mężczyzny i jego konkubiny. Mężczyznę zastrzelono w sypialni, a kobietę ściągnięto po schodach, o czym świadczyły ślady, do kuchni. Tam przed śmiercią wciśnięto jej w usta surowe mięso wyjęte z lodówki i żywą oskalpowano. Znaleźli się jednak świadkowie, którzy przysięgli, że w dniu zabójstwa Moe był z nimi na rybach, co potwierdził też właściciel sklepu wędkarskiego w Big River. Po kilku tygodniach był już w firmie Joe, a ten zyskał najlepszego z najlepszych do łamania kości, bicia, mordowania i takiego, który nigdy nie pyta „dlaczego”.

Po powrocie z aresztu w Globe, Moe stanął przed swoim szefem i powiedział:

– Nigdy panu nie zapomnę, że nie leżałem na posadzce w garażu z kulą w głowie i że nie zgniłem w więzieniu. Nigdy nie będę w stanie się odwdzięczyć. Może pan zawsze na mnie liczyć. Nigdy nie zawiodę.

Przez bardzo długi czas w firmie mówiono, że zamordowanymi byli Gila, matka Moe, i jej kochanek.

Moe pracował najpierw jako zwykły cyngiel, potem obstawa szefa, aż został dopuszczony do ważnych spraw i awansował na dowódcę, tak jak Foy Dixon. Wyróżniał się niesamowitą siłą i niezwykłą odwagą połączoną z wyjątkową brutalnością. Jego żołnierze twierdzili, że szybciej ulitowałby się nad małym kociakiem niż nad człowiekiem i obojętnie, czy był to mężczyzna, czy kobieta. Po wielu latach współpracy Joe tak mu ufał, że Moe przewoził pieniądze zarobione w Holandii, Polsce i Niemczech i wkładał do jego skrytki w banku w Luksemburgu. To był duży dowód zaufania. Joe wiedział, że ten go nie zdradzi i nie będzie działał na własną rękę.

Moe był bardzo zadowolony z tego, co robił. Miał wszystko, czego potrzebował w życiu. Wiedział, że nie może być taki jak jego boss, ale był kimś, miał władzę, wszyscy się go bali, dostał dom od Joe, miał pieniądze i dziwki i mógł robić to, co najbardziej lubił: bić, łamać kości, wysyłać ludzi na tamten świat. Widział w lustrze swoją twarz i, jak mówił, nie było paskudniejszej, ale nie brakowało mu dziewczyn. Dziwki pracujące dla Joe dawały mu, czego tylko chciał i choć po końcowym akcie lał je nieraz, nie zgłaszały nikomu ze strachu przed nim, a także z uwagi na dobry zarobek. Tutaj Moe miał gest. Bił i płacił. Joe wiedział o tym, ale tolerował.

Joe Rose'a i Moe, obok bezgranicznej wierności tego drugiego, wdzięczności za Globe, związała jeszcze jedna tajemnica.

Druga żona Joe nie mogła znieść jego kochanek, bicia po twarzy, publicznego poniewierania. Gdy mu to mówiła, Joe odpowiadał, że zasłużyła i jeszcze mocniej ją bił. Postanowiła się zemścić. Przyprawiła mu rogi ze swoim ochroniarzem Benem. Owocem tego był syn. Może wszystko byłoby w porządku, gdyby nie krwotok, jakiego dostał mały. Przy okazji badania krwi podejrzliwy Joe kazał zrobić niezbędne testy. Dzieciak nie był jego. Szybko przyznała się, kto jest ojcem dziecka. Długo nie musiał jej o to pytać.

Joe wezwał Moe.

– Moe, zawsze mówiłeś, że jesteś moim dłużnikiem. Teraz możesz spłacić dług. Moja żona jeździ z dzieckiem do lekarza. Któregoś dnia ma nie wrócić. Chcę przeczytać w gazetach, że zginęła w wypadku – chwilę się zawahał – razem z dzieckiem. To ma być wypadek. Ich wóz rozbije się, wpadną pod samochód, sam wiesz najlepiej, jak to zrobić. Pamiętaj, ma to być wypadek, ale chcę, by przed śmiercią zobaczyła strach. Ma wiedzieć, że za chwilę zginie. Jak to zrobisz, będziemy kwita. Jeszcze jedno. Zakop Bena w piasku. Żywego.

Moe nic nie odpowiedział, tylko skinął głową. Niewiele czasu potrzebował na zorganizowanie wszystkiego. W tym był mistrzem. Wynajął Latynosów. Jego ludzie obstawili teren. Każdy znał tylko swoją część planu. Nikt nie znał zakończenia. Latynosi, główni aktorzy spektaklu, odbierając zaliczkę od Moe i licząc na resztę, nie przewidzieli finału.

Bena zawiózł na pustynię i dał mu łopatę.

W piątkowym wydaniu „Los Angeles Times" ukazała się informacja: „Porwany, prawdopodobnie dla zabawy, przez latynoskich młodocianych, miejski autobus staranował kobietę i jej roczne dziecko, gdy wychodziła z nim z kliniki. Mary Rose i jej synek nie żyją. Trwają poszukiwania sprawców".

Moe zdał krótko relację.

– Stałem na parkingu, jak wychodziła z kliniki i powiedziałem jej, że za chwilę przyjdzie po nią śmierć, bo tak kazał Joe Rose. Pobiegła do samochodu i gdy go otwierała, uderzył w nią autobus. Nic z niej nie zostało. Ci dwaj Latynosi też już nie żyją. Ben wykopał sobie głęboką dziurę w ziemi. Chciał uciec. Musiałem mu połamać nogi. Klęczał, gdy go zakopywałem. Robiłem to powoli.

– Dobrze się spisałeś – Joe poklepał go po ramieniu.

– Szefie, nie jesteśmy kwita za posadzkę w garażu i to drugie. Długo myślałem. Nie chcę spłacania długów. Ja chcę tu być, bo szef i inni to moja rodzina. Nigdy lepszej nie miałem.

To scementowało nierozerwalnie Moe z Joe Rose'em.

Rozdział XIX

Drugi dzień

Sprawdzili kilka parkingów w śródmieściu. Znaleźli jeden zaparkowany czerwony Mustang, spisali na wszelki wypadek numery. Pod stadionem, tak jak się umówił, czekał na nich Russ. Jim przesiadł się do niego. Michael kazał im sprawdzić w warsztatach, czy tam coś słyszeli o poszukiwanym przez nich samochodzie i czy dano go do przemalowania. Przypomniał Jimowi, by późnym wieczorem, kiedy większość samochodów będzie już zaparkowana, jeszcze raz sprawdził na parkingach.

– Jadę pogadać z małolatami. Oni wszystko wiedzą – dodał na koniec.

Kręcił się po mieście, pytając pracujących dla Joe informatorów, opryszków, sklepikarzy, w warsztatach naprawczych. Wskazano mu właścicieli dwóch fordów Mustang. Kolor nie zgadzał się, ale zapisał, kto jest właścicielem i gdzie parkują. Kazał wszystkim szukać takich samochodów. Podjechał tam od razu. Pierwszego nie było. Właścicielem drugiego był młody chłopak. Zaproponował mu kupno Mustanga, pogadał o autach, o pogodzie i zapytał go, gdzie był wczoraj i co robił. Chłopak spojrzał na rozmówcę i ze strachem w oczach opowiedział ze szczegółami o randce z dziewczyną na plaży w Santa Monica. Na odchodne Michael powiedział:

– Mnie tu nie było.

Chłopak zgodził się z nim.

Jeżdżąc od dzielnicy do dzielnicy, wchodził do centrów handlowych i kupował dla dziewczyny potrzebne rzeczy. Wiedział, że będzie musiał z nią wychodzić przynajmniej do lekarza, więc potrzebowała kilku różnych kreacji. Kupił jej dwie ładne sukienki, spódnicę, żakiet i sweterek, trzy bluzki, eleganckie i sportowe spodnie, kilka podkoszulków, powiewną sukienkę do noszenia w mieszkaniu, sandałki i czółenka.

„To się wszystko powtarza" – wspomniał Rudego Aniołka, jak ją w myślach nazywał. – „Oby skończyło się równie szczęśliwie!".

Najważniejsze było ukrycie rąk, twarzy i włosów. Przeciwsłoneczne okulary i dwa kapelusze z szerokimi rondami załatwiły sprawę. Długo myślał o poranionych rękach i w końcu kupił chusty.

„Zarzuci na szyję i trzymając jakoś rękoma, ukryje je pod nimi".

Jeszcze kosmetyki, farba do włosów i nożyczki. Dokupił trochę jedzenia.

„Nie zetnę jej na razie włosów, dopóki Chińczyk będzie ją widywał".

Dziewczyna potrzebowała bielizny, staników i majtek. Pomyślał o eleganckich sklepach przy Rodeo Drive.

– Ja się chyba w niej zadurzyłem i to po jednym dniu. Głupi. Ale warta jest ładnej bielizny. Może z Victoria's Secret? Wydam na nią majątek.

Sprzedawczynie wybrały mu dwa komplety, w kolorze białym i cielistym. Kupił jeszcze kilka par majtek i piękną nocną koszulę z jedwabiu.

„Jednak wydałem majątek. Powinienem zmienić profesję i pracować jako stylista gwiazd" – zaśmiał się, płacąc za zakupy.

Był już wieczór. Nie martwił się zbytnio, że ktoś mógł go zobaczyć, gdy kupował damskie ciuszki. Przemowa o dziwce, której wyrzucił ubranie, była wystarczającym alibi. Obawiał się jedynie spotkania z Moe, gdyż właził na teren, który mu Frank wyznaczył.

Dotarł wreszcie na Yale Street. Rozpakował bagażnik i wniósł torby na piętro. Gdy otworzył drzwi, stała jak poprzednio z rękoma przyciśniętymi do piersi, ale wyglądała jakoś inaczej.

– Widać po twojej buzi i koszuli, ze trochę zjadłaś – zaśmiał się i spojrzał w stronę stolika. – Niezbyt dużo, ale dobrze, że choć tyle.

– Nie mogłam. Jedzenie rosło mi w ustach. Zjadłam kilka owoców i dwa biszkopty. Wypiłam też sok. Nie mogłam nabrać kaszki, ale i tak bym jej nie przełknęła.

– Co jeszcze robiłaś, gdy mnie nie było? – poszedł do kuchni szykować jedzenie.

Nie patrzył na nią, więc zdobyła się na odwagę.

– Tęskniłam za tobą.

– Żartujesz? A tak naprawdę?

– Nie żartuję. Przez cały dzień siedziałam, leżałam, chodziłam bez celu w koło, myślałam o tobie, płakałam, wspominałam, czekałam. Robiłam wszystko co możliwe, żeby zabić strach.

Nie odezwał się. Podgrzał gotową zupę z puszek, drobne kluseczki i mielone mięso z pomidorowym sosem kupione u Chińczyków. Sprzątnął wszystko ze stolika i postawił na nim obiad.

– Siadaj. Od teraz tak wykwintnie będziemy jadać. Jak widzisz jestem doskonałym kucharzem.

– Wspaniale gotujesz. Wszystko jest pyszne, a te zupki i to mięsko...

– Sza, otwieraj buzię!

Karmił ją jak małe dziecko. Coraz bardziej podobało mu się to. Na myśl przychodził dawny świat, ten z matką. Gdy ona go karmiła, a potem on ją. Minęło wszystko. Czy go widzi z góry i odpuszcza mu późniejsze grzechy?

– O czym myślisz? – wyrwała go z zadumy.

– O dniu jutrzejszy, następnym i następnym.

– I co?

– I kończ jedzenie, bo moje prawie wystygło, a jeszcze czeka mnie zmywanie, twoja i moja kąpiel. Ile ja mam roboty w domu...

Po skończonym posiłku, zmywaniu i kąpieli ubrał ją w nowy podkoszulek, posadził na kanapie i usiadł przy niej.

– Opowiedz mi wszystko.

Mówiła o dzieciństwie, o matce i ojcu. O szczęśliwym życiu z nimi w Bostonie. O parkach, muzeach, teatrach i wycieczkach z matką. O setkach zdjęć, które matka jej zrobiła, o jej wielkiej miłości do niej.

– Już jej nie ma. Odebrali mi ją – płakała, nie mogąc się opanować.

Przysunął się do niej i przytulił do siebie.

– Ojciec zniszczył to wszystko, ale nie mogę go nienawidzić.

Mówiła o zdarzeniach sprzed ośmiu miesięcy, kiedy przyszli do ich domu. Co zrobił jej ojciec, co tamci chcieli od niego. Jak matka rzuciła się najpierw na tego Tony'ego raniąc go, a później na tego drugiego i jak Moe Mayo ją zamordował. Jak zabił jej matkę.

Jak widziała to wszystko przez szybę z ogrodu i zadzwoniła do swojego profesora i on ją uratował, powiadamiając policję.

Długo nie mogła się opanować. Michael tulił ją mocno i głaskał po włosach.

– Mama rzuciła się na nich, bo chciała mnie ratować, a mnie sparaliżowało i zemdlałam. Powiedz mi, czy ja mogłam coś zrobić? Powiedz.

– Nie. Nie byłaś w stanie nic zrobić. Twoja mama cieszy się, że nic nie zrobiłaś, bo żyjesz, a ona w tobie.

Położył ją na poduszkę, poszedł do kuchni, nalał wodę w szklankę i podał jej do picia. Napiła się kilka łyczków.

Opowiedziała o pobycie w szpitalu, przesłuchaniach, o ośmiomiesięcznej tułaczce w Nebrasce, Wyoming, Teksasie i Kalifornii. O domu przy Rio Blanco Street, o policjantach i Margaret, z którą się zaprzyjaźniła.

– Gdy przyszli nas zabić, szykowałyśmy się do obiadu. Od razu zastrzelili tego policjanta Adama. Nie zabili Margaret. Bóg nade mną czuwał. Ten wielki powiedział, że nazywa się Moe

Mayo i niszczył moje i rodziców fotografie. Zrywał je ze ściany i ciskał we mnie. Potem wgniatał moje dłonie w szkło. Uratowała mnie Margaret, odpychając tego rudego i rzucając się na Moe Mayo. Krzyczała, abym uciekała. Uderzyłam tego wielkiego zbira szkłem, które złapałam w rękę, trafiłam go w policzek. Jeszcze zobaczyłam, jak roztrzaskują jej głowę. Gdyby los nie zesłał ciebie, leżałabym na Montebello w kałuży krwi jak Margaret.

Napiła się ze szklanki, którą jej podsunął.

– Z całego poprzedniego życia wyniosłam tylko siebie i to nagą. Nie został mi nawet skrawek ubrania, ani jedna fotografia. Wszystko zostało w Bostonie, dwa ostatnie albumy odebrano mi na Rio Blanco. Mam tylko wspomnienia i ciebie. Wpiję się w ciebie wszystkimi pazurami i nie puszczę. Nigdy – rozpłakała się.

– Połóż się do łóżka, odpocznij, może zaśniesz.

– Nie, tutaj, na kanapie, a ty usiądź w fotelu i mów do mnie lub mi poczytaj.

Przyniósł pled i ją przykrył. Wziął do ręki pierwszą z brzegu książkę, otworzył w środku i czytał. Po chwili usnęła. Patrzył na nią.

„Co ta kruszyna zrobi, jak mnie wykończą. Klamka zapadła. Mam już plan. Brakuje mi w nim jednego: zdrowych rąk dziewczyny. Gdybym zawiódł, będzie zdana tylko na siebie, ale do tego ją przygotuję".

Spała niecałe pół godziny. W tym czasie obrał do salaterki owoce i pokroił w drobne kawałki. Usiadła na kanapie podkurczywszy nogi. Przysunął się do niej. Wkładał jej do ust pokrojone banany, morele, brzoskwinie i truskawki. Po każdym zjedzonym kawałku mówiła lub zadawała pytanie.

– Czyje są te książki napisane po angielsku, francusku i niemiecku?

– Ja je czytam.

Spojrzała na niego, unosząc brwi.

– Patrzysz z powątpiewaniem?

– Nie, z podziwem.

– A ty jakie znasz języki?

– Własny – wysunęła język – i dość dobrze hiszpański.

Roześmiał się.

Trzymała nadal wysunięty, więc dotknął go palcem. Powoli wsuwała go z powrotem, a jego palec znalazł się w jej ustach. Poczuł ciepłą wilgoć na opuszku.

– Nie wiem, czy... – nie skończył, gdyż powiedziała: – Przepraszam – i zaczerwieniła się.

– Wyjmę słownik, książkę do nauki francuskiego i płyty CD. Może dasz radę włączać pilotem odtwarzacz i przewracać kartki. Ucz się francuskiego.

– Dlaczego?

– Dlatego, że ja tu rządzę – uśmiechnął się – póki jesteś u mnie, póki cię karmię, myję i przewijam.

– Dobrze. Ale jak będę miała zdrowe ręce i zrobię ci kawę, i ugotuję obiad, to choć go przypalę i przesolę, to będziesz musiał go zjeść, bo wtedy ja będę rządziła. Zrozumiano?

– Tak jest – parsknął śmiechem, a ona zawtórowała.

Pierwszy raz widział, że się śmieje tak naprawdę, choć z trudem z powodu opuchniętej twarzy.

– Mała, prawie wszystko wiem o tobie, ale nie wiem, jak masz na imię – zataił, że usłyszał je u Joe Rose'a.

– Na imię mam Lee. Moi rodzice to Evelyn Lee Anderson i Nils Anderson. Na pierwszym roku studiów miałam chłopaka, przystojniaka z drużyny bejsbolwej, ale jak się okazało, z mózgiem i sercem wielkości tych dwóch małych kawałeczków truskawki. Przez pół roku tak byłam w nim zadurzona, że tego nie widziałam. Kiedyś na imprezie z okazji zdobycia jakiegoś pucharu, chcąc się popisać przed kumplami i ich dziewczynami, próbował ściągnąć mi majtki. Zdzieliłam go pięścią w twarz i rozbiłam nos. Od ponad trzech lat nie mam chłopaka. A ty jak masz na imię?

– Strach z tobą zadzierać! Jak mnie się udało, że nie mam podbitego oka za ściągnięcie majtek.

– Ty nie jesteś nim. Ty jesteś..., no powiedz, jak masz na imię i czy masz kogoś.

– Michael. Mam, mam dziewczynę – cedził powoli i patrzył jak rzednie jej mina – do opieki. Ciebie.

– To jest prawdziwe twoje imię? – odetchnęła głęboko, tak aby usłyszał.

– Przecież nie oszukałbym ciebie – zastanowił się, jak naprawdę ma na imię.

– Ładne imię. Nigdy nie poznałam tak dobrego i przystojnego chłopaka o tym imieniu. Nigdy nie spotkałam takiego jak ty – spuściła głowę, gdyż patrzył na nią.

Przed snem zrobił to, co teraz najbardziej lubił. Rozebrał ją, wykąpał, wysuszył włosy, przemył rany i położył spać. Jeszcze przez niecałą godzinę opowiadała mu szczegóły ze swego życia i usnęła. W środku nocy przyszła do niego.

Rozdział XX

Gwiazda

Stanęła przy kanapie.

– Michael, boli mnie ręka i bardzo swędzi.

Zerwał się na równe nogi.

– Dlaczego wcześniej nie powiedziałaś?

– Michael, ja nie chcę jechać do szpitala.

Szybko ubrał się. Wyciągnął z toreb, których nie zdążył rozpakować, sukienkę i sweterek. Założył na nią, a na nogi sandałki.

– Trochę pognieciona – próbował ręką wygładzić materiał sukienki.

– Nie szkodzi. Jest śliczna.

– Teraz zwiążemy włosy. Długa ta kitka – związał sznurkiem.

– Kapelusz na głowę, na oczy okulary i szal na ramiona. Trzymaj go tak, żeby zasłonić ręce – pomógł jej owinąć wokół dłoni.

– Idziemy!

– Michael, ja nie chcę jechać do szpitala!

– Kochanie, nie zawiozę cię tam. Teraz jedziemy do Chińczyka.

Podczas drogi myślał, co zrobi, jeśli będzie potrzebna pomoc w szpitalu. Zostawi ją tam, pojedzie do Joe Rose'a i zabije go. Zabije Moe, Foya i innych, którzy wiedzą o niej. I co dalej? Przecież Joe jest tylko jednym z elementów tej wielkiej układanki. Bardzo

ważnym fragmentem, ale nie jedynym. Lee uzmysłowiła mu, że jeśli „to" sięgało od Bostonu do Los Angeles, więc obejmowało także Chicago, Seattle, Houston i inne miasta i stany. Jak ośmiornica. To wymyślili inni, a Joe jest tylko jednym z wykonawców, potężnym, ale nie jedynym. Może zabić Joe i jego ludzi, ale nie tamtych. Oni kiedyś upomną się o Lee, a może nawet zaraz. Nie będą ryzykować przypuszczając, a właściwie mając pewność, że dziewczyna za dużo wie i będzie ważnym świadkiem na procesie.

Było jeszcze ciemno, gdy znaleźli się pod domem lekarza. Wysiadł sam i zadzwonił do drzwi. Po minucie, może dwóch, zapaliło się światło w poczekalni i ktoś podszedł do drzwi. Chwilę bacznie patrzył przez firankę nim otworzył. Był to Chińczyk.

– Przywiozłem pacjentkę.

– Wejdźcie.

Michael wprowadził Lee do gabinetu. Chińczyk zamknął drzwi i zgasił światło w poczekalni. Patrzył na nich.

– Boli ją ręka i... – zaczął Michael.

– Mówiłem ci wyraźnie, że masz codziennie przywozić ją na opatrunek! Chcesz doprowadzić do zakażenia i leczenia w szpitalu, o ile w ogóle byś ją tam zabrał? Infekcja takich ran może doprowadzić do śmierci lub utraty ręki. Co sobie wyobrażasz! Ze swoją łapą nie musiałeś przyjeżdżać. Gdybyś ją stracił, nie byłoby żadnej straty, ale to dziecko musi mieć dwie ręce.

Prawie wydarł się na niego, a Michael tylko spuścił głowę. Gdyby dał mu w twarz, nie zareagowałby.

– To nie jego wina. Nie powiedziałam mu, że boli mnie ręka.

Powoli odwinął bandaże.

– Ta jest w należytym porządku, z drugą jest źle. Zaczerwieniona w kilku miejscach, pęknięty jeden szew. Będzie trochę bolało. Trzeba otworzyć ranę i ją oczyścić. Zdezynfekujemy teraz – zajmując się ręką, cały czas mówił. – Moja wina, nie zauważyłem kawałka szkła w ranie. Kiepski ze mnie lekarz. Zaraz go wyjmiemy.

– Proszę się nie obwiniać – powiedziała Lee. – To tylko drobny kawałek. Wszystko pan pięknie zrobił.

Założył szwy, zrobił nowe opatrunki i powiedział:

– A teraz zastrzyk, nie będzie bolało, i – zwracając się do Michaela – codziennie, ale to codziennie, zmiana opatrunku. Przemyć rany i założyć nowe opatrunki.

– Nie możemy codziennie tu przyjeżdżać.

– Wiem to i również, że trudno ci będzie iść do apteki i kupić potrzebne rzeczy. Dam ci opatrunki z niewielkim zapasem, na następne dwa tygodnie. Codziennie będziesz przemywał dłonie na zmianę tymi dwoma środkami i zakładał nowe. Przez dwa najbliższe dni, dwa razy. Pod koniec tygodnia przyjdź, to zobaczę szwy, a za dwa tygodnie zadecyduję, czy zdejmiemy bandaże i dam maści do smarowania, żeby nie pozostały blizny. Pokaż swoją lewą rękę. Nawet ślad nie został. U niej będzie tak samo. Tylko, jak coś złego będzie się działo, to natychmiast do mnie. Teraz obejrzę resztę.

Podwinął, ile się dało, rękawy, sprawdzając wyżej ręce, podciągnął do góry sukienkę, ale nie pozwoliła mu powyżej kolan, przytrzymując ją obandażowanymi rękoma.

– Zadrapania na rękach i nogach ładnie się goją, ale cały czas przemywaj, a jak odpadną strupki, smaruj maściami. Dam ci je już teraz. Buzia i wargi ładnie, jak po dwóch dniach. Widać, że jednak dba o ciebie. Tylko na razie nie całuj się zbyt mocno – pogładził ją po policzku.

Zaczerwieniła się.

– Jak się panu odpłacimy...

Michael wyjął zwitek banknotów i wręczył mu.

– Nie trzeba, już zapłaciłeś – podał mu torbę z opatrunkami i lekarstwami.

– Proszę wziąć.

– Gdybym miał przez cały czas takiego pacjenta, to inni nie byliby mi potrzebni.

Był już ranek, gdy wrócili do mieszkania. Na ulicy było spokojnie, ludzie jeszcze się nie obudzili. Michael najbardziej obawiał się spotkania z Moe. Choć było wcześnie, ten mógł już krążyć po Los Angeles. Urażona ambicja, świadomość, że zawiódł, napędzały go do działania. Michael wiedział, że Moe nie spocznie, że w pierwszych dniach będzie spał po dwie–trzy godziny i szukał Lee i szarobrązowego Mustanga. Miał nadzieję, że jacyś chłopcy już nim się zajęli i rozmontowali na części.

Odwrót z Yale Street miał dość dobry, przez śródmieście, więc może w razie spotkania powiedzieć, że czegoś tu szukał lub był u dziwki. Gorzej, jak go z nią zobaczą. Może nie rozpoznają jej w kapeluszu i okularach. Włosy miała związane sznurkiem i schowane pod kapelusz tak, że nie było ich widać.

– Potrzebne są gumki do spięcia włosów.

– Kup jeszcze takie siateczki na włosy. Dużo lepiej ukryjesz je pod kapeluszem. Może obciąć i ufarbować?

– Dopiero, gdy nie będziemy jeździć do lekarza. Chce ci się spać?

– Nie.

– Zapomniałem o zakupach.

Przyniósł torby. Wszystko jej się podobało: sukienka, żakiet, sweterek, spodnie, eleganckie buty. Rozkładał je na oparciach foteli i kanapy. Każda kolejna rzecz była według jej słów śliczna i niespotykana.

Patrzył na nią i wspominał małego rudzielca, jak się cieszył na widok eleganckiego stroju. Wierzył, że Marcie ktoś kupuje równie piękne rzeczy.

– Wydałeś na nie mnóstwo pieniędzy. Nie mam jak ci oddać.

– Małe zmartwienie. Zajmę się ubieraniem gwiazd Hollywoodu i kasa mi się zwróci.

– Kiedy?

– Od dzisiaj. Już ubieram gwiazdę.

– Nie spotkałam tak dobrego człowieka – zarzuciła mu ręce na szyję i pocałowała w policzek – oprócz mamy. – Z taką buzią bardziej przypominam tego bandziora niż gwiazdę.

Wyjmował dalej.

Zaniemówiła na widok bielizny z Victoria's Secret. Usiadła na fotelu, zakrywając twarz rękoma.

Poprzez płacz usłyszał: – Czy ja jestem warta tego wszystkiego? Czy ja jestem warta twojego życia?

Pogładził ją po głowie i poszedł zrobić śniadanie. Miał czas do południa, do spotkania u szefa. Nie chciał wcześniej wychodzić, aby nie natknąć się na ludzi Joe. Wszyscy przed dwunastą będą zjeżdżać na naradę, a było mało prawdopodobne, że będą jechać Yale Street. Ulica była na uboczu i na końcu nieprzejezdna. Smarował kanapki, gdy Lee weszła do kuchni.

– Ten biały komplet bielizny jest przepiękny, a ten cielisty jeszcze piękniejszy. Nocna koszulka jest cudowna. Po co mi kupiłeś tyle ślicznych majtek? Przecież nie zakładasz mi ich. Zapomniałeś założyć, jak jechaliśmy do lekarza. Trzymałam rękoma sukienkę, kiedy mi oglądał nogi, żeby nie zajrzał wyżej.

– To tylko ja mogę oglądać?

– Tylko ty. Nie masz na co wydawać pieniędzy? – objęła go od tyłu.

– Mam. Na ciebie. Niedługo jadę, a jeszcze śniadanie i kąpiel.

Wszystko się powtórzyło. Śniadanie z karmieniem łyżeczką, wspólna kąpiel, suszenie i rozczesywanie włosów, ubieranie w domową sukienkę.

– Nadal bez bielizny? – zapytał.

– A jak inaczej skorzystam z łazienki?

– Wiem, tak na wszelki wypadek pytam.

Gdy szykował się do wyjścia, przypinał kaburę z pistoletem i zakładał marynarkę, nie mówiła nic, tylko patrzyła na niego.

Był już przy drzwiach, gdy powiedziała:

– Wróć.

– Do zobaczenia. Pamiętaj o francuskim. Płyta jest w odtwarzaczu. Położyłem na stoliku ołówek. Weź go do ust i próbuj naciskać pilota.

Rozdział XXI

Polowanie

Zjawił się u Joe kilka minut przed czasem. Jego ludzie już byli. Zapytał o wyniki poszukiwań. Nie znaleźli samochodu. Tylko Jim miał informację:

– Rano wpadłem do warsztatu kuzyna. Podał mi adres gościa, który ma Mustanga. Podjechałem do niego. To był starszy gość z rozklekotaną krypą, białym kabrioletem z czarnymi elementami, z początku lat siedemdziesiątych. Zabytkowy, chyba więcej wart niż nasze dwa – pokazał na stojące obok. – Dziadek powiedział, że trzyma go z sentymentu.

Michael zapisał adres i wysłał Jima, aby odszukał forda Mustanga, którego wczoraj nie udało mu się sprawdzić.

– Porozmawiajcie jeszcze raz z chłopakiem i jego dziewczyną – podał im adres. – Obserwujcie ich przez kilka dni. Tylko spokojnie, bez używania siły.

– Kuzyn powiedział jeszcze – dodał Jim na odchodne – że wczoraj przed południem widział taki samochód w Long Beach, jak jechał drogą na północ. Nie pamięta dokładnie, o której, ale było to przed południem. Nie zauważył, czy kierowcą był biały, czy kolorowy i czy był mężczyzną, czy kobietą. Zwrócił jedynie uwagę na nietypowy kolor samochodu. Był to kilkuletni Mustang w kolorze brudnozielonym. Raczej szarobrązowym.

Michael ustalił z pozostałymi, co mają robić i wszedł do domu. Był już Joe, Frank i Tony. Przywitał się z nimi. Frank podał mu drinka. Usiedli z Frankiem w fotelach, czekając aż Joe przekaże Tony'emu program dnia.

W planie była między innymi wizyta w gabinecie odnowy biologicznej, spotkanie w klubie z lokalnymi biznesmenami, wizyta w butiku po prezent dla żony i dwie godziny u dziwki. Tony poszedł szykować samochód na drogę.

W tym czasie wszedł najpierw Moe, a chwilę po nim Foy. Gęba Moe niewiele się zmieniła, oczy miał nadal czerwone i był jeszcze bardziej wściekły niż wczoraj. Musiał bardzo cierpieć i to podwójnie. Raz z powodu bólu, a dwa – z niemocy. On, Moe Mayo, nie mógł znaleźć kilkunastoletniej gówniary.

Joe zapytał o postępy w poszukiwaniach. Zaczął Moe.

– Znaleźliśmy dwa Mustangi, ale nówki, w innym kolorze. Żaden to nie ten, którego widziałem. Ci, z którymi rozmawiałem, nie widzieli rannej dziewczyny. Gdzie taki małolat mógł się ukryć? Dlaczego nie poszła do szpitala lub na policję? Może policja ponownie ją ukryła?

– Moe, nie lekceważ jej – wtrącił Frank. – Wiedz, że to nie małolat. To dwudziestotrzyletnia dziewczyna, wysportowana i wyjątkowo bystra. Ma rozum i myśli. Wiemy od swoich ludzi, że policja jej nie ma.

Foy Dixon również nie przekazał pomyślnych wiadomości.

Michael opowiedział im o swoich poszukiwaniach, o znalezionych trzech samochodach i o tym, co powiedział kuzyn Jima.

– Kazałem odszukać drugi samochód i przez kilka dni obserwować chłopaka i jego dziewczynę. Zastanawiam się. Może ten ktoś z Long Beach pojechał do Montebello, coś tam załatwił i wracając z roboty, zabrał ją. Trzeba sprawdzić, czy jakiś człowiek w warsztatach usługowych gdzieś na południu ma taki samochód.

– To chyba jest pierwszy konkretny ślad – stwierdził Frank.

– Mam już tego dosyć! – wybuchnął Joe. – Wiesz, co zrobimy? Damy każdemu z żołnierzy, każdemu kogo tylko mamy, zdjęcie dziwki. Ruszą w miasto i w kilka godzin ją znajdą. Posłuchałem cię wczoraj i dzisiaj siedzimy w tym samym gównie. Nic nie wiemy, nic nie mamy. Powiedz Frank, że tak będzie najlepiej.

Frank siedział ze spuszczoną głową, czując zbliżający się koniec Joe, swój i zbudowanej przez nich organizacji. Miał piękny dom, wielkie pieniądze w sejfie, legalne nieruchomości przynoszące zyski, ładną żonę, tę samą od początku. Trójka dzieci kończy dobre studia i ma szanse na prawdziwe, uczciwe życie. Jeden zły ruch Joe i wszystko rozpadnie się jak domek z kart. Wyrok do końca życia, żona i dzieci bez grosza, z piętnem ojca. Raczej nie będzie wyroku, tylko kulka w łeb, poderżnięte gardło lub zimny ocean z ciężarkiem u nóg. Jak ma wytłumaczyć Joe, gdy ten z wiekiem staje się coraz bardziej impulsywny? Może to wina dziwek i jego rozpasania?

– Mogę mówić przy nich, Joe?

– Mów.

– Stworzyliśmy fantastyczny biznes. Wszystko kręci się w nim sprawnie. Jak w każdej maszynie są usterki, ale zawsze naprawiamy je, eliminujemy, tak jak Darby'ego, Andersona, Moora i kilku innych. Mamy drobną wpadkę z tą Lee. Wierz mi, jest to bardzo drobna wpadka. Jej nie ma. Dla tych z Bostonu, Nowego Jorku, Chicago, Memphis i innych ona już nie istnieje. Teraz nawet policja myśli, że już jej nie ma. Postawili na niej krzyżyk. Wszyscy uważają, że jest pod ziemią lub w oceanie. Tylko my w piątkę i ryży Tony wiemy, że żyje i się ukrywa. Ludzie na wysokich stołkach, którzy nagrali ten biznes i współpracujące z nami rodziny uważają, że teraz ją dopadliśmy. Dopóki nie pojawi się na świeczniku, nikt nie będzie jej szukał. Policja, prowadząc śledztwo, niewiele zdziała. Dziewczyna będzie się ukrywała aż do skutku. Tym skutkiem ma być kulka w łeb. Nie pójdzie na policję, gdyż wie, co ją czeka. Jeżeli teraz rozpoczniemy akcję, taką jaką chcesz przeprowadzić, to możemy spodziewać się dwóch scenariuszy. Po pierwsze, dopadniemy ją szybko, choć wątpię, ale dowiedzą się o tym i policja, i nasi wspólnicy. Federalni załatwią na nas kwity i nigdy nie zobaczymy światła dziennego. Zamiast pięknych domów, pięknej żony i tabunu kochanek będziesz miał pokoik trzy na trzy z towarzystwem. Ale nie licz zbytnio na to. Ci na świeczniku spotkają się z bossami rodzin i ustalą, że Joe, Franka i resztę trzeba zakopać żywcem na kukurydzianym polu. Wiesz dobrze, że im wszystkim nie dasz rady. Nie policja nas załatwi, ale pozostałe rodziny. Pokój musi trwać, bo wszyscy mamy szmal z tego samego interesu.

Chwilę odczekał.

– Chcesz znać drugi scenariusz? Dziewczyna przestraszy się i zgłosi na policję. Dalej się domyślasz? Dalej będzie, jak w pierwszym, a dziewczyna niby sama powiesi się po kilku miesiącach lub w inny sposób popełni samobójstwo. Chcesz tego?

– Robimy nadal, jak wymyśliłeś. Tak robimy. Teraz się spieszę. Pogadamy sami, później.

Frank Sales nie dowierzał. Ważyły się losy całej zbudowanej przez nich firmy, a jej boss nie miał czasu na rozmowy. Tak bardzo spieszył się do dziwki. Miał już ponad sześćdziesiąt lat, a leciał do niej jak napalony gnojek, nie bacząc na wszystko. Nic nie uzgodnił, nie wydał rozkazów, a w głowie miał tylko dwie godziny z jedną z wielu panienek i igraszki z porno żoną, jak Frank o niej myślał. Pojedzie teraz do butiku, kupi jej kolejną erotyczną bieliznę i kolejną zabawkę, puści płytę z pornosem i będą się zabawiać, a ona wzdychając i udając trzy orgazmy po kolei, będzie mu wmawiała, że jest najlepszym ogierem na świecie. Może jest chory wenerycznie – zastanawiał się Frank – i choroba zjada mu mózg? Może już przyszła pora na zmianę szefa? Ale cwany Joe nie miał wyznaczonego konkretnego następcy. Nie miał syna, bratanka, który mógłby po nim odziedziczyć schedę. Inaczej niż w innych rodzinach. Frank o sobie nie myślał jako o następcy Joe. Nie nadawał się. Foy Dixon i Moe Mayo tym bardziej. Pozostawał młody Michael Green, ale ten miał dopiero dwadzieścia dziewięć lat. Był bystry, inteligentny i wyjątkowo logiczny. Na naradach nigdy nie zabierał bez potrzeby głosu, nie komentował. Wszystkie jego działania były zaplanowane do perfekcji. Nie narażał siebie i swoich ludzi.

Problemy rozwiązywał bezbłędnie. Byłby najlepszym następcą Joe, ale inne rodziny nie dopuszczą do tego. Michael był za młody, a przede wszystkim obcy, nie stąd.

– Co zrobimy z Tonym? – zapytał Frank, widząc, że Joe szykuje się do wyjścia.

– Jak to co?

– Joe! Wystarczy, że my w pięciu, tak jak tu jesteśmy, wiemy o dziewczynie. Szósty jest zbędny. Poza tym Tony ma zbyt długi język. Jest gadatliwy jak baba. Moe niech się w tej sprawie wypowie.

– Zrobię jak szef każe – stwierdził Moe.

– Na razie będzie jeździł jako mój ochroniarz. Jest w tym dobry. Później o tym pomyślę – zadecydował Joe na odchodne.

Frank kazał zostać pozostałym. Ze względu na Moe, bezgranicznie oddanego szefowi, nie mógł wszystkiego powiedzieć. Przypomniał o trzymaniu gęby na kłódkę, jak największej tajemnicy, unikaniu kontaktów z policjantami, nawet z zaprzyjaźnionymi i będącymi na ich liście płac.

– Trzymajcie się z dala od ludzi z innych rodzin. Żadnych zatargów, gdy będziecie na ich terenie. Gdy was przycisną do muru, mówcie, że małolaty podpieprzyli nam samochód z koką.

W tym momencie przyszedł mu pomysł.

– Obiecajcie małolatom nagrodę za informacje o samochodzie. Powiedzcie, że dostaną jeszcze większą, jak go odnajdą z narkotykami w środku.

Gabinety lekarskie każdy miał wziąć na siebie, te co znają i te, których listę przekaże im zaprzyjaźniony człowiek z Wydziału Zdrowia i Usług Socjalnych. Frank przez zaufanych ludzi sprawdzi listy przyjęć w szpitalach i klinikach. Do garaży, na parkingi i do warsztatów samochodowych pojadą wyznaczeni ludzie.

Michael coraz bardziej obawiał się Moe. Frank podsuwał pomysły, o których on wiedział już na pierwszej naradzie. Moe posłucha Franka, przyciśnie chłopaków, ci pokażą jego samochód, ktoś może widział, jak z niego wysiadał i tak po nitce do kłębka.

Ruszy w Chinatown i w końcu znajdzie jakiś ślad albo nawet Chińczyka. Nie mógł rozpocząć realizacji swojego planu. Potrzebował kilkunastu dni i zdrowych rąk Lee. W nowym miejscu nie znajdzie takiego lekarza jak ten.

„Wszystko się komplikuje" – poczuł zimno na plecach. – „Jeszcze kilka dni, nie więcej niż dwa tygodnie".

Frank zakończył naradę. Ruszyli, każdy w swoją stronę. Polowanie trwało.

Michael pojechał do swojego domu przy North Citrus Avenue sprawdzić, czy wszystko jest w porządku i pokazać się sąsiadom. Zjadł resztki z lodówki i wyrzucił śmieci.

W najbliższym sklepie zrobił zakupy na kilkanaście dni i zapchał nimi lodówkę. Zostawił na kuchennym blacie szklankę z niedopitą wodą i rozpakowane krakersy na stoliku przy kanapie. Pościel na łóżku rozrzucił tak, aby wyglądało, że właśnie z niego wstał. Dom ma wyglądać na zamieszkany. Przyjeżdżali jego ludzie po instrukcje, przywozili potrzebne mu dokumenty, wiadomości od Joe, które nie nadawały się do przekazania przez telefon. Mieli widzieć, że przebywa w domu. Spakował trochę jedzenia, kilka rzeczy, ulubione płyty i książki i wrzucił do bagażnika.

Tak jak Frank zarządził, sprawdził w gabinetach lekarskich i pogadał z małolatami i swoimi informatorami. Obiecał nagrodę za odnalezienie forda i prochów. Zakazał mówienia, że przyszedł z tym do nich, choć wiedział, że to się rozejdzie. Zrobił to dla kamuflażu. Joe i Frank mają wiedzieć, że dba o bezpieczeństwo swoje i poszukiwań.

Zauważył, że w przeciwieństwie do Joe, Frank był bystrym facetem. Jak Joe mógł stanąć na czele takiej organizacji, przy tak wielu swoich wadach?

Wytłumaczenie było jedno. Joe był bezwzględny i okrutny. Potrafił skupić wokół siebie i podporządkować ludzi, którzy byli mu oddani. Brak inteligencji nadrabiał niebywałą intuicją, cwaniactwem i sprytem. Prawie każdego potrafił przejrzeć na wylot, zarówno swojego, jak i przeciwnika. Miał dar dobierania ludzi. Nikt w mieście, może i gdzie indziej, nie miał takich jak Joe. Frank Sales, Foy Dixon i Moe Mayo to najlepsi z najlepszych. On też się do nich zaliczał. Bez nich firma Joe Rose'a nie przetrwałaby miesiąca. „A może jednak – naszła Michaela myśl – szybko znalazłby lepszych".

Wstrząsnął nim dreszcz.

„Może mnie rozgryźli? Po pierwszej naradzie Joe wskazał na mnie i coś powiedział do Franka, ale co?".

Przestał się nad tym zastanawiać. Teraz ważniejsze było bezpieczne dotarcie do Lee. Było późno, a pamiętał słowa Chińczyka. Niewiele sama mogła zjeść. Kluczył po śródmieściu. Kupił w barze szybkiej obsługi kurczaka z rożna, sałatkę i torbę owoców. Bardzo lubił owoce. Kupował dużą papierową torbę różnych owoców: soczystych brzoskwiń, moreli, które uwielbiał, pomarańcz i mandarynek albo winogrona, truskawki i wiśnie. Obierał do salaterki, siadał na kanapie i słuchając muzyki, zjadał.

„Wracam do domu. Wracam jak każdy obywatel po skończonej pracy. Oni do domu, do żon, do dzieci, na obiad, który im ugotowały kobiety. A ja?".

Włożył klucz do zamka i przekręcił.

Gdy wszedł, pogłaskała go obandażowaną ręką po policzku. Cieszyła się jak dziecko na jego widok.

Rozdział XXII

Kolejne dni

Kolejne dni upływały na poszukiwaniu samochodu, tropieniu dziewczyny. Joe Rose był coraz bardziej poirytowany. Tworzył teorie spiskowe. Raz wskazywał na którąś z rodzin, innym razem na gangi z Compton. Chciał wszystkich mordować, zabijać. Żądał głów. Chciał ściągać posiłki z innych miast i ruszać na wojnę, ale z kim – na razie nie wiedział.

Moe wspierał Joe. Myśl o wojnie, nieważne z kim, wyzwalała w nim adrenalinę. Chciał walczyć, zabijać. Czekał tylko na rozkazy swojego szefa.

Tylko opanowanie Franka Salesa zapobiegło wojnie. Codzienne przemowy Franka sprowadzały ochłodzenie na głowy Joe i Moe. Michael podziwiał jego rozwagę i racjonalne podejście do sprawy. On i Foy nie wtrącali się, nie chcąc podgrzewać atmosfery. Byli zadowoleni, gdy w końcu przeważały argumenty Franka. Jeszcze jeden, kolejny, dzień upływał w spokoju i nikt nie musiał ginąć. Zadarcie z Latynosami do niczego nie prowadziło. Może Joe wygrałby z nimi, ale byłoby to początkiem jego końca. Pax Romana obowiązywał. Wielkie rodziny patrzyły przez palce na walki gangów.

Mówiono zawsze: – Oni niech walczą, my będziemy w tym czasie robić interesy.

Joe miał jednak szósty zmysł. Już po raz kolejny kierował ich w stronę latynoskich ulic. Tam kazał szukać. Moe wziął to sobie do serca i po naradzie pojechał do Compton.

Cała dzielnica jest pod panowaniem gangów Compton Varrios, powiązanych z Mexican Mafia, czarnych Bloods i Mara Salvatrucha. Białym jest tam trudno działać. Gangi tworzą odrębne światy, do których niełatwo jest się dostać.

Wieloletnia współpraca Joe z nimi zaowocowała na pewno nie przyjaźnią, ale pewnym porozumieniem. Świadczyli sobie nawzajem drobne usługi. Moe nie miał żadnych obaw, wkraczając na ich teren. Wiele razy działał wspólnie z miejscowymi gangsterami. Pojechał do José Ortegi, mającego pod sobą kilka ulic. Przyrzekł nagrodę za samochód, a jeszcze większą za narkotyki i informację, kto ośmielił się go ukraść. Ortega, krępy, niski facet o lisiej twarzy, obiecał zająć się tym, choć nie ręczył, że spełni drugie i trzecie życzenie Moe.

Z upływem kolejnych dni Michael czuł się coraz bardziej osaczany. Jego ludzie nic nie znaleźli w zachodnich dzielnicach, Frank przetrzepał dokumentnie południe Los Angeles, a Foy swoją część. Moe zostały tylko Compton i Chinatown. Tutaj i na śródmieściu koncentrowały się teraz poszukiwania. Z każdym dniem Michaelowi coraz trudniej było jeździć do Lee bez zwrócenia na siebie uwagi. Trzy noce spędził u siebie, przy North Citrus Avenue, chcąc, aby przejeżdżający tamtędy Foy i inni widzieli, że bywa w domu. Wiedział, jak bardzo Lee przeżywa jego nieobecność, lecz nie miał innej możliwości. Pocieszał ją, że jeszcze kilka dni.

Jeszcze tylko kilka dni, ale nie wiedział ile.

Potrzebował ich na załatwienie czystej spluwy i tłumika, kupno używanego samochodu i dopracowanie planu do perfekcji. W dniu, w którym miał realizować swój plan, wszystkie osoby powinny znajdować się w miejscach mu znanych. Lee nie może mieć już zabandażowanych rąk. Wszystkie jej i jego rzeczy spakowane muszą być w bagażniku samochodu, pieniądze – u niej w torebce. Jeśli mu się nie uda, ma odjechać i zaszyć się w jakiejś dziurze na zawsze. A do tego ona musi mieć sprawne ręce. Opróżnił skrytkę w banku. Wszystkie posiadane pieniądze przeniósł do mieszkania przy Yale Street.

Moe miał wiadomość. José Ortega spisał się. W jednej z dziupli znaleziono forda Mustanga. Chłopcy z Compton ścigali się nim w nielegalnych wyścigach ulicznych. Samochód był więc trochę poobijany. Moe pojechał tam z człowiekiem José. W garażu stał Mustang, ale już wyklepany i pomalowany na czerwono, z żółto-czarnymi płomieniami na bokach i diabelskimi rogami w tym samym kolorze na masce silnika. Szykowany do kolejnych wyścigów. Młodzi Latynosi nie byli zbyt grzeczni i rozmowni. Gdy zadał kolejne pytanie, wymownie sięgnęli ręką pod koszule, pokazując kolby spluw, mimo że znali człowieka Ortegi.

Moe wycofał się do swojego samochodu, stwierdzając: – Nie mają szacunku dla starszych. Jak się nie zmienią, to długo nie pożyją.

Człowiek Ortegi potwierdził skinięciem głowy.

Zadzwonił po swoich ludzi. Potrzebował ich do trzymania. Gdy przyjechali, młodzi Latynosi nie zdążyli zareagować. Czterech leżało na posadzce, z rękoma na karku, pod lufami pistoletów, a piątemu, któremu dwaj kolejni wykręcali ręce, Moe zadawał pytania. Gdy chłopak nie mógł już mówić lub nie miał nic do powiedzenia, Moe zapraszał do rozmowy następnego. Nie trwało to długo. Nawet leżący na betonie próbowali jeden przez drugiego udzielić wszelkich niezbędnych informacji, potrzebnych temu wielkiemu, o ospowatej twarzy, mężczyźnie, przepraszając, że wcześniej tego nie uczynili.

Moe dowiedział się, że przed przemalowaniem samochód był szarobrązowy i znaleźli go na ulicy z kluczykami w stacyjce. Trochę go poobijali, ale teraz już jest wyklepany, pomalowany i naprawiony. Na kolanach przysięgali, że nie było w nim żadnego towaru. Za znalezienie samochodu nie chcieli ani centa, ciesząc się, że uszli z życiem.

Kazał zabrać samochód do warsztatu. Tam prawie rozebrano go na części, ale nie znaleziono w nim żadnych śladów. Nie było w nim nic, co mogło naprowadzić na trop dziewczyny i osoby, która zabrała ją z Montebello.

Frank Sales skomentował to na naradzie.

– Cwany był ten gość. To nie był przypadkowy kierowca. Zostawił samochód wśród Latynosów, wiedząc, że po dwóch dniach będzie rozłożony na części albo zdemolowany nie do poznania. Teraz nawet najlepsza ekipa dochodzeniowa nie znajdzie w nim śladów. Moe spytałeś, gdzie go znaleźli?

– Tak, na pograniczu Compton i Chinatown. Chyba mówili, że przy Bunker Hill.

– Chyba mówili! – Frank podniósł głos. – To jest najważniejsza informacja. Sprawdź to. Gdybym był na miejscu tego kogoś i chciał ukryć dziewczynę, a najpierw załatwić jej lekarza, to ukryłbym ją w Chinatown. Tam znalazłbym lekarza, który ledwo lub w ogóle nie mówi po angielsku. Oni nigdy nic nie powiedzą. Moe, tam trzeba szukać. Szukaj lekarza. Zostaw Compton i sprawdź ulicę po ulicy w Chinatown.

– Mamy numery, tablice rejestracyjne i właściciela? – wtrącił Joe.

– Jeszcze nie.

– Frank zajmij się tym.

– Sprawdzę, ale nie to jest najważniejsze. Moe niech szuka jej u lekarzy i pielęgniarek w Chinatown, Michael w całym śródmieściu, a Foy u Latynosów. Foy ma tam najlepsze kontakty. Dostaliście listy lekarzy. Teraz tylko te trzy miejsca. Moe, podaj mi numer rejestracyjny samochodu.

Moe wyjął telefon komórkowy, wystukał numer i zapytał. Chwilę trwało, nim mechanicy w warsztacie odczytali z tablic.

Frank zapisał na kartce podany numer rejestracyjny i zadzwonił, podając go swojemu rozmówcy. Nie czekał długo. Po chwili dopisał adres i nazwisko gościa w Lake Forest.

– Najpierw to sprawdź – podał mu kartkę. – To ostatni znany właściciel samochodu. Uważam, że nic to nie da, ale jedź tam jutro z samego rana, gdy gość będzie jeszcze w domu. Weź odznakę policyjną. Pamiętaj, tylko spokojnie.

Michael czuł, jak mu się pętla zaciska na szyi. To już tylko kwestia czasu, kiedy Moe lub jego ludzie znajdą lekarza, potem Lee i jego. Gdyby to Frank tam jej szukał, a nie Moe, tydzień temu albo jeszcze wcześniej dorwaliby ją. Należało przyspieszyć realizację planu. Gdy Moe nie będzie w mieście, lekarz zdejmie szwy i sprawdzi ręce. Nawet jak nie będą w pełni sprawne, to i tak, w razie niepowodzenia, Lee sama zniesie spakowane torby do samochodu i pojedzie, tak jak to mówiła, do mysiej dziury. Najgorsze, że nie wiedział, gdzie ona ma się ukryć. Czy w wielkim mieście, czy gdzieś na zadupiu. Tego jeszcze nie zorganizował, nie znalazł adresu, nie wynajął mieszkania.

Myślał o ukryciu jej jak najdalej od Los Angeles. Może na wschodnim wybrzeżu. Najlepiej w wielkim mieście. Pomyślał o Florydzie.

Rozdział XXIII

Lee

Narada przeciągnęła się do późnego wieczoru. Frank ustalił szczegóły dalszego działania. Każdemu jeszcze raz przypomniał, co mają robić i jak postępować, aby wszystko pozostało w tajemnicy. Bardzo obawiał się reakcji tych na górze i innych rodzin, gdy dowiedzą się o wpadce. Nie mówił o tym głośno, lecz Michael widział zatroskanie na jego twarzy. Po raz kolejny zapytał, co zrobić z Tonym, ale Joe skwitował to jednym zdaniem:

– Nie ma sprawy.

Joe zadecydował, że następnego dnia spotkają się dopiero wieczorem, gdyż ma zbyt wiele spraw do załatwienia.

Frank spojrzał na niego, lecz nie odezwał się.

Michael od razu pojechał na Yale Street, chcąc znaleźć się tam, nim Moe rozpocznie kolejną noc od poszukiwań w Chinatown. Zaparkował na wielkim parkingu od strony Hill Street wśród wielu samochodów, tak aby jego był niewidoczny z ulicy. Bardzo obawiał się rozmowy z Lee. Będzie musiał ją przygotować do tego, co może się zdarzyć w ciągu najbliższych dni. Rano, gdy nie będzie Moe w mieście, zawiezie ją do lekarza na zdjęcie opatrunków i szwów.

Gdy otworzył drzwi, Lee czekała na niego jak zawsze w przedpokoju. Przyglądała mu się bacznie, chcąc wyczytać z twarzy, co się zdarzyło kolejnego dnia.

Michael patrzył chwilę na nią. Wyglądała ślicznie. Buzia już prawie się zagoiła, tylko drobne dwie ryski na wargach z prawej strony były świadectwem brutalności Moe. Jeszcze kilka dni, a znikną zupełnie, tak jak i zadrapania na nogach i rękach. Bandaże i szwy zdejmie jutro z rąk i pozostanie długie ich gojenie, ale przy pomocy specyfików Chińczyka one też szybko zabliźnią się i będą niewidoczne.

– Nie mogłam się doczekać. Dlaczego tak późno? – pocałowała go w policzek.

– Biegłem do ciebie.

Uśmiechnęła się.

– Na co masz ochotę? Co ugotować?

– Zjadłabym filet *mignon* lub *foie gras avec croutons*, a na deser *crêpes suzette*[7] z kieliszkiem calvadosa.

– Co ja biedny sobie narobiłem, namawiając cię do nauki francuskiego. Dzisiaj na obiad będziesz miała zupę pomidorową z puszki i makaron z mielonym mięsem i sosem grzybowym, a o francuskich frykasach możesz na razie tylko marzyć.

– Jak będę zdrowa i będziemy mieli własny dom, to zrobię ci filet mignon i crêpes suzette i wiele innych.

– Jestem w szoku.

– Że będę tak gotowała?

– Nie, z powodu tego, co wcześniej powiedziałaś. Nie wygaduj głupot. Nie wiem, co mam z tobą zrobić – burknął i poszedł do kuchni.

Gdy przygotowywał jedzenie, w pokoju było cicho jak makiem zasiał. Lee nie odzywała się ani słowem. Chyba siedziała na kanapie, gdyż nie słyszał jej kroków. Zrobiło mu się głupio. Poczuł się podle. Przywiązał dziewczynę do siebie. On gangster omotał ją. Nie widzi kim on jest? Czym oczarował tak wspaniałą dziewczynę?

---

[7] Potrawy francuskie – stek z polędwicy wołowej, pasztet francuski z gęsich wątróbek z grzankami, słynne francuskie naleśniki z gorącym sosem.

Co jej może ofiarować. Przez całe dotychczasowe życie zarabiał na siebie bijąc, zabijając, przewożąc narkotyki, wymuszając haracze. Nigdy nie pracował uczciwie. I z takim kimś ona chce związać się na całe życie. Ślepa jest? Powinna znaleźć własną drogę.

– Beze mnie nie da nawet kroku na niej – powiedział cicho do siebie.

Wniósł obiad do salonu. Siedziała zapłakana na kanapie. Usiadł przy niej. Nic nie mówiła, więc podawał jej do ust łyżkę po łyżce – najpierw zupy pomidorowej, później spaghetti z mielonym mięsem. Gdy skończyła, powiedziała „dziękuję", pochyliła głowę i wcisnęła twarz w obandażowane ręce. Jedząc, nie odzywał się do niej. Ona też milczała. Po posiłku odniósł talerze do kuchni, przyniósł herbatę, usiadł przy niej i objął ramieniem. Położyła się na kanapie, podkurczając nogi i kładąc głowę na jego kolanach.

– Przepraszam cię. Nie chciałem być niemiły, ale nie wiem, co będzie jutro, za godzinę, za chwilę. Nie wiem, co mam z tobą zrobić, gdzie cię ukryć, abyś była bezpieczna. Ścigają nas bardzo niebezpieczni ludzie. Chcą za wszelka cenę usunąć cię ze swojej drogi. Jest to związane z czymś, co robił twój ojciec i co o nich wiedział. Nie uwierzą ci, że nic nie wiesz. Dla nich musisz być martwa. Są coraz bliżej. To tylko kwestia kilku lub kilkunastu dni, a nas znajdą. To są bardzo źli ludzie. Podli i okrutni, tacy jak ja – próbował zażartować.

– Tacy jak Moe? Prawda? Ty jesteś bardzo dobrym człowiekiem. Nie znałam lepszego.

– Tak, tacy jak Moe, ale jeszcze gorsi, bo sprytniejsi i mądrzejsi od niego szukają. Mogłabyś iść na policję i wszystko opowiedzieć, ale ani policja, ani FBI, ani rząd Stanów Zjednoczonych nie obronią ciebie. Nad ludźmi, którzy cię szukają są jeszcze potężniejsi od nich. Nawet, jak zostaniesz ukryta jako świadek w innym kraju, to nie będziesz bezpieczna. Przyjdą tam i zrobią to. Dla nich nie możesz żyć.

Nie odezwała się.

– Robię wszystko, aby cię ochronić. Wszystko zaplanowałem. Rano pojedziemy do lekarza. Zdejmie ci szwy i opatrunki. Spakuję twoje rzeczy do jednej torby, a moje do drugiej. Wszystkie pieniądze, które mam, a jest ich ponad pięćdziesiąt tysięcy, będziesz miała w torebce. Po wizycie u lekarza obetnę ci krótko włosy i ufarbuję na czarno. Pokażę stojący na parkingu z drugiej strony domu samochód. Za dwa lub trzy dni zostaniesz wieczorem w domu, a ja pójdę i definitywnie załatwię naszą sprawę. Wszystko już zaplanowałem. Szukam mieszkania w innym mieście. Już prawie znalazłem. Będę miał informacje, może już jutro.

Jej łzy przemoczyły mu spodnie.

– To, co zamierzam zrobić, jest bardzo niebezpieczne. Będę potrzebował na to całego wieczoru i nocy. Gdy nie wrócę do południa, weźmiesz swoją torbę, wsiądziesz do samochodu i pojedziesz jak najdalej stąd, jak najdalej od Bostonu i Georgii. Ukryjesz się gdzieś, zmienisz nazwisko i imię, i będziesz tam żyła, nigdy nie wspominając o rodzicach i o mnie.

– Michael, proszę cię, nie! – usiadła mu na kolanach przodem do niego i objęła go mocno. – Wyjedźmy teraz, razem. Proszę!

– Nie ma innej drogi, kochanie. Nie możemy uciekać. Znajdą nas.

– Michael!

– Tak?

– Będę się modliła do wszystkich bogów świata, żeby mi ciebie nie odbierali. Zrób wszystko, abyś rano do mnie wrócił. Jak byłam dzieckiem, no i później, gdy czegoś mocno chciałam, to zawsze to wymodliłam. Nieczęsto to robiłam. Dawno nie prosiłam, ale teraz wyproszę ciebie.

Przytulił ją do siebie.

– Michael.

– Tak?

– Już nic.

Wstała po chwili i poprosiła, aby ją wykąpał. Po raz pierwszy wszedł z nią pod prysznic zupełnie nagi. Gdy ją mył, przytuliła się do niego. Było mu dobrze. Nie ukrywał swojego podniecenia.

Jak zawsze wyszła z łazienki pierwsza, owinięta przez niego w ręcznik. Gdy skończył, założył szorty i nie zastał jej w salonie. Leżała na łóżku w sypialni zupełnie naga, a wilgotny ręcznik w drzwiach, na podłodze. Podszedł do niej.

Była piękna. Patrzył urzeczony. Nigdy nie widział piękniejszej dziewczyny. Dużymi, błękitnymi oczyma, spod długich rzęs spoglądała na niego. Usta czekały na pocałunek, a niżej równie niesamowite, pełne piersi na dotyk jego rąk. Wcięta talia, płaski brzuch. Zapierająca dech figura. Jeszcze dziewczęce biodra były dopełnieniem tego cudu. Nogi długie i bardzo zgrabne, a pomiędzy nimi dawno niegolony wzgórek, równie piękny, obiecywał...

Była boska.

– Jesteś piękniejsza niż Wenus z Milo.

– I w odróżnieniu od niej mam rączki – usiadła na brzegu łóżka, usiłując ściągnąć mu bokserki. – Dzięki tobie.

Pomógł jej.

Opadła na łóżko, mówiąc: – Chodź do mnie.

Położył się obok niej. Nie wiedział, jak zacząć. Po raz pierwszy miał tremę. Objęła go rękoma i przyciągnęła do siebie. Wpiła się w jego usta i całując, przewróciła go na plecy. Całowała na przemian jego usta, oczy, nos, górną wargę, potem dolną. Ugryzła delikatnie w ucho. Gdy otwierał oczy, szybko je całowała. Zrozumiał, że ma zamknąć. Po chwili jej usta były na jego torsie, ramionach i brzuchu. A po kolejnej niżej i jeszcze niżej. Czuł dotyk jej warg, języka, lekkie ugryzienia. Nie było skrawka ciała, na którym nie złożyła pocałunku.

Gdy wróciła do jego ust, przekręcił ją na plecy i położył się na niej. Rozsunęła nogi. Znalazł się między nimi. Odwzajemniał pieszczoty i teraz on kontynuował drogę pocałunków od góry do dołu. Zatrzymał się na jej piersiach. Już pod prysznicem nabrzmiewały przy dotyku jego rąk, a sutki stawały się twarde. Teraz pod wpływem jego warg i języka piersi zdawały się eksplodować. Gdy składał pocałunki na jej brzuchu, słyszał przyspieszony oddech, a gdy zszedł pomiędzy jedwabiste uda, cicho już pojękiwała, później głośniej i dreszcz wstrząsał nią całą. Ręce trzymał na jej biodrach, a ona swoimi, w bandażach, przyciskała jego głowę mocniej do siebie. Trwało to bardzo długo. Uniosła nogi wyżej, do góry, zginając kolana i dając mu tym sygnał. Podciągnął się, oparł na rękach. Oczy miała otwarte.

– Jak ja cię kocham – usłyszał.

Wszedł w nią. Zamknęła oczy. Powoli, powolutku wchodził w nią. Za każdym ruchem jego i jej oddech stawały się głośniejsze, dreszcz wstrząsał i jej, i jego ciałem. Serca biły w takim samym szalonym rytmie. Gdy ponownie usłyszał wydobywający się z jej ust cichy jęk, zamknął oczy. Znalazł się w innym świecie, dobrym i cudownym świecie. Starał się powstrzymać jak najdłużej ostatni akt, ale nie mógł. Był tak podniecony, że ciało nie reagowało już na jego prośby. Opadł na nią, nie wychodząc. Zacisnęła na nim i ręce, i nogi, i złączyła swoje usta z jego. Leżał długo, czując ciepło jej ciała.

Gdy doszła do siebie, zsunął się z niej, pytając:

– Masz zabezpieczenie?

– Było cudownie. Szkoda tylko, że... – pocałowała go – że mam... Żałuję tego.

Spojrzał na nią, nie wierząc.

– Naprawdę żałuję, że mam zabezpieczenie. Kocham cię i nie chcę go mieć, gdy robię to z tobą. Nigdy nie przeżyłam tego tak. Jesteś kochany.

– Chcesz mi zrobić przyjemność. Nie miałaś dawno chłopaka.

– Nieprawda. Podły jesteś – uderzyła go delikatnie ręką w pierś. – Miałam chłopaka trzy lata temu, tylko raz, ale on się nie liczy. To był dupek. Mówmy o prawdziwych mężczyznach. Niech prawdziwy bierze się jeszcze raz do dzieła, a potem kolejny i...

Nie zdążyła dokończyć, gdyż zatkał jej usta.

Gdy zdjął dłoń, dodała: – Czy wiesz, że coraz częściej zwracasz się do mnie „kochanie"? Naprawdę jestem twoim kochaniem?

– Udowodnię ci, że jesteś!

Zrobili to jeszcze raz, a później kolejny. Przeżywał jak szczeniak na pierwszej łóżkowej randce. Nawet bardziej. Bardziej, niż za pierwszym razem w ogólniaku i dużo później w Hamburgu. Wtedy było wspaniale. A teraz. Nie potrafił tego opisać. Nie mógł znaleźć na to słów, choć bardzo się starał.

Był zakochany.

Zakochany bandzior – tak pomyślał o sobie.

Musi do niej wrócić, nie może mu się nie udać. Joe, Moe i inni nie są warci nawet jednego jej grymasu, a on ma ją całą.

– Całą masz, chłopie – powiedział do siebie. – Nie spieprz tego.

Usnęła, tuląc się do niego.

Rozdział XXIV

Błąd

Obudzili się rano. Położyła się na nim.

– Kochasz mnie? Tak! Na pewno? – zadawała pytanie i odpowiadała na nie. – Udowodnisz? Na pewno! Jeszcze raz udowodnisz?

Uśmiechał się, nic nie mówiąc.

– Kochaj się ze mną – usiadła na nim, wypinając piersi.

– Wstawaj. Jak wszystko dzisiaj załatwimy pomyślnie, to długo będę się cieszył tobą – pocałował ją w pierś. – Jedziemy do lekarza.

Po śniadaniu i kąpieli pomógł jej założyć ubranie, twarz zasłonił dużymi okularami, a włosy ukrył pod kapeluszem.

Na ulicach był niewielki ruch. Ci, którzy rano spieszyli się do pracy, biur, sklepów i warsztatów już pojechali. Najważniejsze, że Moe był w Lake Forest. On był podejrzliwy i mógłby połapać się, co jest grane. Jego ludzie co najwyżej pomyślą, że Michael odwozi dziwkę do domu.

Na chodniku, tuż przed domem Chińczyka, stały pojemniki na śmieci, czekające na wywóz. Michael zaparkował dwadzieścia metrów przed nimi. Nie było jeszcze pacjentów, więc wprowadził Lee do gabinetu. Z zaplecza wyszedł lekarz i wyraźnie ucieszył się na ich widok.

– Przyszli moi najlepsi i najmilsi pacjenci. Pokaż rączki.

Odwinął bandaże i stwierdził:

– Pięknie się goją. Już nie są ci potrzebne bandaże. Nie będziemy ich zakładać, ale uważaj. Nie mocz rąk w wodzie, tylko przemywaj przez kilka następnych dni środkiem, który ci dam, a później delikatnie smaruj – pokazał duży słoik z maścią. – To jest bardzo skuteczny chiński specyfik.

– Szkoda, że nie będę już miała opatrunków na rękach – spojrzała na Michaela. – Tak lubię, jak mąż zajmuje się mną. Kąpie i karmi.

– Założę jeszcze na dzisiejszy dzień – Chińczyk puścił oko do Lee. – Wieczorem po kąpieli mąż ci je zdejmie, przemyje ręce i posmaruje maścią.

Gdy Chińczyk zakładał nowe opatrunki, Michael wyszedł z gabinetu, kupić owoce w sklepie, który widział tuż za rogiem.

Prowadzony przez Chińczyka, jak wszystkie sklepy wokoło, był doskonale zaopatrzony. Michael miał w czym wybierać. Do wielkiej papierowej torby kazał zapakować morele, brzoskwinie, mandarynki, dwie sztuki mango, kilka kiwi i mniejszą torebkę ciemnych czereśni. Lubił jeść jednocześnie różne owoce. Zauważył, że Lee również przepada za nimi. Chętnie zjadała brzoskwinie, mango, truskawki i morele, które jej podawał pokrojone na małe kawałeczki, mówiąc, że dobrze wpływają na cerę. Nie było owocu, którego nie chciałaby jeść. Pokrojone owoce dodawał jej zamiast surówki do spaghetti z mielonym mięsem. Nic więcej nie potrafił ugotować.

Zakupy nie zajęły mu dużo czasu. Zapłacił, wyszedł ze sklepu, poszedł w stronę Chińczyka, skręcił za róg i zamarł. Cofnął się. Jakieś trzydzieści metrów za jego samochodem stał samochód Moe Mayo, a w nim on. Sam, bez swoich ludzi. Gdy Michael wyłonił się zza rogu, siedział za kierownicą i schylony sięgał do schowka od strony pasażera. Samochód stał tyłem do niego, więc Moe nie mógł go zauważyć.

Michael nie docenił Moe Mayo. Nie jego inteligencji, gdyż jej nie miał, lecz determinacji i zwierzęcego instynktu, który zawsze doprowadzał go do ofiary. Jak wilk szedł jej tropem i w końcu dopadał.

– Kurwa, ale błąd popełniłem – wyrwało się Michaelowi. – Skąd on się tu pojawił?

Po wyjściu z narady u Joe, Moe nie mógł znaleźć sobie miejsca. Wziął więc jednego ze swoich ludzi i pojechał wieczorem do Lake Forest. Pod wskazanym przez Franka adresem mieszkało starsze małżeństwo. Po pokazaniu odznaki, bardzo chętnie powiedzieli wszystko potężnemu policjantowi o ospowatej twarzy. Mężczyzna był częściowo sparaliżowany od ponad roku, więc samochód sprzedał mniej więcej w tym samym czasie. Komu – nie wiedzieli. Na wyciągniętej umowie, którą zachowali, widniało nazwisko Wiliams. Kto to, nie wiedzieli. Ślad się urwał. Zostali pouczeni przez policjantów o zachowaniu tajemnicy.

Moe wrócił do Los Angeles i od samego rana ruszył śladem lekarzy z listy Franka. Wybrał na chybił trafił gabinet i gdy tam dojechał, zobaczył ze zdziwieniem samochód Michaela. Zastanawiał się chwilę, nie miał żadnego przeczucia. Wyjął pistolet, schylił się do skrytki od strony pasażera, wyciągnął z niej tłumik i nakręcił na lufę. Gdy się podniósł, zobaczył we wstecznym lusterku Michaela, idącego w jego kierunku z dużą papierową torbą przyciśniętą lewą ręką do piersi. Drugą ręką Michael sięgał do torby, wyciągał czereśnie, wkładał do ust i wypluwał pestki na ulicę. Lekko uspokojony Moe położył spluwę na kolanach, przykrył połą marynarki i opuścił przednią szybę od strony chodnika. Michael podszedł do samochodu i schylił się. Moe spojrzał w jego oczy i zrozumiał, że popełnił największy błąd swojego życia.

Michael cofną się za róg. Postawił torbę z owocami na chodniku. Wyjął z kabury pistolet, tłumik z wewnętrznej kieszeni i połączył razem. Rozejrzał się dookoła. Było wcześnie, więc ulica zazwyczaj mało uczęszczana, teraz ziała zupełną pustką. Nawet, jeśli ktoś zobaczy przez okno, co się teraz wydarzy, to w tej dzielnicy nie opowiada się o tym policji i dziennikarzom. Nikt w Chinatown nie chce mieć więcej kłopotów niż własne.

Podniósł torbę z owocami i włożył do niej pistolet. Ułożył go tak, aby łatwo było oddać strzał. Ruszył w kierunku Moe, zajadając czereśnie i wypluwając pestki. Zrównał się z samochodem, nachylił i natychmiast oddał strzał, a potem drugi i kolejny. Trzy ciche plaśnięcia. W ostatniej sekundzie, nim pierwsza kula dotarła do głowy, zobaczył w oczach Moe złość mieszającą się z trwogą. Złość, że nic nie może zrobić i trwogę, że to ostatnie jego chwile.

Pierwsza kula trafiła w głowę Moe, potem następna i jeszcze jedna. Wraz z nimi poleciały kawałki brzoskwiń, moreli, mandarynek, mango i czereśni. Z głowy niewiele zostało, a krew zmieszana z sokiem i kawałkami owoców zabarwiła kabinę samochodu na żółto, czerwono i zielono.

Nikt nie zauważył, albo udawał, że nic nie widzi.

Michael podszedł do swojego samochodu i wrzucił do bagażnika to, co zostało z papierowej torby. Nie chciał zostawiać śladów. Pistolet włożył za pasek spodni. Śladem był Chińczyk. Miał jeszcze kule.

„Może i jego się pozbyć?" – pomyślał. – „I co potem? Jego rodziny, dzieci, wnuków?".

Wszedł do gabinetu. Lee siedziała na krześle z obandażowanymi dłońmi i rozmawiała.

– Musimy już iść. Usiądź kochanie w poczekalni, a ja się rozliczę.

Schylił się po torbę z lekami i opatrunkami.

Chińczyk zauważył za paskiem pistolet z dokręconym tłumikiem. Twarz mu zszarzała, a nogi ugięły. Patrzył na Michaela niepewnie, z trwogą w oczach.

– Mam córkę jedynaczkę, mieszka ze mną. Trójkę wspaniałych wnuków – zaczął. – Chciałbym dożyć z nimi późnej starości. Martwię się o nie. Chcę żyć, a jeszcze bardziej, aby szczęśliwie mogły żyć moje wnuki, córka i zięć. Żony już nie mam. Oprócz mnie nie mają nikogo. Nikt się nie dowie. Przysięgam. Całe życie będę się bał, że ktoś przyjdzie do mnie po moje wnuki i córkę.

„Nie mogę zabijać wszystkich na mojej drodze" – Michael poczuł się podle.

– Nikt nie przyjdzie po twoje wnuki – dodał głośno. – Tych ludzi już nie ma lub za chwilę nie będzie. Jedynym niebezpieczeństwo dla ciebie jest to, że ty możesz iść do kogoś.

– Żyję tu tyle lat i od przyjazdu z Chin nie byłem jeszcze na innej ulicy.

Michael uśmiechnął się i wręczył mu gruby zwitek banknotów. Nie chciał ich przyjąć, więc położył na stole.

– Mam młodszego brata w Phoenix w Arizonie – powiedział Chińczyk na odchodne. – Ma na imię Wang. Robi doskonałe, bardzo prawdziwe dokumenty. Jak będziesz potrzebował, to zrobi tobie, jakie będziesz tylko chciał. Powiesz mu wtedy, że jesteś od jego brata Lao z Longgang. To takie małe miasto w Chinach. Jest najlepszy i robi tylko dokumenty dla naszych. Tobie zrobi, co tylko będziesz chciał. Ma, jak ja, krótką pamięć. Za chwilę nie będzie nic pamiętał. Nie bój się. To uczciwy człowiek. Milczy jak grób. Kiedyś zrobił dokument z podpisem chińskiego cesarza Gao Zu i do dzisiaj wisi on w muzeum w Nowym Jorku.

Na ulicy panowała cisza. Nikt nie wyszedł z domu, nikogo nie było przy samochodzie Moe, tylko z daleka przednia szyba mieniła się kolorami tęczy. Pomógł Lee wsiąść i pojechał na parking przy North Hill Street. Po drodze z parkingu do mieszkania pokazał jej zaparkowany samochód, który kupił kilka dni wcześniej.

Robiąc jedzenie, cały czas obmyślał dalszy plan działania. Nie zwracał uwagi na Lee i na jej szczebiotanie. Lee mówiła coraz mniej, aż w końcu zamilkła, tylko siedząc w fotelu, wodziła za nim wzrokiem.

Moe swoją śmiercią uruchomił zegar. Zaczęło się odliczanie. Najpierw Moe nacisnął przycisk na zegarze szachisty, ale ruch Michaela był błyskawiczny i on zatrzymał czas dla siebie. Ruch po stronie Joe. Niedługo dowiedzą się o śmierci Moe i wykonają swoje posunięcie.

Jakie? – zastanawiał się Michael.

Jeśli przewidzi, to szybko na nie zareaguje. Co zrobi Frank, bo on jest motorem napędowym organizacji. Co wymyśli? Bez Moe tracą na wartości, ale bez niego w dwójnasób. Jak to wykorzystać? Upozorować własną śmierć lub zniknięcie? Czy pomyślą, że inna rodzina lub któryś z gangów chce im się dobrać do skóry? Jeśli tak, to Joe wezwie do siebie Franka, Foya i dowódców z terenu. Spotkają się na naradzie w domu Joe. Dziś wieczorem. Ilu ich będzie? Sześciu, siedmiu, nie więcej. Do tego ochrona. Jeden przy bramie, Tony w garażu, dwóch od strony Flicker Way, ale ci są daleko. Nie, dzisiaj nie rozpoczną większych działań, ale będą się wieczorem naradzać. A jak nie, to zrobi to po kolei. Najpierw uprawdopodobni swoje zniknięcie.

Po śniadaniu pojechał do domu przy North Citrus Avenue. Przygotował ciepłe jedzenie, zjadł trochę i resztę zostawił na stole. Kubek z herbatą zrzucił ze stołu na posadzkę. Demolował salon, wyrzucał z szafy i szuflad rzeczy. Na koniec rozbił odtwarzacz i złamał kilka płyt. Wiedział, że zwrócą na to uwagę. Wyszedł z domu, nie zamykając drzwi.

Gdy wrócił, Lee usiadła mu na kolanach przodem do niego, podkurczając nogi i obejmując go wpół.

– Michael, ty myślisz, że jestem głupiutką naiwną dziewczynką, bo tak paplę. Nie, w ten sposób chcę zabić strach. Boję się o siebie, ale do tego już dawno się przyzwyczaiłam. Bardziej martwię się, że coś ci się stanie. Nie chcę zostać sama. Gdy widzisz, jak jestem radosna, to wiedz, że cieszę się, że jeszcze jeden, kolejny dzień żyję. Gdy obudziłam się dzisiaj przy tobie, to… to nie wiedziałam z radości, co powiedzieć. Mówiłam jak nakręcona, bo cieszyłam się, że jesteś przy mnie.

– Powiedz mi, Michael! Jak wyszliśmy rano od lekarza, zobaczyłam ten samochód z zakrwawioną szybą. Kto w nim był? Moe Mayo?

– Tak. A teraz mnie posłuchaj.

Przypomniał Lee co ma zrobić, gdy on nie wróci. Chciał jej zdjąć opatrunki z rąk, ale powiedziała, że lekarz założył je tak, aby mogła zrobić to sama. Zapakował wszystkie torby, jak zaplanował, pozostawiając dla niej i dla siebie ubranie na podróż. Kluczyki od samochodu i podręczną torbę z pieniędzmi położył na stoliku. Ściął jej krótko włosy i ufarbował na czarno. Lee spojrzała w lustro.

– Masz nową dziewczynę. Weź ją do łóżka i wypróbuj. Zrobi takie rzeczy, że będziesz tylko myślał o jak najszybszym powrocie do niej.

Kochali się do późnych godzin popołudniowych. Gdy wychodził, Lee odprowadziła go do drzwi.

Rozdział XXV

Od zła wszelkiego ...

Do kwatery Joe Rose'a przy North Hillcrest Road miał niedaleko, około 12 mil. Nie spieszył się zbytnio, więc pod bramą był jak już zmierzchało. Zaparkował na ulicy. Ochroniarz poznał go i otworzył bramę.

– Zjechali wszyscy. Jest jakaś narada.

Poszedł w stronę garaży. Brama oraz garaże nie były widoczne z budynku, w którym urzędował Joe. W domu nie było kamer.

Tego samego dnia, zaraz po południu, dotarła do Joe informacja od opłacanych policjantów o znalezieniu zastrzelonego Moe Mayo, w samochodzie, w chińskiej dzielnicy. Joe natychmiast wezwał do siebie Franka Salesa i Foya Dixona. Z Michaelem nie można było się skontaktować. Foy wysłał Tony'ego z Jimem do domu Michaela. Wezwano Otisa i jego ludzi. Frank rozmieścił ich w należących do organizacji mieszkaniach, a Otisowi nakazał przyjazd do biura z najbardziej zaufanym człowiekiem.

Joe przygotował kilka małych drinków.

– Jest to akcja wymierzona w nas. Wszystko zaczęło się od wpadki w Bostonie. Potem dopadli Darby'ego. Tylko, że w Bakersfield to federalni, a tutaj kto? Po niej, o czym dobrze wie Frank, przeszło nam koło nosa kilka kontraktów. Myśleliśmy, że inwestorzy wycofali się z projektów z braku pieniędzy. Teraz jestem pewien, że kazano im tak zrobić. Przez kolejne osiem miesięcy nic nam nie wychodziło. Fuszerka Moe na Rio Blanco Street była czymś tak nieprawdopodobnym, że przyszła mi do głowy głupia myśl, że zdradził nas. Odrzucam to. Niemożliwe, nie zrobił tego. Był tam przecież Tony Gert. Lubię Tony'ego, ale Frank miał rację. Foy, zajmij się nim później.

Przerwał na chwilę i napił się ze szklaneczki.

– Ktoś dąży do przejęcia naszego biznesu. Mają dziewczynę, skojarzyli Boston, Bakersfield i dalej z nami. Nie wiemy, co im powiedziała, ale chyba dużo. Policji chlapnęła niewiele, ale my potrafimy wydusić z każdego nawet to, co wydaje mu się, że nie wie. Musiała wyśpiewać im wszystko. Frank, powiedz mi, dlaczego nie możemy znaleźć ani jej, ani gościa, który ja zabrał? Gdy już trafiliśmy na samochód, gdy byliśmy bardzo blisko, Moe ma kulkę w głowie, a Michael zniknął. Bez nich jesteśmy o połowę słabsi.

Wszedł Jim i nachylił się nad Foyem. Długo mówił ściszonym głosem. Joe i Frank nie przerywali mu.

– Powtórz głośno, co powiedziałeś – rzekł Foy.

– Mieszkanie Michaela jest zdemolowane – zaczął Jim. – Wszystko powywalane z szaf i szuflad. Książki profesorka rozpieprzone na podłodze. Odtwarzacz rozbity, a płyty zniszczone i połamane. Nam nie pozwalał nawet ich dotknąć. Nie było widać śladów walki, ale na stole stało niedokończone jedzenie. Musieli dopaść Michaela. Drzwi wejściowe były otwarte.

– Czego u niego szukali? – zadał pytanie Joe. – Coś na mnie?

– Michael niczego nie trzymał w domu, był za bystry, ale tego nie wiedzieli – odpowiedział Frank. – Nie zaskoczyli go w domu. Byłyby trupy, zanim zostałby obezwładniony. Jak przyszli do domu Michaela, to byli pewni, że go nie ma i nie wróci niespodzianie. Gdzieś wcześniej musieli go załatwić. Był przed domem samochód Michaela?

– Nie – odpowiedział Jim.

Joe odesłał go do garażu.

Do wieczora ustalali plan działania. Ludzi Moe podporządkowano Foyowi, a ci od Michaela mieli mieć nowego dowódcę, którego wskaże Otis. Rozmieszczono ich w newralgicznych punktach miasta. Organizacja Joe szykowała się do wojny. Frank miał uruchomić wszystkich możliwych informatorów i rozmawiać ze swoimi odpowiednikami w pozostałych organizacjach. Najważniejszym zadaniem było znalezienie odpowiedzi na pytanie:

Kto i z jakiego powodu złamał pakt o nieagresji i wypowiedział wojnę, zabijając Moe i eliminując Michaela?

Biura od jutra miało chronić czterech ludzi, dwóch przy bramie, dwóch w garażach. Trzech ustawiono od strony rezydencji, a z Joe miał być zawsze jeden z dowódców ze swoim człowiekiem. Nie obawiali się frontalnego uderzenia na siedzibę, ale zwiększona ochrona była wskazana. Najgorsze było, że nie wiedzieli kto przeciw nim wystąpił i w jakim celu.

Joe podszedł do ściany, nacisnął przycisk i odsunęła się stojąca przy ścianie szafka. Otworzył drzwiczki znajdującego się za nią sejfu. Wyjął z niego dwa albumy ze zdjęciami.

– Teraz nie mamy wyjścia. Wybierz kilka zdjęć, zrób odbitki i rozdaj naszym ludziom i informatorom. Niech pokazują je wszędzie, gdzie się da i zbierają informacje. Ona jest kluczem do wszystkiego. Przez chwilę muszę się zastanowić.

Położył albumy przed Frankiem i wyszedł na taras.

Michael wszedł do garażu, w którym Joe Rose trzymał swojego ulubionego, wspaniałego Maybacha SW 42 z 1939 roku. Tony Gert grał z Jimem w karty przy małym stoliku.

– Wszyscy od rana szukają cię – Tony poderwał się z krzesła.

Michael wyciągnął pistolet z tłumikiem i dwa razy nacisnął spust. Tony'ego z przestrzeloną głową rzuciło na przednią maskę śnieżnobiałego maybacha. Trysnęła krew i zabarwiła ją na czerwono. Jim osunął się za stolik. Michael podszedł bliżej i dla pewności oddał po jednym strzale w głowy. Strzały, jak i upadki ofiar, nie były głośniejsze niż muzyka lecąca z radia stojącego na półce. Lokalna stacja puszczała *Sway* w wykonaniu Pussycat Dolls. Wymienił magazynek.

Poszedł w kierunku biura, okrążając je od strony ogrodu. Przez te kilka lat przyglądał się budynkowi, jego otoczeniu, ukształtowaniu terenu, zasadzonym drzewom i krzewom, które mogły stanowić naturalną osłonę. Jak zwykle przewidywał i planował możliwe warianty cichego odwrotu, a nawet ucieczki z tego miejsca, sposobu bronienia się przed ewentualnym atakiem z zewnątrz. Tak na wszelki wypadek. Poznał zwyczaje mieszkańców posesji. Zarówno żona Joe, jak i ochraniarze rezydencji, nigdy tu nie przychodzili. Tylko Joe i ewentualnie jego goście chodzili przez ogród z biura do domu, ale tylko razem z nim. Nie pozwalał żonie kręcić się po tej stronie posiadłości.

Michael był pewien, że od Flicker Way nikt go nie zaskoczy. Jedyną niewiadomą było, kogo zastanie na naradzie. Potrzebował na niej Joe, Franka i Foya. Jeśli któregoś z nich nie będzie, to do rana musi go znaleźć w mieście.

Zbliżył się do budynku od strony ogrodu. Był już prawie przy drzwiach wychodzących na taras, gdy zobaczył Joe stojącego tyłem do niego i patrzącego w stronę rezydencji. Cofnął się. Nie mógł go zastrzelić, gdyż Joe był zbyt widoczny z domu, a nie wiedział, kto jest w budynku. Joe odwrócił się i wszedł do pomieszczeń. Michael powoli podszedł bliżej. W otwartych drzwiach balkonowych lekko powiewały zaciągnięte kotary. Zajrzał przez szparę między zasłonami. Znał doskonale rozkład pomieszczeń. Na kanapie tyłem do niego siedział Otis i jeszcze jeden człowiek, którego nie rozpoznał. Obaj oglądali zdjęcia, komentując widoczną na nich osobę. Foy w fotelu, po ich lewej stronie, pił drinka. Siedzący naprzeciwko Otisa, Frank przeglądał dokumenty.

Joe podszedł do Franka mówiąc:

– Sprawdź tego Michaela. Przyjęliśmy go z polecenia Moe trochę wcześniej, niż zaczęły się nasze problemy. Jest bardzo dobry, nawet lepszy niż Moe, ale nic o nim nie wiemy. Co robił przed sprawą w Hamburgu? Skąd on pochodzi? Kim on jest? Gdzie nauczył się tak walczyć? Dlaczego dotychczas nie sprawdziliśmy tego? Mam mnóstwo pytań, na które nie znajduję odpowiedzi. Zbyt wiele pytań.

– Kazałem rozejrzeć się Brandonowi. Siedzi teraz w Hamburgu. Nie sprawdzaliśmy wcześniej, bo Moe ręczył za niego i nie mieliśmy żadnych zastrzeżeń. Poleciłem naszym informatorom w policji sprawdzić w szpitalach i kostnicach, czy go przywieziono. Więcej będę wiedział rano.

– Weź od nich zdjęcia tej dziwki, bo się zaślinią. Zastanawiam się, czy szykować dla niej od razu kulkę w łeb, czy sprowadzić ją do któregoś z garaży i zmusić do śpiewania. Tylko, czy ponownie nie wyroluje któregoś z naszych? Szkoda, że nie ma Moe. Kupił brzytwę, aby obedrzeć ją ze skóry.

– Lepsza żywa. – Frank dotknął ręką głowy. – Joe, chodzą mi po głowie różne myśli. Jestem prawie pewien, że kluczem do wszystkiego jest ten gość, który ją ukrywa. To on walnął Moe i ewentualnie załatwił Michaela. Jeśli odważył się, to jest wyjątkowo mocny. A jeszcze sposób, w jaki to zrobił. Picasso by tego nie wymyślił. Tylko dlaczego sam przeciwko nam?

– A nie inna organizacja?

– Nie wiem. Ale oni zaczęliby od ciebie, potem ja i Moe. Znam tylko jednego, który dałby radę Moe, ale jego już prawdopodobnie nie ma. Ty musiałbyś być pierwszy, bo tylko ty w firmie trzymasz w ręku wszystkie sznurki. Ty pociągasz za nie. Zabicie Moe to jakby ostrzeżenie. Tylko po co? Za dużo niewiadomych.

Michael analizował sytuację. W budynku raczej nie mogło być więcej ludzi, a jeśli będzie jeszcze ktoś, to trudno. Najważniejsi aktorzy dramatu są na scenie. Jest ich pięciu. Najgroźniejsi to Foy i Otis. Ten, którego nie zna, nie zareaguje szybko, gdyż jest w nowym otoczeniu, a więc trzeci. Potem Joe. On jest nieobliczalny. Na koniec Frank.

Wszedł do środka i oddał dwa strzały. Foy zdążył spojrzeć na niego i opadł na fotel z dziurą w głowie. Otis nie odwrócił się nawet i padł na stolik z rozerwaną potylicą. Człowiek siedzący przy Otisie zareagował natychmiast, wyciągnął pistolet, lecz było już za późno. Strzał w tchawicę i poprawka w głowę. Joe rzucił się w stronę biurka. Zrobił ledwie trzy kroki, gdy dosięgła go kula Michaela. Osunął się na podłogę przed otwartymi drzwiczkami sejfu.

– Czy wiesz, że w pewnym momencie pomyślałem, że to ty? – sięgając pod marynarkę, Frank chciał odciągnąć zbliżający się koniec. – Jak dałem ci zdjęcie, to patrzyłeś na nią jakbyś... Nie dokończył. Nie zdążył wyjąć pistoletu, nie był stworzony do tego. Dwa naciśnięcia na spust i dwie kulki, jedna w pierś, a druga w głowę zakończyły żywot Franka. Michael podszedł do ciała Joe i wystrzelił dla pewności dwukrotnie. Zmienił magazynek i umieścił, w zasadzie zbędnie, po kuli w głowie Foya i Otisa. Nikt nie nadbiegł, nikogo więcej nie było w budynku.

Z szafy przy wejściu wyjął jedną z toreb, które służyły do przewozu pieniędzy i dokumentów. Włożył do niej wszystko, co znajdowało się w sejfie. Na półkach leżały paczki banknotów. Nie liczył. Przypuszczał, że prawie milion w banknotach studolarowych, zapakowanych w paczki, dokumenty i dwie koperty z napisami Bank San Francisco i Bank Luksemburg. Nie przeglądał niczego. Nie było na to czasu.

Dołożył do torby znane mu dwa albumy i miał już wyjść, gdy przypomniał sobie słowa Joe o zdjęciach. Odsunął ciało Otisa. Pod nim leżały dwa zakrwawione zdjęcia Lee. Wytarł je starannie poszetką wyciągniętą z kieszonki marynarki Franka i włożył do torby. Rozejrzał się po pomieszczeniu. Nie zostawił śladów. Na rękach miał rękawiczki, które później wraz z ubraniem i butami zniszczy. Na posesji nie było kamer. Joe nie znosił, gdy go podglądano, a zwłaszcza nagrywano.

Zapiął torbę i ruszył w kierunku bramy. Ochroniarz wyszedł mu naprzeciw, pytając, czy zjedzie więcej ludzi. Nie uzyskał odpowiedzi. Dwa ciche strzały i nieznany mu człowiek brudził krwią zadbaną granitową kostkę na wjeździe do rezydencji Joe Rose'a.

Gdy wychodził, na myśl przyszła mu modlitwa „Od zła wszelkiego wybaw nas Panie".

„Czy przy mojej pomocy wybawiono od zła wszelkiego, czy ja jestem wszelkim złem?" – zastanowił się.

Rozdział XXVI

Brat jak brat

Samochód zostawił w śródmieściu i taksówką przyjechał na Yale Street. Było już po północy. Lee nie spała. Czekała na niego. Objęła go, wtulając się w niego. Nie mógł jej oderwać od siebie. Wziął ją na ręce i zaniósł na kanapę. Usiadła na nim.

Zauważył, że gdy bardzo się bała lub nie wiedziała, co ma zrobić, siadała na jego kolanach przodem do niego, podkurczając nogi i obejmując go wpół. Długo nic nie mówili.

– Chodź spać – powiedział. – Musimy się wyspać. Rano wyjeżdżamy.

Całą noc spała albo na nim, albo trzymając go za rękę. Nie wypuszczała go ani na moment.

Wstał dość wcześnie. Zerwała się razem z nim. Kazał jej pozostać w łóżku.

– Mamy czas. Wyjedziemy około dziesiątej. Jeszcze cztery godziny. Ty odpoczywasz, a ja pakuję.

Chciała coś powiedzieć.

– Bez gadania.

Przekręciła się na łóżku, aby lepiej widzieć, co robi. Starym zwyczajem zniszczył wszystko, co miał wczoraj na sobie, wraz z torbą, którą przyniósł i zapakował do worka na śmieci. Pistolet użyty w domu Joe rozmontował na części, zamierzając pozbywać się ich po kolei, w czasie drogi. Do swojej torby dołożył pieniądze, dokumenty i zdjęcia wzięte z sejfu. Włożył też pamiątkę z pierwszego spotkania z Lee. Przyszykował ubrania na drogę. Do trzeciej torby włożył rzeczy, których nie chciał zostawiać w mieszkaniu: płyty, książki i inne, świadczące o nim. Zniósł do stojącego na parkingu samochodu, wyrzucając po drodze śmieci.

Gdy wrócił, przygotował posiłek.

– A teraz szybko z łóżka na równe nóżki – postawił jedzenie na stoliku. – Powiedziałaś, że mąż zdejmie bandaże. Gdzie on jest?

– Skończysz z głupimi pytaniami? – udała oburzoną. – Rozwodu jeszcze nie mamy i ci go nie dam, choćbyś mnie nawet bił i zdradzał – zażartowała. – Ale nie próbuj.

– Dlaczego nie mogę tego robić?

– Bo będę płakała, a tobie pęknie serce.

Po posiłku Lee, w znanym geście, wyciągnęła do niego ręce, mówiąc: – Niech mąż teraz zajmie się tym.

Na twarzy zagościł mu uśmiech. Poprawił jej fryzurę, obcinając te niesforne włosy, których nie zauważył wcześniej. Po wspólnym prysznicu założyli ubranie na podróż. Schował włosy Lee pod kapelusz, jeszcze ciemne przeciwsłoneczne okulary i byli gotowi do opuszczenia Los Angeles. Przejrzał ponownie mieszkanie sprawdzając, czy czegoś nie zostawili. Wziął swoją torbę, worek z resztkami śmieci i wychodząc, zamknął drzwi na klucz. Postanowił, że dopiero za kilka dni zadzwoni do biura i powiadomi ich o rezygnacji z mieszkania i wpłaconej przez niego kaucji. Była godzina dziewiąta, gdy wsiedli do samochodu.

Do Phoenix w Arizonie, gdzie zamierzał jechać, miał prawie czterysta mil. Po drodze zatrzymali się w Blythe, aby coś zjeść w przydrożnym barze i kupić prowiant na podróż. Kilka króciutkich postojów zrobił na parkingach, wyrzucając części rozmontowanego pistoletu.

– Zostawiamy za sobą Miasto Demonów – stwierdziła Lee, gdy opuszczali Los Angeles. – Wiesz, nie jest to takie do końca złe miasto. Dało mi męża.

– Nie jestem twoim mężem. Znasz mnie zaledwie kilkanaście dni. Nic o mnie nie wiesz.

– Nie wykręcisz się. Nawet bez ślubu nim będziesz. Znam ciebie lepiej niż ty sam siebie. Jak patrzę na ciebie, to mi się wydaje, że znamy się od bardzo dawna. Może w poprzednim wcieleniu byliśmy mężem i żoną?

– A jak nie będę chciał się z tobą ożenić?

– Ożenisz się, ożenisz. Jak ja coś postanowię, to tak będzie. Nie mam nikogo więcej na świecie. A ty masz kogoś?

Nie odpowiedział.

– Powiedz proszę.

– Tylko ciebie.

W Phoenix byli po siedemnastej. Pierwsza rzecz, jaką zrobił, to podjechał do Walgreens. Zdjęcia do dowodu, paszportu i prawa jazdy wyszły całkiem nieźle. Zatrzymali się w motelu. Wniósł bagaże do pokoju, gdzie ją zostawił, każąc czekać i nie wychodzić na zewnątrz. Nie musiał tego przypominać, na co zwróciła mu uwagę. Zostawił kluczyki do samochodu, mówiąc, że to tak, na wszelki wypadek. Powiedział, że wróci następnego dnia.

Zamówioną taksówką pojechał do Wanga. Obawiał się tej wizyty. Nie mógł jej w żaden sposób przygotować, ale nie miał wyjścia. Wysiadł kilka przecznic wcześniej i poszedł do niego pieszo. Drzwi otworzył mu Chińczyk, lustrzane odbicie lekarza z Los Angeles.

– Masz na imię Wang? – a gdy Chińczyk skinął głową, dodał – przysyła mnie twój brat Lao z Longgang.

– A co to jest Longgang?

– Takie małe miasto w Chinach.

– Wejdź.

Powtórzył mu rozmowę z Lao i wyłuszczył swoją prośbę. Potrzebował dwóch kompletów dokumentów, dowodów osobistych, paszportów, praw jazdy, metryk urodzenia i aktu zawarcia małżeństwa. Pokazał zrobione w Walgreens zdjęcia. Wang po obejrzeniu zaakceptował je, wybierając bardziej udane.

– Jakie nazwiska i dane mają być w dokumentach?

Michael podał dla Lee – Ann Lee Mils, z domu Scott, a dla siebie Michael Mils. Pozostawił imię Lee, gdyż chciał, aby coś pozostało jej z dawnego życia. W datach urodzin zostawił tylko rok, natomiast jako miejsca narodzin i ślubu kazał wpisać Chicago.

– Będą gotowe za dwa dni – obiecał Wang.

– Nie mogę tyle czekać. Zapłacę bardzo dobrze.

– Jak nie będę dzisiaj spał, to będą rano.

– Pozwolisz, że odpocznę u ciebie do rana?

Wang spojrzał na niego ze strachem.

– Nie bój się. Lao bardzo mi pomógł. Jestem jego dłużnikiem. Mogłem spłacić ten dług jedynie pieniędzmi. Dałem mu ich dużo, choć wiem, że to i tak za mało za to, co dla mnie zrobił. Na koniec zapomniał, że mnie widział i za to też jestem mu wdzięczny. Cieszy się teraz życiem z ukochaną córką, zięciem i wnukami. Zadzwoń do niego, a usłyszysz jego spokojny głos.

– Rozmawiałem z nim dzisiaj. Zostań. Żona zrobi kolację.

Lee po raz pierwszy nie posłuchała Michaela. Gdy płacił za pokój, w holu motelu zauważyła na stojaku gazetę, a na tytułowej stronie zdjęcie samochodu i nagłówek „Wojna gangów?". Poszła do recepcji i wzięła „Los Angeles Times". Rozłożyła na łóżku. Z pierwszej strony krzyczały nagłówki: „Wojna gangów?", „Masakra przy North Hillcrest Road", „Kto zabił w Chinatown?". Gazeta informowała o zabójstwie w Chinatown. Zabitym był gangster Moe Mayo, związany z przestępczymi organizacjami z zachodniego Los Angeles. Wnikliwi dziennikarze przypomnieli wydarzenie sprzed kilku lat, kiedy Mayo był podejrzany o zabójstwo swojej matki i jej konkubenta. Smaczku zabójstwu gangstera, według dziennikarzy, przydawał sposób jego popełnienia. Opisywali z detalami wnętrze samochodu, gdzie na szybach i tapicerce, a także na zwłokach oprócz krwi policyjni eksperci znaleźli sok i kawałki różnorodnych owoców. Zachodzono w głowę, kto i w jakim celu zrobił to w ten sposób. Informację zdobiły zdjęcia samochodu z niezwykle kolorowymi szybami. W kolejnym opisie, pod zdjęciami dwóch wspaniałych rezydencji, gazeta podawała kolorowym tekstem: „Na terenie posiadłości przy North Hillcrest Road i Flicker Way znaleziono zwłoki domniemanego szefa przestępczej organizacji Joe Rose'a, jego prawej ręki Franka Salesa, znanego policji gangstera Foya Dixona i pięciu niezidentyfikowanych do tej pory ludzi. Policja przypuszcza, że pozostali zabici to ludzie Joe Rose'a. Na razie nie ma podejrzanych. Spekuluje się, że mordu dokonał konkurencyjny gang. Czy to początek wojny gangów w Los Angeles?".

Całe kolejne strony gazety zajęte były opisami zabójstw, opiniami ekspertów i pseudoekspertów od gangów, lakonicznymi wypowiedziami policji. Na razie nie wiedziano zbyt wiele.

Lee włączyła telewizor. W wiadomościach podawano takie same informacje, uzupełniając je pogłoskami o kilku kolejnych zabójstwach w Mieście Aniołów sugerując, że są związane z walką gangów o schedę po Joe Rose'em.

Położyła się na łóżku, zrzucając gazetę na podłogę. Głowę przykryła poduszką. Łzy nabiegły jej do oczu.

„Zabił z mojego powodu dziewięć osób. Zrobił to dla mnie. Śmierć za mną idzie. To byli mordercy" – pocieszała się. – „Oni bez skrupułów zamordowaliby mnie i Michaela, tak jak zamordowali mamę i tatę, i Margaret, i Adama" – wyliczała. – „Co my im zrobiliśmy, że ten Rose i Moe Mayo, tak okrutnie z nami się obeszli. Co ja im zrobiłam, że ścigali mnie jak dzikie zwierzę? Michaela też by zabili, że mnie chronił. Za to, że mnie bezbronną karmił, mył i ubierał, zakatowaliby go na śmierć. Nie znieśliby jego dobroci. Moe tylko odepchnęłam, a on wgniótł mi ręce w szkło. Gdyby nie Margaret, zmiażdżył by mi je, a potem wszystkie kawałki mojego ciała. Ci jego kumple też nie byli lepsi. Może nie mam Boga w sercu, ale należało im się to, co ich spotkało. Musiał to zrobić dla mnie i dla siebie. Niepotrzebnie po wyjściu od lekarza spytałam, czy to Moe Mayo. Nigdy więcej nie spytam go o tych ludzi. Już ich dla nas nie ma. Żeby Michael szybko i szczęśliwie wrócił. Gdzie on teraz jest? Załatwia ważne sprawy. Chce zrobić wszystko, abym była bezpieczna. Ale gdzie on jest? Zrobi tak, że będziemy mieli własny dom, dzieci. Wyjdę za niego!".

„Jaka ja jestem głupia. Po co ja jemu, kłopot na całe życie? Zostawi mnie gdzieś w bezpiecznym miejscu i ułoży swoje, tak jak będzie chciał. Zostawi mnie! Nie pozwolę na to. Nie mam nikogo więcej. Naprawdę, nie mam nikogo więcej. Będę błagała, płakała żeby został ze mną. Co ja głupia wygaduję? Tyle już zrobił dla mnie, więc mnie nie zostawi".

Zasnęła.

W nocy przebudziła się i wyłączyła telewizor. Nie mogła nic przełknąć. Napiła się trochę wody i chodziła po pokoju, rozmyślając. Strach jej nie opuszczał.

„Gdzie on jest? Może coś mu się stało? Może potrzebuje pomocy, a ja siedzę tu bezpieczna i nie biegnę mu na ratunek. Gdzie on jest?".

Ponownie usnęła, gdy już było widno.

Michael zjadł kolację z Wangiem i jego żoną. Wang pochłonął ją szybko i poszedł do pracowni kontynuować prace nad dokumentami, zostawiwszy otwarte drzwi do salonu. Nie chciał żadnych niedomówień. Kobieta udała się do swojego pokoju, a Michael usiadł w fotelu i na zmianę oglądał program w ściszonym telewizorze lub kartkował babskie czasopisma pani domu. Przez całą noc nie zmrużył oka. Rano zjadł podane mu śniadanie, na które Wang nie wyszedł. Około dziesiątej dokumenty były gotowe.

– Niesłychane, nie odróżniam ich od oryginalnych – Michael przewracał je w rękach.

– Nikt nie pozna, że nie są prawdziwe.

– Niewiele czasu potrzeba na ich zrobienie.

– Tak, jeśli ma się oryginalne druki i bardzo dobre urządzenia, a ja je mam. Dokumenty tożsamości robię tylko dla swoich. Bardziej mnie interesuje historia, druki i dokumenty sprzed lat. Ale proszę zapomnieć, że to powiedziałem.

– Ja nic nie będę pamiętał, jak tylko stąd wyjdę. Mam nadzieję, że pan też.

– Oczywiście.

– Dlaczego pomógł mi pan?

– Mój brat zakochał się w pana żonie. Tak mi powiedział stary dureń. Prosił, abym zrobił dla niej wszystko, co tylko możliwe. Tak to już jest w naszym krótkim życiu – pokiwał głową. – Powiedział, że spotkał Anioła. Tutaj ma pan jeszcze papiery potrzebne do wyrobienia numerów Social Security.

Zapłacił tyle, ile chciał Chińczyk i wręczył po pięć paczek banknotów.

– To premia dla pana i druga dla brata.

Wrócił do motelu.

Gdy wszedł do pokoju, Lee spała. Leżała na łóżku w ubraniu. Zastanawiał się, kiedy udało jej się usnąć. Podniósł z podłogi gazetę. Rzucił na nią okiem. Takie same wiadomości, jak te, które nadawały stacje telewizyjne. Położył się przy niej, objął i pocałował w szyję.

– Wstajemy. Musimy jechać.

Rozdział XXVII

Na wolności

Do celu miał prawie dwa i pół tysiąca mil, gdyż nie chciał jechać wzdłuż meksykańskiej granicy. Tamtędy było bliżej, ale tam mógł przypadkowo natknąć się na ludzi, którzy go znali, gdyż często z polecenia Joe jeździł do Tucson i San Antonio. To prawie trzy dni jazdy non stop. Nie spał wiele, więc postanowił zatrzymać się na dzień lub dwa w Albuquerque w Nowym Meksyku. Lee też się należał dłuższy wypoczynek. Wyglądała źle. Szara, zmęczona twarz, podkrążone i zapłakane oczy świadczyły o nieprzespanej nocy. Na twarzy widział uczucia, które nią targały, gdy go nie było przy niej. Zastanawiał się nad realizacją dalszej części planu. Spojrzał na Lee. Usnęła. Jak to zniesie, gdy będzie musiał opuścić ją na dłużej? Odwrócił ponownie głowę w jej stronę.

– Patrz na drogę – oczy miała zamknięte. – Skup się na jeździe i nie obserwuj mnie wciąż. O czym myślisz? – podciągnęła się wyżej na fotelu.

– Masz rację. Jak dojedziemy, to wtedy będę myślał.

– Dokąd jedziemy?

– Do Albuquerque. Tam odpoczniemy dzień lub dwa.

Na miejscu byli wieczorem. Bez problemu znaleźli wolny pokój w hotelu Andaluz, ładny, z łazienką ukrytą za rozsuwanymi brązowymi drzwiami z dużymi mlecznymi szybami. Lee z zachwytem

patrzyła na ogromne małżeńskie łoże z białą pościelą i zieloną narzutą w nogach, stojące na tle gustownej drapowanej kotary. Po
rozsunięciu drzwi ukazała się brązowa z zewnątrz wanna, stojąca
na środku łazienki. Lee wydała okrzyk.

– Wreszcie wanna! Jaka duża! Możemy się wykąpać?

– Musimy. Za niecałą godzinę obsługa przyniesie wyprasowaną
kreację, więc nie trać czasu.

Zrzuciła ubranie, nalała płynu do kąpieli i odkręciła kurki. Kiwnęła mu ręką. Nie namyślał się długo. Wziął gąbkę i pianą masował
jej ciało. Zaczął od twarzy, ramion, doszedł do piersi. Powoli delikatnie mył ręce. Chińczyk był cudotwórcą. Jego sztuka lekarska
i stosowane przez niego środki i maść dały nadzwyczajne efekty.
Dłonie pięknie się goiły, a na ciele nie było już prawie widać śladów po zadrapaniach.

– Nie zamierzaj mi ich teraz smarować – powiedziała z bły-
skiem w oczach. – Będę ich zaraz potrzebowała – włożyła ręce pod
wodę, dotykając go.

Odwrócił ją, sadzając tyłem na sobie. Gdy unosiła się, poru-
szając biodrami, mył jej plecy, masował piersi. Były wspaniałe,
piękne, duże, jedwabiste i jędrne. Zapomnieli o wszystkim. Miał
ją, a ona jego i niczego więcej nie potrzebowali. Świadomość przy-
wróciło im pukanie do drzwi.

– To już przynieśli ubranie? – wyszedł z wanny, owijając się
ręcznikiem.

Otworzył drzwi, wpuszczając do apartamentu pokojówkę z wyprasowaną kreacją Lee, jego koszulą, spodniami i marynarką.

– Przepraszam za swój strój – powiedział, wręczając banknot.
– Zapomniałem się.

– Proszę nie przepraszać. Zdarza się – odpowiedziała drobniut-
ka, ładna pokojówka i pomyślała, wychodząc: „Z takim facetem
to i ja zapomniałabym się na amen. Bardzo bym się zapomniała".

Zamykając drzwi, zlustrowała go od stóp do głów, mając nadzieję, że ręcznik spadnie.

– Widziałam wszystko – Lee stała w pokoju. – Chciała ci wzrokiem ściągnąć ręcznik. Dałabym jej popalić, gdyby to zrobiła.

– Damy tak się nie wyrażają. Idziemy na kolację.

– Masz rację. Powinnam powiedzieć, że dostałaby ode mnie po buzi.

Roześmiał się.

Na kolację zeszli do restauracji. Usiedli przy stole okrytym złotym obrusem z białym wykończeniem, pod żółtym lampionem zwisającym z sufitu zdobionego drewnianymi belkami. Podszedł kelner. Michael zapytał, czy mają filet mignon lub foie gras z croutons. Gdy kelner przeprosił, że nie, to – czy na deser dostaną crêpes suzette z kieliszkiem calvadosa. Lee roześmiała się i poprosiła o przystawki: smażoną rybę z rukolą, sałatą i avocado na grzankach, a dla Michaela duży stek wołowy w sosie słodko-kwaśnym, na smażonych plasterkach ziemniaków, z sałatą z szampanowym dresingiem, a na deser amerykańską szarlotkę, lody i kawę. Kelner postawił na stole zamówione dania i o dziwo – butelkę calvadosa.

– Mamy na to wszystko? Na hotel i takie smakołyki? – zapytała.

– Jak mi braknie pieniędzy, to wyślę cię do kuchni na zmywak. Zarobisz na wikt i opierunek, a ja załapię się na pomocnika tej od prasowania.

– Niedoczekanie jej.

Lee po raz pierwszy była zupełnie rozluźniona. Wszystko złe zeszło z niej. Kolory wróciły na twarz. Była pełna energii, choć niewyspana. Cieszyła się, że siedzi w eleganckiej restauracji, je naprawdę pyszne jedzenie, a jak skończy z rybą, to kelner przyniesie jej szarlotkę, w którą wbije ząbki, a potem włoży do buzi łyżeczkę lodów i napije się odrobiny calvadosa, rozpuszczając zimny lód w ustach. Co chwila łapała Michaela za rękę, uniemożliwiając mu krojenie mięsa. Gdy puściła na chwilę, szybko pokroił mięso na małe kawałki. Gdy znów trzymała jego palce, jadł, używając jedynie widelca. Cały wieczór spędzili w restauracji, rozmawiając.

Opowiadała mu o dzieciństwie, szkole, swoich sportowych dokonaniach.

Gdy zażartował, że chyba była czirliderką w drużynie bejsbolowej, z udawanym oburzeniem odpowiedziała:

– Gdyby nie to, że tak cię kocham, to już miałbyś wbity widelec w ten twój podły język. Wyobraź sobie, niedowiarku, że reprezentowałam szkołę w gimnastyce artystycznej, a później w lekkoatletyce. Startowałam w biegach na czterysta metrów i w skoku wzwyż.

– Dopóki mi piersi nie urosły – dodała, widząc jego wzrok skierowany na jej biust. – Prawie do połowy szkoły średniej byłam płaska jak deska. Nie myśl sobie, nie jestem jakąś fajtłapą.

„Nawet Moe Mayo nie dał jej rady" – wspomniał Rio Blanco Street. – „Nie było mocnych na niego, a ona prawie wysłała go na tamten świat. Nawet facet z uzi, mimo że to ja go załatwiłem, nie wykończyłby Moe, a ona prawie to zrobiła".

– O czym myślisz?

– Tylko o tobie. O niczym więcej nie potrafię. Myślę o twoich włosach, oczach, piersiach, brzuchu, nogach, rękach, o każdej części twojego ciała.

– Jesteś kochany.

Michael powiedział jej, co będą jutro robić. Zaprotestowała, gdy wspomniał o kupnie nowych ubrań dla niej, mówiąc, że nie potrzebuje. Zdziwiła się, że chce ją zabrać do fryzjera i kosmetyczki. O wszystkim pomyślał. Zaproponował pójście do Muzeum of Art & History, by obejrzeć rzeźby w plenerze. Cieszyło ją to, co mówił. Sama paplała bez końca. Zapomniała na chwilę o minionym i obawach.

Dopiero późnym wieczorem położyli się do łóżka. Przed zaśnięciem Lee stwierdziła:

– Czuję się teraz tak, jakbym wyszła na wolność z jakiegoś koszmaru. Wreszcie oddycham.

Rano przygotował dla niej kąpiel i poprosił, aby zrelaksowała się przez godzinę w wannie. Domyśliła się. Ma coś do zrobienia. Upewniła się tylko, że nigdzie nie wychodzi. Gdy pluskała się w wodzie, pozostawił całkowicie rozsunięte drzwi do łazienki. Poukładał na stoliku to, co wziął z biura Joe. Przeliczył pieniądze. Było sto dziesięć paczek po sto banknotów studolarowych, więcej niż wcześniej przypuszczał. Miał, razem ze swoimi, ponad milion dolarów. Chwilę się zastanowił, gdzie je włożyć. Do butów, które kupił Lee, dodano zawiązywane płócienne torby do ich przechowywania. Wyjął z nich buty i do jednej włożył pieniądze. Pozostawił sto tysięcy. Przeglądając koperty z napisami Bank San Francisco i Bank Luksemburg, stwierdził, że albo Joe się starzał i miał sklerozę, albo był beztroski. W każdej był dokument o wynajęciu skrytki w banku, jej numer, kluczyk i odręczna notatka sporządzona przez Joe Rose'a z fikcyjnym nazwiskiem i dwoma imionami. Moe, w przypływie zaufania albo raczej pokazania swojej pozycji u Joe, opowiedział mu, jak zawozi pieniądze za przemycane towary i narkotyki do banku w Luksemburgu, podaje dwa imiona z nazwiskiem i numer skrytki, a pracownik swoim kluczem otwiera jeden zamek, zostawia go samego i wychodzi. Wtedy on otwiera swoim kluczem drugi i umieszcza w niej pieniądze. Chwalił się, że skrytka jest duża. Wkładając koperty do drugiej torby, Michael uświadomił sobie, że tak samo jest w banku w San Francisco. Tej skrytki nie mógł otworzyć. Federalni na sto procent namierzyli ją, interesując się działalnością Joe Rose'a. Albumy ze zdjęciami i pozostałe swoje osobiste rzeczy dołożył do nich. Wszystko zapakował do torby z książkami i płytami.

Usiadł na łóżku naprzeciwko łazienki i patrzył, jak się kąpie. Wyszła z wanny, stanęła naprzeciwko niego.

– Zrobimy coś, zanim znowu przyjdzie ta mała?

– Nie, jedziemy zwiedzać miasto. Ale jesteś napalona.

– Też byś był, gdybyś do dwudziestego trzeciego roku życia tylko przez krótki czas miał dziewczynę. Ja miałam chłopaka przez pół roku i okazał się, jak mówiłam, gnojkiem. Jesteś sobie w stanie wyobrazić, że tylko jednego? Ależ skąd! Miałeś dziewczyn na kopy. Nie zaprzeczaj. Gdybym wyszła z hotelu, to ta mała już by tu była ścielić łóżko. Ale nie wyjdę.

Dał jej klapsa, rzucił na łóżko i po wszystkim zmusił do założenia bielizny i sukienki, gdyż żądała powtórki.

Po śniadaniu ruszyli zwiedzać miasto. Dużo czasu spędzili w Museum of Art & History.

Gdy oglądali rzeźby hiszpańskich konkwistadorów, pierwszych osadników, ich zwierząt i wozów, trzymała go pod rękę, mówiąc:

– Jak żona z mężem.

– Jest nasze dziecko z nianią – podbiegła do rzeźby matki z dzieckiem i usiadła przy nich na betonowej ławce.

Nie chciała wstać, póki nie usiadł przy niej. Połowa dnia upłynęła im na zwiedzaniu. Potem muzeum historii naturalnej i przejazd kolejką linową na szczyt Sandia Aerial nad głębokimi kanionami.

Wieczorem zakupy w eleganckim sklepie. Prosiła, żeby nie wydawał pieniędzy, mówiąc, że nic więcej nie potrzebuje. W salonie fryzjerskim spróbowano poprawić fatalnie obcięte przez niego włosy, zrobiono makijaż i manikiur. Dyskretna manikiurzystka nie zadała pytania o jej dłonie. Lee poprosiła, żeby został. Usiadł w fotelu i udawał, że przegląda babskie gazety.

Michael nie bał się, że ktoś zapamięta Lee. Dla tych, którzy jej zagrażali, ona nie żyła, a on w zasadzie też nie istniał. W jego zniknięciu pomógł przypadkiem Tom, zlecając policyjnym informatorom poszukiwania. Gdy go nie znajdą, pomyślą, że zakopano jego zwłoki na pustyni lub utopiono w oceanie. Nigdy nie był notowany, nie zostawił po sobie śladów. Zawsze było jakieś „ale", lecz – jak sądził – mało prawdopodobne. Zagrożeniem był Brandon, gdyż szukał informacji o nim w Hamburgu. Czy dotrze do Wielkiego Szefa w Polsce, czy on lub inni skojarzą tamte sprawy z Los Angeles? Tom Sales wpadł na jego trop, więc może i innym przy pomocy Brandona i Benita też się uda. To musi rozwiązać jak najszybciej.

Z rozmyślań wyrwał go głos właściciela studia urody o wyglądzie geja:

– Czy ma pan jeszcze jakieś życzenia?

– Nogi uginają mi się z wrażenia – patrzył na Lee. – Z bóstwa zrobił pan jeszcze większe bóstwo. Dziękuję panu bardzo.

Wyglądała cudownie. Włosy idealnie przycięte, nałożona profesjonalnie farba, makijaż dobrany do koloru oczu i włosów. Do tego paznokcie umalowane na lśniący czerwony kolor.

– Naprawdę tak ci się podobam mimo tej czarnej fryzury? – zapytała w samochodzie.

– Jestem zachwycony, ale wolę ten twój piękny blond warkocz. Jeszcze trochę, a będziesz mogła mieć naturalny kolor.

– Jak trochę będzie to trochę?

Nie odpowiedział.

Rozdział XXVIII

Miami

Do Miami przybyli po tygodniu podróży. Nie spieszył się, nic ich nie goniło. Zatrzymywali się wielokrotnie, i w Amarillo, i w Dallas, a potem w Jackson i Tallahassee. Znaleziony w Internecie mały dom był do wynajęcia. Z pracownikiem estate agency pojechali na miejsce przy Southwest 20 Street. Dom był niewielki, skromnie urządzony. Nie zamierzał spędzić tu całego życia, więc nadawał się na czasowe lokum. Cena była do przyjęcia. Wynajął go na cały rok. Umeblowanie było skromne, w nie najlepszym guście. Wspomniał rękę żony Darby'ego. Między tym a jej domem była przepaść.

– Musi nam to na razie wystarczyć – powiedział do Lee.

– Wystarczy. Kiedyś urządzę nasz dom tak, że nigdy go nie opuścisz, i... mnie. Wierz mi, mam dobry gust.

Ledwo zdążyli rozpakować rzeczy, gdy rozległo się kołatanie do drzwi. Lee zamarła. Pokazał jej ręką, aby przeszła do aneksu kuchennego. Wsunął rękę pod marynarkę, sprawdził pistolet i wyjrzał dyskretnie przez okno. Pod drzwiami stała kobieta w wieku około pięćdziesięciu lat z talerzem lub półmiskiem. Rozejrzał się, nie zauważył nic podejrzanego. Kobieta ponownie uderzyła kołatką. Trzymając rękę na kolbie pistoletu, otworzył drzwi.

– Nazywam się Margaret Taylor i jestem państwa sąsiadką. To ten domek – wskazała wolną ręką w kierunku swojego domu. – Piekłam szarlotkę, gdy zobaczyłam, jak się wprowadzacie. Przyniosłam na powitanie. Już wychodzę, nie chcę przeszkadzać.

– Proszę usiąść. Nazywam się Michael Bell, a to moja żona Ann.

– Widzę, że żona jest bardzo zmęczona.

– Tak. Mieliśmy bardzo długą podróż. Marzę o kąpieli i łóżku – Lee przywitała się z sąsiadką.

– Zostawiam placek i zapraszam wieczorem do nas, na kolację. Jak sądzę, nic nie macie w domu. Opowiem wszystko, co i gdzie jest, gdzie najlepiej i najtaniej robić zakupy. Poplotkujemy. Przepraszam, jeśli wydaję się trochę natrętna, ale jesteśmy z mężem sami. Dzieci wyjechały i nie mamy z kim porozmawiać.

– Przyjdziemy.

Gdy tylko wyszła, Lee opadła z sił. Objęła Michaela, dygocząc.

– Boże, jak ja się bałam. Jak ja się bałam, gdy usłyszałam kołatanie do drzwi. Prawie zemdlałam, gdy wypowiedziała imię Margaret.

Przespali całe popołudnie i wieczorem poszli na proszoną kolację. Dom Taylorów był większy od ich. Umeblowanie zdradzało, że mieszkają tu od wielu lat. Widać było jeszcze rzeczy świadczące o przebywaniu tu niegdyś dzieci. Przeprosili za przyniesioną jedyne butelkę wina i pustą paterę po cieście. Nic więcej nie mieli na razie. Gospodarze okazali się bardzo sympatycznym małżeństwem. Dowiedzieli się, że zarówno Margaret, jak i jej mąż Christian, pracują w Shenandoah Middle School, znajdującej się po przeciwnej stronie ulicy. Christian jest nauczycielem historii sztuki, a Margaret pracownicą administracyjną. W szkole pracują od dwudziestu pięciu lat. Tutaj urodziły im się córki, które teraz są na studiach w Houston. Margaret opowiedziała Lee o sąsiadach, z którymi nie mają kontaktów, gdzie można robić tanie zakupy, co warto w Miami zobaczyć. Na pytanie, czym się zajmują, Michael odpowiedział, że przygotowuje album ze zdjęciami parków Everglades i Biscayne. Dotychczas fotografował dla agencji i sprzedawał im zdjęcia, ale ukazywały się nie pod jego nazwiskiem. Teraz to będzie jego autorska praca.

– Ann mi pomaga i będzie współtwórcą albumu. Znajdą się w nim moje i jej zdjęcia. Czekamy na sprzęt fotograficzny. W tym tygodniu przyślą.

– Czy po jego wydaniu otrzymamy album? – zapytała Margaret.

– Oczywiście.

– Można z tego wyżyć? – ciekaw był Christian. – Jak dużo podróżujecie?

– Oczywiście, ale skromnie. Ciągle się przemieszczamy. Najtrudniejsze, ale zarazem najciekawsze są dni i tygodnie w plenerze, na łonie natury. Całymi tygodniami siedzimy w dziczy, czekając na jedno zdjęcie.

Obiecał, że jak tylko ukaże się ich album, otrzymają go z dedykacją.

Spędzili miły, długi wieczór, zapraszając Taylorów z rewizytą za kilka dni. Michael cieszył się, że Lee będzie miała kogoś do pogadania, gdy on będzie wyjeżdżał. Wrócili do domu późno, lecz nie chciało im się spać.

– Nie wiedziałam, że jesteś uznanym fotografem.

– Niewiele wiesz.

– To co takiego sfotografowałeś? Największe twoje dzieło i w jakiej galerii wisi? – przekomarzała się.

– Twój akt będzie moim największym dziełem. Powieszę go w Luwrze koło tej, która straciła ręce. Jak zobaczy twoje posągowe ciało niczym nieokryte, te cudowne krągłości, delikatną skórę, piękne blond włosy, twarz anioła, to z zazdrości pęknie wpół. Ręce odpadły jej już przed wiekami, gdy spotkała się z twoją prababką.

– Przestań, bo robię się wilgotna – rzuciła się na niego.

Leżała na nim i patrzyła mu w oczy.

– Przedstawiasz mnie jako swoją żonę.

– A właśnie – wyśliznął się spod niej.

Przyniósł i pokazał jej dokumenty zrobione przez Wanga.

Nie mogła uwierzyć: – Jestem twoją żoną, naprawdę jestem twoją żoną?

– Jesteś, ale ślub weźmiemy później.

Spojrzała na niego.

– Będziemy mogli?

– Obiecuję ci. Zapamiętaj wszystkie dane z paszportu, aktu urodzenia i aktu małżeństwa.

Ucieszyła się, gdyż zostawił jej imię jako drugie. Kazał jej powtarzać: Jestem Ann Lee Mils z domu Scott, żona Michaela. Jestem z Chicago. Pokazał jej swój dodatkowy dowód i prawo jazdy na nazwisko Bell.

– Używaj na razie nazwiska Bell. Jak stąd wyjedziemy, będziemy nazywali się Mils i to na zawsze.

Następny dzień spędzili na zakupach. Kupili nowy, ale używany samochód, a ten, którym przyjechali do Miami, pozostawili na złomowisku. Dwukrotnie wracali do domu, wypakować zakupy. Potrzebowali jedzenia, kosmetyków, chemii gospodarczej, brakującego wyposażenia kuchni. Na koniec pozostawił zakupy uwiarygodniające ich zawód. Dla siebie i Lee kupił profesjonalne aparaty marki Canon z kompletami obiektywów, jak im doradził sprzedawca w firmowym sklepie, do tego torby na sprzęt, statyw i niezbędne akcesoria. Zdziwił się, jaką Lee ma dużą wiedzę o fotografowaniu. Dyskutowała ze sprzedawcą o doborze obiektywów, filtrów i kart do aparatów. Do tego wybrali jeszcze notebook HP. Tak zaopatrzeni mogli udawać parę fotografów.

Kolejne dni upływały na zwiedzaniu miasta. Robili dużo zdjęć. Mistrzem w tej dziedzinie okazała się Lee. Wieczorem przegrywali zdjęcia do notebooka, zakładając katalogi o nazwach – Przyroda, Parki, Ludzie, Zwierzęta, Architektura, Codzienność – chcąc, aby wyglądało jak u zawodowców. Gdy któregoś dnia markotny kasował kolejne zrobione przez siebie a nieudane zdjęcia, Lee wyszła z łazienki tylko z ręcznikiem obwiązanym nisko na biodrach, mówiąc:

– Rób dzieło życia. Pokażemy tej z Milo.

– Masz odwagę! – pstryknął kilka ujęć.

– A teraz jeszcze kilka – rozwiązała ręcznik i zsunęła na podłogę.

Kolejne zdjęcie i kolejne. Odstawił aparat na bok i zajął się modelką. Gdy zsunął się z niej, przekręciła się na brzuch. Przeglądała zrobione przez niego fotografie.

– Złe, do kitu, za szybko zrobione, bez wyrazu, jak ta panienka na tym zdjęciu stoi – kasowała po kolei. – Musisz się poprawić i pogonić dziewczynę, aby lepiej się przyłożyła. Ale trzeba cię pochwalić. Finał sesji był wspaniały. A co powiesz o obiekcie twoich westchnień? Wiesz, że wzdychałeś? – pocałowała go w rękę.

Fotografowali budynki, pomniki, statki i jachty, ludzi. W Bayfront Park, Tropical Park, Fairchild Tropical Botanic Garden i Peacock Park robili zdjęcia drzew, krzewów i kwiatów. Spędzili kilka dni w parkach Everglades i Biscayne, a tam obiektem ich pasji były żółwie, krokodyle, manaty i ptaki. Piękne zdjęcia uzyskała Lee, fotografując kraby na plaży i zachody słońca. Na żadnym zdjęciu nie było ich.

Jadali w restauracjach Pollo Tropical, gdzie podawano dania kuchni Floribbean – połączenie kuchni karaibskiej i latynoskiej z amerykańską, a także potrawy z owoców morza serwowane w restauracjach położonych wzdłuż Miami River oraz w Biscayne Bay.

Kilka razy byli na kolacji u Taylorów, zaprosili ich do siebie. Margaret przynosiła im wszystkie plotki usłyszane w szkole i marketach. Christian wielokrotnie strofował żonę, że za dużo mówi i o wszystkich.

– Wyobraź sobie, że w pracy do nikogo nic nie mówię – żaliła się do Lee. – Mój mąż, ten terrorysta, nie pozwala mi plotkować w pracy. Zakazał mi tam mówić o naszych domowych sprawach i o sąsiadach.

I po cichu:

– Ale on ma rację. Ludzie potrafią być podli.

Taylorom podobały się zdjęcia. Nie mówili im, które zrobił Michael, a które Lee, ale to jej uznali za najlepsze.

– Mają jakieś coś – stwierdziła Margaret.

Dużo czasu spędzali nad morzem. Lee przez rok prawie nie wychodziła z domu, więc teraz cieszyła się z każdej chwili spędzonej na powietrzu, nad wodą, na plaży, w parku.

Gdy odpoczywali na piasku, na plażowych ręcznikach pod rozłożonym parasolem, Michael ustalał plan dalszego działania. Główną postacią był Brandon w Hamburgu, później Benito i jego ludzie, albo odwrotnie, i jeszcze jeden człowiek, ale to mogło być najtrudniejsze. Zaczął wspominać Lee o konieczności pozostawienia jej samej. Nie chciała tego słuchać. Byli w Miami cztery miesiące. Więcej nie mógł już czekać, ale bał się pozostawić Lee samą na dłużej. Zostawiał ją na kilka godzin z Margaret, gdy otwierał w banku rachunek i wyrabiał kartę bankomatową na nazwisko Michael Bell, gdy w małym wydawnictwie załatwił kilka przelewów na ten rachunek, na sumę ponad dwustu tysięcy za zdjęcia do albumów fotograficznych. Wydawnictwo nie potrzebowało tych zdjęć, ale potrzebowało nieopodatkowanych kilkudziesięciu tysięcy. On był zadowolony, a oni tym bardziej. Cały dzień spędził w Atlancie, gdzie byli pochowani rodzice Lee. To jedyne jego wyjazdy. Teraz miał się udać do Europy na kilka tygodni, a Lee błagała, żeby tego nie robił.

Wspomniał o swoim wyjeździe na kolacji u Taylorów. Poprosił ich, aby w tym czasie zaopiekowali się Ann. Powiedział o zamówieniu, jakie mu złożono na zdjęcia w Meksyku. Nie chciał brać żony ze względu na sytuację panującą na terenach graniczących ze Stanami, a zwłaszcza dlatego, że jego pobyt potrwa tam kilka tygodni. Taylorowie obiecali zająć się Ann.

Lee zrozumiała. Nie ma innego wyjścia i jeśli Michael tak mówi, to jest to konieczne. Domyśliła się. Ktoś im jeszcze zagraża.

– Kiedy wyjeżdżasz? – zapytała Margaret.

– Za dwa tygodnie.

– Margaret, moja droga – powiedziała Lee – weźmiesz mnie jutro do swojego lekarza? Chcę zrobić sobie badania przed wyjazdem Michaela.

Kupił bilet lotniczy do Nassau, stamtąd do Londynu, później do Kopenhagi.

Przez czas, jaki pozostał do ich rozstania, Lee nie chciała nigdzie wychodzić z domu. Ledwo kilka razy Michael zabrał ją na obiad i kolację. Widział jak się martwi, przeżywa nieuchronną rozłąkę. Tłumaczył jej, że będzie z nią Margaret i Christian.

Nie chciała słuchać, gdy jej mówił, co ma zrobić w razie, gdyby go zabrakło. Zatykała uszy rękoma. Gdy zirytowany podniósł na nią głos, tłumacząc po raz kolejny, że Margaret zaopiekuję się nią, wymamrotała ledwie słyszalnie:

– Już raz Margaret opiekowała się mną i co z tego wyszło?

Cały czas ciągnęła go do łóżka. Nie chciała rano wstawać, nim nie spełnił obowiązków męża. W dzień twierdziła, że musi się natychmiast położyć, gdyż boli ją głowa i prosiła go o masaż skroni, który kończył się na pieszczotach całego ciała.

– Ja się wykończę – żartował po kolejnym razie. – Ja już nie mogę.

– Oj, możesz, możesz – przejmowała inicjatywę.

Wieczorem popłakiwała często, wtulając się w niego.

Kiedy przyjechała zamówiona taksówka, mająca go odwieźć na lotnisko, była opanowana i pożegnała się, życząc i jemu, i sobie szybkiego powrotu.

Rozdział XXIX

Mały

Mały siedział w hotelowej restauracji i spoglądał to na zegarek, to w okno, obserwując przejeżdżające ulicą samochody. Nie był tutaj sam. Przy stolikach siedziało kilka osób. Dwa stoliki dalej kolację jadł Ćma, nowy nabytek Szefa, z dziewczyną wziętą dla kamuflażu. Wybrał ten stolik, aby wychodząc z restauracji, musiał przejść obok Małego. Po drugiej stronie ulicy, w samochodzie na stacji benzynowej, czekał Gnat z jeszcze jednym z ludzi. Szef nie chciał żadnej fuszerki. Wiele się zmieniło od tamtego czasu. Zegar nie żył, zastrzelony w Warszawie. Lama w zeszłym roku wyłowiono z rzeki. Zginęło kilku ludzi, których znał. Kot powiesił się w więzieniu, choć to nieprawda. Zeznawał i sypał tych ze służb specjalnych, policji, prokuratury, ważne osobistości. Powiesił się na krawacie, którego nie miał w celi. Anioł zniknął. Osę zastrzelił osobiście z polecenia Szefa. Ze starej gwardii pozostał tylko on, Lewy i Artur Bert. Lewego Szef trzymał przy sobie, gdyż tylko jemu ufał.

Nic się nie działo. Czekał.

Zazdrościł Ćmie roli, którą mu Szef wyznaczył. Miał być jego obstawą i egzekutorem. Jako przykrywkę Bert dał mu jedną z kurewek z burdelu będącego w rękach organizacji. Udawali zakochaną parę. Dziewczyna była dość ładną, cycatą, farbowaną blondynką. Zgrabna, trochę puszysta, przyciągała wzrok innych gości. Przyjechali dwa dni przed nim i zameldowali się w hotelu. Żałował, że nie jest na miejscu Ćmy. Cała robota tamtego to żarcie w knajpie, rżnięcie dziwki, a w finale wyciągnięcie gnata i strzał. Spojrzał na dziewczynę. Była zadowolona. Zamiast w burdelu kilkunastu klientów dziennie, jeden rano, w dzień i w nocy. Jeden i ten sam, i od czasu do czasu wyprowadza ją na spacer. Tak kazał Bert.

Była osiemnasta trzydzieści. Czekał już półtorej godziny. Zamówił przystawkę, herbatę, wodę mineralną i butelkę wódki z dwoma kieliszkami. Jeden dla siebie, drugi dla oczekiwanego gościa. Nalał do jednego, wypił od razu i nalał ponownie. Miało wyglądać wszystko naturalnie. Był ciekaw spotkania.

W poniedziałek zadzwonił do niego Anioł. Chciał się umówić sam na sam, bez świadków. Powiedział, że chce porozmawiać o interesach i ma dla niego propozycję. Duży interes, jak to określił.

Mały zgodził się, proponując spotkanie w Łodzi, choć wiedział, że Anioł wybierze inne miejsce.

Wyznaczył tam, gdzie się rozstali prawie cztery lata temu, w hotelu Mościcki.

– To naprawdę duże pieniądze – usłyszał Mały. – Nie zlekceważ tego. Będziemy ustawieni na całe życie. Nie mów nikomu. Nie mów Szefowi. To duża szansa dla ciebie i dla mnie. Spotkajmy się w piątek w Spale, w restauracji hotelu, przed którym mnie wtedy wysadziłeś. Będę tam między siedemnastą a dwudziestą.

Mały tylko chwilę myślał o własnym interesie. O telefonie od Anioła powiadomił Szefa. Nie z powodu lojalności. Kierowała nim obawa, że Benito ma jego telefon na podsłuchu, lęk przed konsekwencjami, jakie niosła samodzielna akcja, a zwłaszcza akcja przeciwko Szefowi. Może Aniołowi o to chodziło? Może chciał przejąć interes?

Benito zadzwonił po Artura Berta. Na naradę wezwano Małego i Lewego. Nurtowało ich, co zamierza Anioł, po co chce się spotkać. Najbardziej prawdopodobne wydało im się, że chce wrócić, aby przejąć interes Szefa. Tylko kto za nim stoi? Już raz zła ocena sytuacji po jego zniknięciu o mały włos nie doprowadziła do totalnej wojny z warszawiakami. Nim się wyjaśniło, było kilka trupów. Zginął Zegar. Musieli odpuścić wiele intratnych interesów i do dzisiaj jeszcze nie odbudowali swojej pozycji. Bert apelował, aby nie działać pochopnie.

– Podejdźmy do tego spokojnie. Mały spotka się z Aniołem tam, gdzie się umówili. Gdy ten jeszcze raz zadzwoni, potwierdź miejsce i termin. Przygotujemy pułapkę. Nie będziemy pytać, po co i dlaczego. Od razu do piachu, bez zastanawiania się.

Szef skontaktował się ze swoimi ludźmi. Namierzono połączenie. Anioł dzwonił z Kopenhagi. Nie zdecydowano się obstawić lotnisk i portów. Jeśli będzie miał dobrą charakteryzację, to nie zostanie rozpoznany, a szukający go ludzie wzbudzą jego nieufność.

Ściągnięto z Poznania żołnierzy organizacji, których Anioł nie znał: Gnata i jego najlepszego egzekutora Ćmę. Obaj byli sprawdzonymi w wielu akcjach, doskonale znającymi swój fach ludźmi i doskonałymi strzelcami. Bardzo starannie przygotowano spotkanie. Zaplanowano wszystko, rozpisując je w najdrobniejszych szczegółach.

Mały wstanie, gdy tylko zobaczy Anioła w drzwiach. Nie podejdzie do niego. Będzie czekał. Gdy usiądą, Ćma podniesie się ze swoją dziewczyną i ruszą do wyjścia. Przechodząc, zastrzeli Anioła, wsiądzie do samochodu i odjedzie. W lesie pozbędzie się dziwki. Gdy mu się nie uda, Mały pociągnie za spust. Odjeżdżając, Ćma da znak Gnatowi, a ten ze swoim człowiekiem podjedzie pod hotel i odbierze Małego. Gdy i to zawiedzie, Gnat dokończy sprawę.

Zamówiono pokój dla Ćmy, dziewczynie kazano się przygotować. Załatwiono czystą broń. Całą akcją kierował Bert, zdając kilka razy dziennie relację Szefowi.

Wielki Szef nie zamierzał zmieniać rozkładu zajęć. Spotkania i rozmowy z biznesmenami, obiady i kolacje z przyjaciółmi z wymiaru sprawiedliwości i służb specjalnych, obowiązkowe wizyty w gabinetach odnowy i u panienek w garsonierach. Przez te kilka lat nic się nie zmieniło. Oprócz jednego. Częściej je odwiedzał, ale już nie przyzwyczajał się do swoich utrzymanek. Panienki, które mu się znudziły, lądowały w jego agencjach towarzyskich dobrowolnie lub po ciężkim nie tylko laniu, sprawianym im przez Małego i Lewego. Benito zawsze miał chętne na ich miejsce, marzące o forsie, kosmetykach, pięknej bieliźnie, eleganckich strojach i jedzeniu w restauracjach. Dziewczyny, które wybierał, marzyły o fajnym, ciekawym życiu.

Dochodziła dziewiętnasta trzydzieści. W restauracji robiło się coraz senniej. Goście wymieniali się. Jedni płacili rachunek i wychodzili, nowi przybywali na ich miejsce.

Mały zastanawiał się, czy Anioł ich nie przejrzał. Czy nie zauważył Ćmy siedzącego już od kilku godzin, zamawiającego kolejny deser dla dziewczyny i kolejnego drinka. Ale oprócz ich stolika jeszcze kilka było zajętych cały czas przez te same osoby. A właściwie, skąd mógł obserwować, co się dzieje na sali? Ćmy nie znał, Gnata też. Jego podejrzenie mógł wzbudzić samochód stojący na stacji benzynowej. Po co tak wszystko skomplikowali? Gnat niczego sam nie załatwi, bo nigdy nie widział Anioła, a poza tym może zwrócił jego uwagę, siedząc tyle godzin w samochodzie.

„Głupio to zaplanowali – pomyślał Mały – ale to nie moja sprawa. Jak się Anioł wywinie, Szef może za to winić tylko Berta. Ten mądrala myśli, że pozjadał wszystkie rozumy. Nigdy nie pyta innych o zdanie".

Spojrzał w kierunku stojącego w recepcji telewizora. W zapowiedziach wiadomości usłyszał o zabójstwie szefa łódzkiej mafii. Wstał od stolika i wyszedł do holu. Na razie leciały informacje o przewadze jednej partii nad drugą lub odwrotnie.

– Wszystko jedno, która rządzi – powiedziała bardzo ładna, z kasztanowymi włosami i niewiarygodnie dużymi, brązowymi oczyma recepcjonistka. – Jedno wielkie bagno, obojętnie kto rządzi.

Spojrzał na nią. Chciał coś odpowiedzieć, ale pojawił się news i film pokazujący budynek przy głównej ulicy z wejściem oddzielonym od jezdni taśmą policyjną, kilka radiowozów i policjantów niedopuszczających gapiów. Mały rozpoznał dom, w którym jedną z garsonier miał Benito. Dziennikarz z mikrofonem w garści relacjonował zdarzenia. Informował: „Przed godziną osiemnastą w jednej z kamienic przy głównej ulicy miasta został zastrzelony Andrzej R., domniemany szef łódzkiej mafii o pseudonimach Wielki Szef i Benito. Wraz z nim zginął jego ochroniarz, znany jako Lewy. Osoby znające świat przestępczy sugerują wojnę grup przestępczych o wpływy w wielkich miastach, jak to miało miejsce kilka lat temu".

– Gówno wojna! Jaka wojna?! – wyrwało się Małemu. – To skurwysyn, ale nas wyrolował. Zrobił z nas durniów. To kutas!

– Co pan mówi? – oburzona recepcjonistka spojrzała na Małego.

– Nic – odpowiedział i wszedł do restauracji.

– Anioł nie przyleciał – powiedział do Ćmy. – Akcja odwołana. Wracamy. Idę powiedzieć Gnatowi.

Podał pieniądze kelnerowi, nie biorąc reszty. Wyszedł z hotelu, kierując się w stronę stacji benzynowej, żeby powiadomić o śmierci Szefa. Gnat opuścił szybę w oknie samochodu i wystawił rękę, pokazując, z której strony ma podejść. Gdy Mały nachylił się, zobaczył w lewej ręce Gnata pistolet z tłumikiem. Chciał odskoczyć, lecz dwie kule zakończyły jego żywot. Ostatnią myślą Małego było pytanie: „Dlaczego?". Nie wiedział. Gnat również nie wiedział, że Anioł nie przybył na spotkanie, a Wielki Szef nie żyje. Kierowca włączył silnik. Wyjechali ze stacji benzynowej i pomknęli w stronę miasta. Nikt się nie zorientował, że w trawie leży trup.

Po udanej akcji Gnat miał zlikwidować Małego. Tak uzgodnił Benito z Bertem. Anioł miał zginąć, a wraz z nim Mały. Już mu nie ufali. Gnat jechał do Łodzi z wiadomością dla Wielkiego Szefa o śmierci Anioła i zlikwidowaniu Małego. Wykonał zadanie. Tak sądził. Za nim okrężną drogą wracał Ćma z dziewczyną. Był zadowolony. Nie musi jej skasować. Dziewczyna przysypiała na przednim siedzeniu, nie zdając sobie sprawy, że Anioł uratował jej życie.

Rozdział XXX

Powrót

Michael przyleciał do Kopenhagi w niedzielę, przez Nassau na Bahama i Londyn. Bez problemu kupił bilet na poniedziałkowy lot do Warszawy. Zakładał, że Mały ma stary numer telefonu. Jeśli nie, to skontaktuje się z nim inaczej. Przed wejściem na pokład zadzwonił. Tak jak przypuszczał, nadal miał ten sam. Zaproponował spotkanie i od razu po jego głosie poznał. Mały kombinował. O to mu chodziło.

Po półtorej godziny był w Warszawie. Zbyt krótko na zorganizowanie zasadzki na lotnisku przez ludzi Benita. Gdy sprawdzą listę pasażerów, nie będą wiedzieli, który to on. Wielu mężczyzn było w jego wieku.

Pierwsze kroki skierował na cmentarz. Grób matki był zadbany. Opiekowała się nim jej młodsza siostra Dorota. Jakże się różniły. Matka była piękną, zgrabną kobietą, szatynką o dużych, niebieskich oczach. Jej o kilka lat młodsza siostra urodziła się niesprawna. Utykała na prawą nogę, a dolna część twarzy, z lewej strony, zastygła w nienaturalnym skurczu. Tylko piękne, niebieskie oczy i wyjątkowa inteligencja zdradzały, że są siostrami. Nigdy nie wyszła za mąż. Jego matka, po śmierci rodziców, sprzedała ich niewielki majątek, dołożyła w tajemnicy przed mężem trochę pieniędzy i kupiła siostrze mieszkanie w blokach. Dorota odwiedzała ich tylko wtedy, gdy ojciec wyjeżdżał na dłużej. Sprawny i wysportowany żołnierz nienawidził ludzi z fizycznymi wadami. Nie chciał też, aby mu przypominała, skąd pochodzi jego żona. Dopóki matka była zdrowa, odwiedzali ją. Później tylko on sam przychodził do ciotki.

Po śmierci matki spakował wszystkie pamiątki po niej i swoje osobiste rzeczy i zaniósł do ciotki. Było ich niewiele, a bał się, że ojciec je zniszczy.

W kancelarii cmentarnej opłacił grób na kolejne dwadzieścia lat. Zrobił kilka zdjęć.

Ciotkę zastał w domu. Zdziwiła się bardzo, widząc siostrzeńca po tylu latach. Objął ją i ucałował. Trzymała go za ręce, oglądając od stóp do głów. Cały czas uśmiechała się, a łzy płynęły jej z oczu.

– Jak ja się cieszę! Gdzieś ty się tyle lat podziewał? Co tu robisz?

– Byłem na grobie mamy. Jak się ciocia czuje?

Opowiedziała mu wszystko, co zdarzyło się przez lata jego nieobecności, o opiece nad grobem, niedzielnych pobytach na cmentarzu.

– Jestem rencistką. Mam niewielką rentę, ale starcza mi na czynsz, opłaty i jedzenie. Mam nawet na koncie niewielką sumkę. Potrzebujesz pieniędzy?

– Nie, ciociu. Dziękuję bardzo za troskę.

– Powiedz, co u ciebie.

Skłamał, że nadal jest w wojsku, ale teraz na specjalnych misjach za granicą i dlatego nie mógł jej odwiedzać. Prosił, aby nie mówiła o nim nikomu, gdyż wszystko, co robi, to wielkiej wagi państwowa tajemnica i każda informacja o nim będzie stanowiła dla niego niebezpieczeństwo. Był pewien, że ciotka zachowa jego wizytę dla siebie.

Do nocy rozmawiali o dawnych czasach, oglądając zdjęcia i pamiątki po nim i po mamie. Spał na kanapie w saloniku połączonym z kuchnią. Po śniadaniu, dając pieniądze, poprosił o zrobienie odbitek u fotografa.

– Jak załatwię swoje sprawy, to za kilka dni je odbiorę.

Cały kolejny dzień spędził na załatwianiu potrzebnego pistoletu i tłumika. Nic się nie zmieniło przez te kilka lat. Ci sami ludzie zajmowali się dostarczaniem gangsterom broni, fałszywych dokumentów, niezbędnych w ich fachu akcesoriów, ochraniani, jak wszędzie, przez przekupionych ludzi w policji i państwowych służbach.

Sporo zapłacił za pistolet z tłumikiem, nóż, perukę, sztuczne wąsy i brodę. Wynajął samochód. Wieczorem był w hoteliku pod Łodzią.

Od rana w peruce pod kapeluszem, z doklejonymi wąsami i brodą, utykając, z laską w ręce, sprawdzał miejsca przyszłej akcji. Był pod rezydencją Benita, wszedł do kamienic, gdzie mieściły się garsoniery, zjadł śniadanie w knajpce naprzeciwko kancelarii prawnej Berta. Założył sobie, że nic się nie zmieniło w ciągu tych kilku lat. Jeśli coś nie wyjdzie tak jak zaplanował, będą modyfikacje i dłuższe polowanie. Najważniejsze – dopaść Benita jako pierwszego, gdyż tylko on może zorganizować kontrakcję.

Dwa kolejne dni to obserwowanie przeciwników. Wielki Szef codziennie rano wyjeżdżał z rezydencji w obstawie dwóch goryli, co widział Michael, siedząc w restauracji McDonald's przy trasie do miasta. Bert przychodził do kancelarii w różnych godzinach. Gdy opuścił ją w porze obiadowej, Michael wszedł do biura udając, że się pomylił. Zastał tam tylko sekretarkę. Pomyślał, że da sobie radę, Bert w piątek po południu będzie na miejscu, czekając na informacje od Małego. A jeśli nie, to dopadnie go w domu.

W piątek, po obiedzie zjedzonym z rodziną, Wielki Szef wsiadł do samochodu. Ponurym wzrokiem spojrzał na starzejącą się, coraz grubszą żonę, podlewającą kwiatki w donicach przed wejściem do domu. Dwie córeczki, wypisz, wymaluj mamusia, siedziały teraz w salonie przed telewizorem. Jedyną miłością ich życia było jedzenie, nowe stroje, kolejne buty, torebki, gabinety odnowy i telenowele oglądane w trakcie pochłaniania kilogramów chipsów, ciastek, wszelkich słodyczy i niezliczonych przekąsek. Chciał pomachać żonie, ale nie odwróciła się w jego kierunku. Dobrze wiedziała. Jedzie do dziwki, dużo młodszej niż najmłodsza z córek i tak szczupłej, że musiały by dwie takie stanąć na wadze, aby próbować zrównoważyć każdą z nich. Widziała te szczupłe i cycate, wymalowane kurwy.

– Jedziemy!

Ani kierowca, ani Lewy nie zapytali, gdzie. Jak zwykle w piątek wieźli Szefa do tej nowej, chudej, jak ją nazwali. Mijając po prawej stację benzynową i bar szybkiej obsługi, nie zwrócili uwagi na samochód, który stamtąd wyjechał i podążył za nimi. Dlaczego miałby ich zainteresować samochód z dziadkiem w środku?

Zatrzymali się przed kamienicą. Michael skręcił w poprzeczną ulicę. Lewy wszedł do budynku. Sprawdził klatkę schodową i mieszkanie. Dziewczyna stała w pokoju w kusym szlafroczku, mocno wymalowana, jak to lubił Szef. Wrócił i skinął. Wszystko jest w porządku. Otworzył drzwi i Benito wytaszczył się z samochodu. Miał już prawie sześćdziesiąt lat, zadyszkę i nadwagę, której u siebie nie widział. Łatwo się pocił i łysiał, ale z tyłu długie włosy spinał w kitkę. Nie stanowiło to jednak dla niego problemu. Miał władzę, pieniądze, i z tego powodu nie przeszkadzało to jego panienkom. Ta była inna. Nie mógł jej rozgryźć. Bardzo się go bała. Ale to nieważne, jeszcze z dwa miesiące i odda ją chłopakom do tresury, a potem do burdelu. Zawsze znajdzie się nowa.

Wszedł na górę, a za nim Lewy. Czekała na niego, trzęsąc się cała. Nie zamykał drzwi na klucz. Nie odcinał sobie drogi odwrotu ani Lewemu możliwości przyjścia z pomocą. Włączył odtwarzacz CD, rozebrał się i wziął w rękę pejcz.

Lewy oparł się o ścianę, słysząc muzykę. Będzie tu stał dwie-trzy godziny.

Michael odczekał pół godziny, wziął laskę i powoli poszedł w kierunku kamienicy. Kierowca nie zwrócił na niego uwagi. Wszedł do klatki. Kulejąc, wdrapywał się na piętro. Na ostatnim, gdzie była garsoniera, stał Lewy oparty o ścianę.

– Co cię tu przyniosło? Zwalaj na dół!

Nie usłyszał odpowiedzi. Strzał w pierś i osunął się na ziemię. Michael otworzył drzwi. Wciągnął go do przedpokoju. Sprawdził. Lewy nie żył. Głośna muzyka zagłuszała jego kroki i odgłos ciągniętego po posadzce ciała. Przekręcił zamek w drzwiach. Zajrzał do sypialni. Na wielkim łożu ujrzał wielki, owłosiony tyłek Benita, leżącego pomiędzy szczuplutkimi nogami dziewczyny i słyszał sapanie głośne jak dźwięki lecącego utworu. Nie zorientowali się. Podszedł bliżej. Złapał Benita za kitkę, pociągnął głowę do góry, przyłożył do niej pistolet. Wystrzelił. Krew opryskała pościel i twarz dziewczyny. Zepchnął trupa na podłogę. Dziewczyna z przerażenia nie zdołała wydusić krzyku. Skierował w jej stronę lufę pistoletu z nakręconym tłumikiem.

– Jeżeli krzykniesz lub się ruszysz, zastrzelę cię. Nic nie mów, nie ruszaj się. Nie drgnij. Skiń tylko głową, jeżeli rozumiesz i mnie posłuchasz.

Dziewczyna skinęła głową.

Popatrzył na nią. Była wyjątkowo szczupła, wręcz chuda. Twarz małego dziecka, malutkie piersi jeszcze jej nie urosły. Widać było wystające żebra. Nie ruszała się. Nie próbowała zetrzeć krwi z twarzy. Trzymała ręce ułożone wzdłuż ciała. Była przerażona. Szare oczy parzyły na niego błagalnie jak oczy małego zaszczutego zwierzątka. Kazał jej usiąść.

– Ile masz lat?

Zapadła cisza.

– Ile masz lat? Odpowiedz!

– Osiemnaście.

– Tylko nie kłam. Sprawdzę.

– Prawie szesnaście – zaczęła płakać. – Chcę wrócić do mamy i taty.

– Wstań, idź do łazienki. Umyj się. Tylko nie zamykaj drzwi i nie kombinuj. Jak będziesz grzeczna, to nic ci się nie stanie. Nie uciekaj, nie krzycz. Na zewnątrz są ludzie tego, co tu leży. Zabiją cię.

Całe plecy, pośladki i uda miała pokryte starymi sinymi i nowymi czerwonymi pręgami. Benito lubił perwersyjne zabawy. Łobuz im bardziej się starzał, tym większą przyjemność sprawiał mu nie seks, lecz poniewieranie i bicie kochanek.

Gdy wróciła z łazienki, kazał jej się ubrać, spakować rzeczy i opowiedzieć, skąd się tu wzięła.

Opowiedziała mu, że mieszka z rodzicami w małym mieście. Ma dobrych rodziców, ale uciekła z domu po kłótni. Przyjechała tutaj miesiąc temu, prawie bez grosza. W galerii handlowej spotkała mężczyznę, który wydał jej się sympatyczny. Zaproponował pracę kelnerki i załatwił na kilka dni mieszkanie. Powiedział, że pokój z innymi dziewczynami.

– Zawiózł mnie do tego mieszkania. Tam on i jeszcze dwóch przez całą noc robili ze mną straszne rzeczy, bili i robili, co tylko chcieli. Następnego dnia sprzedali mnie jemu – wskazała ręką, nie odwracając się, w kierunku Benita. – Przywieźli mnie tutaj w nocy. On przychodził prawie codziennie przez cały ten czas, a w piątki nawet na całą noc. Jak mnie bił, to mówił, że lubi takie młode zwierzątka.

– Dlaczego nie uciekłaś?

– Bałam się. Powiedział, że mnie znajdzie i zabije. Mówił, że zabije mamę i tatę. Widziałam, co zrobili tej dziewczynie, co mieszkała tutaj przede mną. Przyszło ich kilku. Nie mogła potem stanąć na nogach. Wywlekli ją stąd. Mówili, że na śmietnik. Niech mnie pan zabierze do mamy i taty. Oni mnie kochają i czekają na mnie.

Spakowała swoje rzeczy w jedną niedużą reklamówkę. Zorientował się. Była tylko chwilową zabawką dla Benita. Nic jej nie kupił. Jeszcze chwila, a miała znaleźć się w burdelu albo zostać sprzedana do Niemiec, Włoch lub gdzie indziej.

– Jak będziemy na dole, skręcisz z bramy w lewo i później ponownie w lewo, w najbliższą uliczkę. Nie oglądaj się. Przed bramą stoi samochód z kierowcą w środku. Nie patrz na niego. Masz tu pieniądze – wręczył jej wyjęte z portfeli Benita i Lewego i dołożone przez siebie. – Idź na dworzec, kup bilet. Wracaj do domu. Zapomnij o wszystkim, co ci się tutaj przydarzyło, o nich, o mnie. Poproś rodziców, aby nie pytali, co się stało. Zostań z nimi, skończ szkołę. Nie pojawiaj się nigdy w tym mieście. Nigdy! Zrobisz tak?

– Powiedział, że mnie znajdzie.

– Nikt cię nie znajdzie, jeśli zostaniesz z rodzicami i tu nie wrócisz. On już nie żyje – wskazał na Benita.

Wzdrygnęła się, omijając leżącego w przedpokoju Lewego. W bramie Michael pożegnał się, dodając:

– Jeśli zrobisz, to co powiedziałem, będziesz długo żyła. Zapomnij o wszystkim. Nie opowiadaj nikomu, co ci się przydarzyło. Nie idź na policję. Jeśli rodzice to zrobią, to oni cię znajdą i was zabiją.

Patrzył, jak powoli wychodzi z bramy. Ochroniarz siedzący w samochodzie nie zwrócił na nią uwagi. Kulejąc i podpierając się laską, wyszedł za nią, skręcił jak ona w poprzeczną ulicę i wsiadł do samochodu, gdy zniknęła mu z oczu za następnym zakrętem. Podjechał pod kancelarię adwokacką Artura Berta. Miał nadzieję, że jest jeszcze w biurze. Nie pukając, wszedł. Sekretarki już nie było. Przez niedomknięte drzwi usłyszał z drugiego pomieszczenia:

– Słucham. Pan do mnie?

Przy biurku siedział Bert. Michael wyciągnął pistolet, nacisnął spust. Ciało zabujało się w stylowym krześle. Podszedł bliżej i wystrzelił jeszcze raz dla pewności.

W drodze do Warszawy pozbył się charakteryzacji. W wiadomościach bębnili o zabiciu szefa łódzkiej mafii, dwóch jego ludzi i związanego z nimi znanego prawnika. Zastanawiał się, dlaczego zginął Mały, ale nie znalazł odpowiedzi.

Kolejne dni spędził u ciotki Doroty. Przed odjazdem zostawił jej pięknie opakowaną paczkę z biżuterią i dużą sumą pieniędzy, mówiąc:

– To prezent do rozpakowania w dniu imienin.

Wręczyła mu kupiony przez siebie album ze zdjęciami przyniesionymi od fotografa. Obiecał odwiedzić ją po powrocie z kolejnej misji.

Jadąc pociągiem do Hamburga, pomyślał, że to, co ma teraz zrobić, zrobi przede wszystkim dla Marty.

Rozdział XXXI

Ruda

Zatrzymał się w hotelu Amedia przy Halskestrasse na peryferiach Hamburga. Nie chciał w śródmieściu natknąć się na człowieka Joe – Brandona lub któregoś z jego ludzi. Zastanawiał się, czy on jest jeszcze tutaj. A może wrócił do Stanów? Tam trwało w najlepsze przejmowanie schedy po Joe Rose'em. Brandon był tu bezpieczny, niekontrolowany na razie przez nikogo, więc na pewno siedzi tutaj i kręci interesy z narkotykami. Czeka na rozkazy ze Stanów. Znał Joe, Franka, Moe, może Foya. Ich nie ma, a nie wie, kogo może się spodziewać. Nie wie, kto wkrótce przyjedzie po pieniądze i powie: Ja teraz rządzę.

– Ale czego dowiedział się o mnie – zastanawiał się Michael – i gdzie teraz mieszka? Czy tam, gdzie kiedyś?

Mieszkanie znajdowało się budynku z czerwonej cegły przy Schleestrasse. Był w nim, gdy do Hamburga przyjeżdżał Moe. Stamtąd odbierał pieniądze, zawoził do Rotterdamu i przekazywał Moe Mayo. Jeszcze tego samego dnia wynajął samochód i od następnego ranka obserwował mieszkanie i sklep, na zapleczu którego urzędowali kiedyś ludzie Joe.

Dużo czasu spędził w nobliwej dzielnicy Winterhude. Zainteresowany był eleganckim budynkiem w stylu angielskim przy Leinpfad, promenadzie biegnącej wzdłuż rzeki Alster. Nie dlatego, że zamierzał go kupić, lecz z powodu jego właściciela. Nie bardzo mógł się zatrzymać na ulicy, nie rzucając się w oczy, ale dwa spacery promenadą wystarczyły, aby natknął się na wychodzącego z rezydencji wysokiego rangą oficera policji, wsiadającego do drogiego samochodu i jadącego do pracy lub w prywatnych sprawach. Kolejne dni utwierdziły go co do rozkładu dnia obserwowanego przez niego mężczyzny i jego rodziny. On wychodził pierwszy. Zawsze sam. Dopiero godzinę po nim jego żona odwoziła do szkoły syna i córkę. Nie sprawdzał, kiedy wracają. Nie było mu to potrzebne.

Człowiek Joego mieszkał sam. Michael nie zauważył innych osób wchodzących z nim do kamienicy. Rano otwierał sklepik znajdujący się po przeciwnej stronie i czekał na sprzedawcę. Mężczyzna, obsługujący nielicznych klientów zapuszczających się tutaj po czasopisma, papierosy i nieliczne artykuły gospodarstwa domowego, wyglądał bardziej na gangstera niż na sprzedawcę. Oprócz kupujących od czasu do czasu przychodzili ci, których Brandon przyjmował na zapleczu. Często wyjeżdżał załatwiać interesy na mieście lub zjeść obiad. Po zamknięciu sklepu wracał do mieszkania, niosąc codzienny niewielki sklepowy utarg i gotówkę z ciemnych interesów. Sprzedawca czekał przed sklepem, aż wejdzie do budynku i odjeżdżał. Wieczorem Brandon wychodził do knajpy na kolację lub zabawić się z dziwkami. Wracał przed jedenastą i rano stawiał się przed drzwiami sklepu.

Michael rozumiał, dlaczego Brandon nikogo nie wpuszcza do domu. Miał sporo gotówki, a nikt nie przyjeżdżał ze Stanów, aby ją odebrać od niego i zawieźć do banku w Luksemburgu. Moe nie żył, Joe i Frank też, więc nikt nie wiedział o skrytce.

Wyznaczył początek akcji na poniedziałkowy wieczór. Ustawił się w bocznej uliczce. Jak każdego dnia, Brandon pojechał na kolację. Ruszył za nim i po chwili skręcił w drugą stronę. Miał cztery godziny czasu. Pokręcił się po mieście i pół godziny przed jedenastą zatrzymał się przy budynku. Długo nie czekał. Wysiedli razem, kierując się w kierunku bramy. Brandon obejrzał się na człowieka, zmierzającego w tę samą stronę co on. Dostrzegł lufę pistoletu skierowaną w niego i sięgnął pod marynarkę.

– Nie rób tego. Nie zdążysz. Chcę tylko pieniądze. Nic więcej, tylko pieniądze.

Podniósł ręce lekko do góry. Poznał Michaela. Słyszał dużo o nim od Moe. Postanowił na razie nie ryzykować.

– Tylko spokojnie – Michael sięgnął pod marynarkę i wyciągnął mu broń.

W mieszkaniu panował bałagan. Rozrzucone części garderoby, resztki jedzenia na ławie i blacie kuchennym, kartony i butelki z niedopitymi napojami stojące wszędzie, w każdym miejscu, nie przeszkadzały gospodarzowi. Widać było, że nie dba o porządek, a sprząta co najwyżej raz w miesiącu. Niewielkie mieszkanie, składające się z sypialni, pokoju z aneksem kuchennym i łazienki, nie widziało sprzątaczki od dawna. W sypialni pościel na łóżku rozrzucona, jakby ktoś przed chwilą z niego wstał.

Michael kazał mu usiąść w fotelu, a sam stanął przy ścianie pomiędzy łazienką i sypialnią, celując w niego z pistoletu.

– Czego chcesz? – zapytał Brandon.

– Dawaj całą kasę, jaką masz.

– Nic nie mam.

– A ten sejf? Mam nacisnąć spust? Przyszedłem po pieniądze i nie udawaj biednego wariata.

Nic nie odpowiedział.

– Jeszcze chwila, a będzie małe plum i twój durny mózg znajdzie się na podłodze – podniósł wyżej pistolet, celując w głowę.

Spostrzegł, że twarz Brandona zrobiła się szara i pot wystąpił mu na czoło.

– Coś tu nie gra – pomyślał Michael.

Brandon wstał z fotela, podszedł do sejfu, wpisał kod i powoli otworzył drzwi. Nagle szybko sięgnął do środka. Było jednak za późno. Michael nie zamierzał na nic czekać. Gdy tylko drzwi sejfu zostały otwarte, strzelił dwa razy i człowiek Joe osunął się na podłogę, trzymając w ręku pistolet.

Podszedł do sejfu. Na półkach leżała spięta gumkami spora gotówka, torebki z narkotykami i dwa notesy. Ale nie o nie chodziło Brandonowi. Michael znalazł jeszcze kopertę, a w niej kartkę ze swoimi i Lee danymi i trzy zdjęcia. Na zdjęciach była Lee. Frank zdążył przed śmiercią wysłać je do Hamburga.

Tego bał się Brandon. Wiedział, że gdy Michael znajdzie kopertę, to go zabije. Nie pomyślał. Bez koperty też był już trupem. Jego śmierć była preludium do ostatniego zaplanowanego aktu.

Michael, przeszukując mieszkanie, analizował, co też mógł on odkryć, z kim zdążył się skontaktować, co i komu powiedział. Nie znalazł nic więcej. Joe i Frank zginęli niedawno, a to zaskoczyło Brandona, więc on i Lee nie byli dla niego najważniejsi. Przez te miesiące robił wszystko, żeby mocno okopać się w Hamburgu. Nie miał czasu na poszukiwania. Jeśli nie ma niczego więcej, to nie rozpoczął zleconej przez Franka sprawy.

Sprawdził notesy. Były w nich nazwiska, a przy każdym spore sumy pieniędzy. Żadnego z nich nie znał prócz jednego – oficera policji. Notes z jego nazwiskiem włożył do kieszeni. Pieniądze podzielił na dwie części i zapakował do oddzielnych toreb. Do jednej dorzucił narkotyki i kilka z faktur ze sklepu, leżących na stoliku. Kopertę ze zdjęciami Lee i kartką ukrył starannie w wewnętrznej kieszeni marynarki. Drugi notes położył na stoliku dla ekipy śledczej, która zjawi się w mieszkaniu następnego dnia. Nie zatuszują tego. To była kolejna część jego planu. Powiążą trupa z oficerem policji. O to się postara. Zabrał pistolet Brandona, wyjął z szafy płaszcz i czapkę. Wyszedł, zamykając drzwi na klucz.

Noc spędził w hotelu. Rano wymeldował się i pojechał do Winterhude. Samochód zostawił niedaleko restauracji „Portomarin". Przed domem przy Leinpfad był kilkanaście minut przed czasem. Minął go. Na ramieniu miał torbę zabraną z mieszkania Brandona. Stanął pod wiaduktem, prowadzącym przez rzekę. Było wcześnie. Niewiele pojazdów na ulicy, żadnego pieszego. Tylko on. Gdy oczekiwany przez niego samochód zbliżył się, wyszedł na jezdnię, kulejąc. Kierowca zatrzymał się, chcąc przepuścić zarośniętego lumpa ubranego w wybrudzony płaszcz, w wełnianej, mimo panującego ciepła, czapce na głowie. Michael przyłożył do przedniej szyby notes z nazwiskiem „Klaus Beyer", a drugą rękę włożył pod płaszcz, odbezpieczając pistolet. Postanowił zastrzelić go od razu, gdyby nie otworzył mu drzwi.

– O co chodzi? – Beyer uchylił okno.

– Chcę ci sprzedać ten notes za niewielkie pieniądze. Jest w nim twoje nazwisko, twój adres, daty i sumy, które zainkasowałeś od gangsterów.

Beyer tylko na chwilę zaniemówił. Szybko zaczął analizować kolejne warianty rozwiązania problemu. Zastanawiał się, czy wysiąść i odebrać notes, czy negocjować. Spojrzał na rękę pod płaszczem, na nieudaną charakteryzację, doklejoną brodę i wąsy, czapkę na głowie i duże ciemne okulary. To nie był lump. Ten człowiek mógł być groźny.

– Umówmy się za godzinę, w innym miejscu – zaproponował.
– Tam załatwimy sprawę.

– Za godzinę to ja mogę umówić się z dziennikarzami „Hamburger Abendblatt". Wpuścisz mnie do samochodu?

Beyer odblokował drzwi. Michael usiadł na siedzeniu obok niego, rzucając torbę z pieniędzmi i narkotykami do tyłu.

– Pojedziemy do jakiejś cichej knajpy i pogadamy – powiedział Beyer.

– Żartujesz? Jedziemy na parking przy cmentarzu w Ohlsdorfie. Tam wszystko ustalimy. Tylko trzymaj ręce na kierownicy i jedź prosto tam, gdzie ci kazałem. Czy wiesz, że w notesie są duże kwoty przy twoim nazwisku? Można za to kupić kilkanaście takich fur jak ta i dużo jeszcze zostanie.

Beyer spróbował zmienić pas ruchu.

– Jedź prosto i nie skręcaj. Doskonale znam drogę. Jak nie, to wysiadam, a ty zostajesz sam, martwy – wyciągnął pistolet i trzymając go w ręce, położył na kolanach – nawet na największym skrzyżowaniu. Sądzę, że chcesz żyć.

– Wiesz, kim jestem?

– Wiem, ale ja mam notes i jeśli go nie odzyskasz, już nim nie będziesz.

– Grozisz mi? Zastanowiłeś się, co robisz?

– Nie grożę ci. Chcę zrobić z tobą interes. Potrzebuję gotówki. Dogadamy się, jak i kiedy mi zapłacisz. Ale ja dyktuję warunki. Zrozumiałeś.

– Tak. Dojdziemy do porozumienia.

Podjechali na cmentarz w Ohlsdorfie. Był tu kiedyś zwiedzając Hamburg. Jak dobrze pamiętał, jest to największy cmentarz na świecie, może po tym w Chicago. Dziwny cmentarz ze stawami, kilometrami ścieżek spacerowych i starymi drzewami. Był uroczy, jeśli tak można powiedzieć o cmentarzu, jak najładniejszy park. Przeszedł go wzdłuż i wszerz.

Kazał mu zatrzymać samochód w bocznej uliczce, wśród drzew. Było wcześnie rano. Nikt nie szedł, nikt nie jechał. Cicho, pusto i tylko śpiew ptaków w koronach drzew mącił ciszę. Blady Beyer ciągle spoglądał na ręce Michaela w rękawiczkach, na pistolet i notes. Spoglądał na twarz w okularach, ale nie mógł jej skojarzyć. Chyba nigdy jej nie widział.

– Nie mogę zostawić odcisków palców. Masz duże możliwości. Cały aparat ścigania za sobą. Nie przyglądaj mi się. Będziesz mi robił portret pamięciowy?

– Oddaj mi notes i rozejdziemy się jak przyjaciele.

– Nie będziesz mnie więc ścigał? Uciekł ci już ktoś? Znalazłeś tę rudą dziewczynę?

– Skąd wiesz o niej?

– My też szukamy. Znalazłeś ją?

– Jeszcze nie. Kiedyś wypłynie na powierzchnię.

– A jak nie?

– Popełni błąd. Nie będzie wiecznie się ukrywała. Dorwę ją.

– Daj mi komórkę – powiedział, podając mu notes.

Wziął telefon i nacisnął spust pistoletu Brandona. Dwie kule trafiły w pierś. Sprawdził. Beyer nie żył. Zostawił w samochodzie torbę i pistolet. Notes położył pod nim i wyrzucił kluczyki w krzaki. Przeszedł przez tory, a później mostem na drugą stronę rzeki. Zadzwonił z telefonu Beyera do „Hamburger Abendblatt". Telefon rozłożył na części i wrzucił do wody.

Nim złapał taksówkę, przeszedł kilka kilometrów. Płaszcz i czapkę zostawił w koszu w parku, przez który przechodził. Sztuczną brodę i wąsy włożył do kieszeni. Kazał się zawieźć do restauracji „Portomarin", gdzie w pobliżu stał jego samochód.

Rozdział XXXII

Skrytka

Potrzebował eleganckiego garnituru, kilku koszul, butów i innych niezbędnych człowiekowi biznesu rzeczy. Pieniądze miał, i to bardzo dużo. Przywiezione ze Stanów i te z mieszkania Brandona. Musiał dobrze wyglądać, załatwiając sprawy w bankach.

Zakupy zrobił w kilku butikach w City Concorde i galerii handlowej Belle Etoile przy Route d'Arlon. Ekspedientki, pomagające mu wybrać garnitur, dopasować koszule i krawaty, nie mogły oderwać od niego wzroku. Gdy podawały mu kolejną koszulę, a zwłaszcza bieliznę, miękły im nogi. Gdy odchodził z zakupami, długo patrzyły za tym przystojnym, mówiącym po francusku z obcym akcentem, mężczyzną.

Zatrzymał się w hotelu Français przy placu d'Armes. Nie dzwonił do Lee. Wiedział, że jeszcze nie pora. Przed nim pozostało ostatnie trudne zadanie. Na razie zwiedzał Luksemburg, niewielkie miasto z niecałą połową miliona ludności, wielką historią i wspaniałymi zabytkami.

Z hotelu do banku przy Avenue Emile Reuter i pozostałych miał niedaleko.

W banku został przyjęty jak najważniejszy z klientów. Podał nazwisko z dwoma imionami i szef obsługi, po sprawdzeniu podanych przez niego danych, zaprowadził go do pomieszczenia ze skrytkami. Włożył swój klucz do zamka jednej z największych skrytek, przekręcił i wyszedł, zamykając drzwi i zostawiając go samego. Michael swoim kluczem otworzył drugi zamek. To, co znalazł w skrytce, przeszło jego wyobrażenia. Nie liczył, ale znajdowało się w niej kilkanaście milionów w dolarach, euro, funtach i w obligacjach na okaziciela. Do eleganckiej teczki, zakupionej poprzedniego dnia, takiej, jakie noszą biznesmeni, włożył tyle, ile tylko mógł, banknotów. Zamknął skrytkę i zadzwonił po obsługę. Przed wyjściem upewnił się, że skrytka jest opłacona.

– Jeszcze na dziesięć lat – poinformowano go.

W ciągu dni spędzonych w Luksemburgu kilka razy odwiedził „swój" bank, wynosząc z niego pieniądze i umieszczając w skrytce bardzo eleganckie opakowania, w jakich przechowuje się biżuterię. Etui były eleganckie, drogie. Wyjmował je z dodatkowej torby, gdy pracownik otwierał swoim kluczem skrytkę. Pracownik miał sądzić, że klient przychodzi złożyć cenne przedmioty, a Michael miał dodatkową torbę na zapakowanie pieniędzy.

W kolejnym banku bez problemów wynajął skrytkę. Nie zauważył zdziwienia na twarzy zastępcy dyrektora, gdy zaproponował opłatę gotówką za dziesięć lat. Umieścił w niej przyniesione pieniądze.

Wynajętym samochodem skierował się na południe Francji, do Lyonu. Tam, tak jak w Luksemburgu, odwiedził bank. Nowa skrytka i złożone w niej pieniądze i obligacje. Tak jak poprzednio, bez zbędnych pytań. Wyglądał wyjątkowo solidnie, jak biznesmen pragnący ukryć przed złodziejami, a może i przed żoną, rodową biżuterię i nadmiar gotówki.

Z Lyonu zadzwonił do Lee. Nie mogła się uspokoić, na zmianę ciesząc się i płacząc.

Co drugie pytanie było: – Kiedy wrócisz?

Obiecał, że niedługo, może jeszcze tydzień lub dwa. U Lee wszystko było w porządku. Dużo czasu spędzała z Margaret.

– Nie wiesz nawet jak tęsknię! Wracaj!

Zatrzymał się na cztery dni, aby załatwić sprawy z bankiem. Miał jechać dalej na południe Francji, ale pomyślał o Marcie. Była teraz bezpieczna. Powinien jej to powiedzieć. Nic im raczej nie grozi, więc może spróbować ją odnaleźć. Jeśli mieszka w Nimburgu, to znajdzie. Z Lyonu do Marty było niedaleko, około pięciuset kilometrów.

W Nimburgu był rano. Dopiero co otworzyli pocztę. Poprosił Gretę Rilke. Podeszła do niego sympatyczna, uśmiechnięta kobieta. Zapytał o Laurę Rilke. Uśmiech zniknął z jej twarzy. Nie czekając na to, co odpowie, pokazał jej zdjęcie Marty i odwrócił na drugą stronę. Spojrzała na napis „M kocham Cię nad życie – M". Uśmiech nie powrócił na jej twarz. Wytłumaczyła mu, gdzie mieszka Marta, jak tam dojechać. Podziękował i pożegnał się.

– Marta jest mężatką – usłyszał na odchodne.

– Spodziewałem się tego. Proszę się nie obawiać.

Podjechał samochodem pod sam dom. Niewielki domek z ogródkiem, z przodu oddzielony od chodnika kolorowym, drewnianym, niskim płotkiem. Wszędzie rosły kwiaty: na grządkach, w doniczkach. Było bardzo schludnie, czysto. Marta dbała o ogródek i, jak się za chwilę przekonał, również o dom.

Otworzył furtkę. Zapukał do drzwi. Otworzyła mu i prawie osunęła się z wrażenia na podłogę. Przytrzymał ją, zamykając za sobą drzwi.

– O Boże, to ty? Jak się cieszę. Jak ja się cieszę. Nic ci się nie stało? Cały czas myślałam o tobie i modliłam się, żebyś był cały i zdrowy, i znalazł szczęście.

Odsunęła go od siebie, oglądając od stóp do głów.

– Co ja gadam – zarzuciła mu ręce na szyję i całowała w usta, w jeden i w drugi policzek.

Przytuliła się do niego.

– Zaparzę herbatę. Wiem, że bardzo lubisz – za rękę zaprowadziła go do kuchni.

Nie zmieniła się zbytnio. Trochę przytyła, ale ta sama dziecinna twarz, tylko oczy straciły dawny blask. Miała na sobie sukienkę zapinaną z przodu na guziki. Taką domową, jaką noszą kobiety zajmujące się domem, sprzątaniem, przygotowaniem obiadu, czekające na męża wracającego z pracy.

– Opowiadaj – postawiła na stole dwa kubki z herbatą i ciasto.

– Jesteś głodny?

– Nie jestem. Ciasto wystarczy. Najpierw ty powiedz, jak ci się powodzi.

Opowiedziała o przyjeździe do Nimburga. Jak Greta ucieszyła się, że zostanie z nią.

– Traktuje mnie jak córkę. Bardzo przeżyła śmierć taty. Prosiłam, żeby o nic nie pytała, tak jak mi powiedziałeś. Zrozumiała. Na początku bardzo się bałam. Ciągle myślałam o tobie i modliłam się o spokojne życie dla ciebie i dla mnie, ale powoli uspokoiłam się. Nikt po mnie nie przyszedł, więc przestałam się bać, chodź nieraz w nocy budzę się zlana potem. Greta już ci powiedziała? Wyszłam dwa lata temu za mąż. To dobry człowiek. Bardzo dba o mnie. Pracuje na dworcu kolejowym we Freiburgu. Jest dużo starszy ode mnie. Kocha mnie i nie pyta o moją przeszłość.

Słuchał, przyglądając się jej.

– Nikt nie pyta mnie, co kiedyś robiłam i dobrze. Mam w sercu skrytkę, w której jesteś ty, moja mama i ojciec. Nikomu nie dałam do niej klucza. Nawet Grecie nie pozwoliłam zajrzeć.

Usłyszał kwilenie dziecka. Marta wstała i poszła do pokoju.

– To jest moja córka Aurelia – pokazała mu niemowlę. – Ma siedem miesięcy.

– Śliczny dzidziuś – spojrzał na małą buźkę. – Podobna do ciebie.

Usiadła naprzeciwko niego i rozpięła do połowy sukienkę ukazując piersi. Przysunęła do jednej niemowlę, które łapczywie przyssało się do sutka. Patrzył urzeczony. Mała głośno ssała, puszczając sutek, aby zaczerpnąć powietrza i w następnej sekundzie ponownie wpychała go głęboko do buzi. Nigdy nie widział matki karmiącej dziecko.

– Jesteś piękna – powiedział.

– Wiem, bo już mi kiedyś to powiedziałeś. Pamiętam.

– Bardzo łapczywa.

– Nie mogę jej przerwać, bo się zapłacze.

Mała skończyła. Marta chwilę nosiła ją na rękach czekając, aż dziecku odbije się.

– Już uciekło powietrze z brzuszka – powiedziała do niemowlaka, zanosząc go do łóżeczka.

Wróciła, zapinając sukienkę i jeszcze raz pytając, co robi i co zdarzyło się przez minione lata.

Powiedział jej, że zajmuje się legalnymi interesami. Handluje winem, sprowadzając je z Francji do Azji, Singapuru, Hongkongu i Malezji, gdzie teraz mieszka. Ponieważ był niedaleko, przyjechał ją odwiedzić.

– Wiem, że nie mówisz prawdy – spojrzała na niego.

Długo milczała.

– Przyjechałeś do Europy z mojego powodu. Nie wiem skąd, ale ja jestem tego przyczyną. Sądzę, że gdzieś urządziłeś sobie spokojne życie. Masz piękną żonę i dużo dzieci, ale jak kiedyś powiedziałeś – a pamiętam wszystko – za pięć–dziesięć lat rozwiążesz mój problem.

Nie dała mu nic powiedzieć.

– Przyjechałeś oswobodzić mnie od demonów przeszłości. Przed tygodniem podali w gazetach, co się zdarzyło w Hamburgu. Oglądam polską telewizję, bo przypomina mi matkę i ciebie. Skojarzyłam wiadomość o śmierci Klausa Beyera i Amerykanina w Hamburgu ze zdarzeniami w Polsce. Przyjechałeś dla mnie. Nie wiem, jak ci po raz kolejny dziękować. Cieszę się, że tu jesteś.

– Zamknij to w swojej skrytce. Teraz jesteś naprawdę bezpieczna, lecz nie zmieniaj swojego życia.

– Już je zmieniłam – pokazała ręką na pokój, w którym spała córka – i tak zostanie. Mąż jest dużo starszy ode mnie, więc muszę mieć szybko więcej dzieci.

Gdy nic nie powiedział, dodała:

– Zaspokój moją ciekawość. Masz żonę i dzieci? Śliczna jest twoja żona? To modelka czy aktorka?

– Nie, ani modelka, ani aktorka. Normalna, ładna dziewczyna. Dzieci na razie nie mamy.

– Postaraj się o nie i to szybko. Nie ma na świecie nic wspanialszego niż dzieci. Chyba, że ty – zaśmiała się. – Zostaniesz na obiad? Mąż niedługo wróci z pracy. Rozmawiamy już tyle godzin, a nie pomyślałam, żeby zrobić coś do jedzenia.

Podziękował. Nie chciał spotkać się z mężem Marty. Nie musiał jej długo tłumaczyć, że już pora na niego.

Gdy wychodził, płakała.

– Odwiedź mnie jeszcze kiedyś, chociaż na stare lata. Otworzę wtedy skrytkę, którą mam w sercu i będziemy wspominać. Nie wyrzucę klucza od niej.

Rozdział XXXIII

Vigne de Lee

Poprzez Lyon udał się na południe Francji. Najpierw Nicea, potem Cannes, Tulon i Marsylia. Wszędzie było pięknie, uroczo, ale zbyt hałaśliwie. Za dużo ludzi, zwłaszcza przyjezdnych. Szukał spokoju dla siebie, a przede wszystkim dla Lee.

„Powinna odpocząć i zapomnieć o wszystkim gdzieś w małej mieścinie, na wsi, w domku z ogrodem, pośród winnic" – myślał.

Między Marsylią a Montpellier zatrzymał się na noc w Arles, niewielkim miasteczku nad Rodanem. W knajpce, w której jadł obiad, dowiedział się od właściciela, że wiele dzieł Vincenta van Gogha powstało właśnie tutaj, a do Arles najlepiej przyjechać pierwszego dnia maja, na święto *gardians*[8] i wybory królowej. Do obiadu zaserwowano miejscowe wino pochodzące z winnic położonych niedaleko opactwa Montmajour, kilka kilometrów od miasta.

Wysłuchał wykładu o wyższości miejscowego wina nad tym z pozostałych regionów Francji, o najlepszych glebach do upraw winorośli i wspaniałych winnicach, które tylko tutaj można znaleźć.

---

[8] Święto obchodzone w Arles 1 maja – konne parady, wybory królowej, pochody w regionalnych strojach.

Pojechał obejrzeć winnice, pytał o możliwość kupna którejś z nich, lecz nie znalazł oferty sprzedaży. W agencji nieruchomości umówił się na kolejną wizytę. Mieli mu coś znaleźć. Za Montpellier zboczył do Béziers. Był sobotni wieczór. Mijał kościół. Stary gotycki kościół. Przed drzwiami stała panna młoda w białej, długiej sukni, w wianku z białych kwiatów na głowie, spod którego wypływały blond włosy. W ręce trzymała bukiecik kwiatów. Wysoka, szczupła. Zatrzymał się. Gdy wszedł do kościoła, młodzi siedzieli już na białych krzesłach przed ołtarzem, a za nimi świadkowie. Usiadł w ostatniej ławie, za zaproszonymi gośćmi. To był polski ślub. Ksiądz mówił po polsku:

„Gdybym mówił językami ludzi i aniołów,
a miłości bym nie miał,
stałbym się jak miedź brzęcząca
albo cymbał brzmiący.
Gdybym też miał dar prorokowania
i znał wszystkie tajemnice,
i posiadał wszelką wiedzę,
i wszelką wiarę, tak iżbym góry przenosił.
a miłości bym nie miał,
byłbym niczym..."[9]

„Mówię kilkoma językami" – zamyślił się. – „Mam wielką wiedzę, poznawałem tajemnice wielu ludzi. Miałem taką moc, że inni drżeli przede mną. Ale byłem niczym. Kroplą deszczu, którą za chwilę pochłonie ocean. Ziarnem piasku ginącym w wielkiej masie na pustyni. Podmuchem wiatru złapanym w wielki wir przez huragan. Nie było we mnie miłości. Zgasła szybko. Gdyby nie Lee... Gdyby nie obudziła we mnie uczucia, to kim byłbym? Bandytą na usługach kolejnego szefa, łamiącym kości draniem, gangsterem

---

[9] *Hymn o Miłości* − fragment biblijnego 1 Listu do Koryntian św. Pawła z Tarsu.

wykonującym rozkazy jeszcze większego gangstera. Ona wyzwoliła mnie z tego. Jej i moja miłość wyrwały mnie z zaklętego kręgu przemocy. Miłość do niej napędza mnie bardziej niż potężne silniki rakietę międzyplanetarną. Bez jej miłości i mojej do niej byłbym niczym".

Usłyszał głos pana młodego.

– Ja, Kamil, biorę sobie Ciebie, Anno, za żonę i ślubuję Ci miłość, wierność i uczciwość małżeńską, oraz że Cię nie opuszczę aż do śmierci. Tak mi dopomóż, Panie Boże Wszechmogący, w Trójcy Jedyny, i Wszyscy Święci – i po chwili identyczne słowa wypowiadane przez pannę młodą.

„Dlaczego życie musi być takie straszne. Tym tutaj się udało. Mają po dwadzieścia, a może trochę więcej lat i szczęśliwie zaczynają najważniejszy etap życia. A ja? Aby ułożyć sobie życie musiałem zabić tylu ludzi. Ich życie nie było warte funta kłaków. Czy miałem prawo to zrobić? Szczerze żałuję Darby'ego. Naprawdę szczerze. Wtedy myślałem, że zasłużył na śmierć, ale to nieprawda. Nie zrobił nic złego. Miał dziwki i kochanków, lecz to nie powód, żeby odebrać mu życie. Nie miałem takiego prawa. Mogłem tam nie jechać. Co wtedy stałoby się z Lee? Nie byłoby jej na świecie. Moe postarałby się o to. Darby oddał swoje, aby Lee mogła żyć. Nie oddał! Ja mu je zabrałem. Co za zły los tym kierował? Dlaczego postawił mi go na drodze? A gdyby Joe wysłał mnie do Bostonu lub na Rio Blanco Street? Gdyby kazał mi ją zabić! Co bym zrobił?" – wzdrygnął się. – „Co bym zrobił?".

„Zabiłbym wszystkich, aby chronić mojego Anioła!".

Ktoś dotknął jego ramienia. Spojrzał do góry. Stał nad nim ksiądz. W kościele oprócz nich nie było nikogo. Do niedawna nikt nie był w stanie ruszyć ręką, żeby tego nie zauważył, a teraz nie widział, że ksiądz zakończył ślubny obrzęd i jego uczestnicy wyszli.

– Wszyscy są przed kościołem. Składają życzenia młodym – wyrwał go z zadumy.

– Już wychodzę.

– Widzę, synu, że masz poważny problem. Wróć kiedyś, to porozmawiamy. Szczera rozmowa dużo daje. Ukaja duszę.

– Wrócę i może stąd już nie wyjadę.

Panna młoda, kościół, ślub – to był jakiś znak.

„Obym go dobrze odczytał".

Kolację zjadł w pensjonacie, w którym wynajął pokój. Było bardzo późno, ale właścicielka, miła ciemnowłosa i ciemnooka kobieta po czterdziestce, postawiła na stole bullindę – zupę z jagnięciny i wołowiny z pomidorowym sosem i zielonymi oliwkami. Do tego bułkę i pieczone mięso w sosie, butelkę wina i dwa kieliszki. Usiadła koło niego. Nalała wino do kieliszków.

– Napijmy się – powiedziała.

Zjadł zupę i zabrał się do jedzenia mięsa, nie wiedząc, co począć z bułką.

– Pan nie stąd. Pan nie z Francji – odezwała się. – Tak to się robi – urwała kawałek bułki, zanurzyła w sosie i włożyła mu do ust.

Uśmiechnął się z pełnymi ustami. Urwała kolejny kawałek, zamoczyła i ponownie podała mu, a trzeci zjadła sama.

– Pan szuka tu czegoś – oświadczyła. – Mój świętej pamięci mąż przejeżdżał prawie trzydzieści lat temu przez Béziers. Szukał szczęścia w świecie. Stała przed tym domem młoda osiemnastoletnia dziewczyna. To był pensjonat moich rodziców, a teraz ja go prowadzę. Jak mnie zobaczył, to się zakochał i we mnie, i w tym miejscu. Został na zawsze. Zwiedził cały świat, ale jak się zakochał, to nigdy już nie opuścił tego miasta, tylko ze mną, wyjeżdżając nad morze. Osiadł tu na stałe. Pan tu też zostanie.

– To pytanie, czy stwierdzenie?

– Szkoda, że nie mam córki na wydaniu. Wyszły za mąż i wyjechały. Obie są teraz daleko. Jedna mieszka w Australii, a druga w Kanadzie. Ma pan dziewczynę?

– Mam żonę. Dzieci jeszcze nie mamy.

– To dobrze, że masz żonę. Tutejsze dziewczyny pozabijałyby się, żeby zdobyć twoje serce. Mogę mówić do ciebie po imieniu?

– Oczywiście. Mam na imię Michael. Skąd pani wie, że chcę tu zostać?

– Intuicja. Takie samo przeczucie miałam, gdy Renaud wysiadł z samochodu. To mój mąż. Powiedz, czego szukasz, a ci pomogę.

Opowiedział jej o poszukiwaniach winnicy lub jakiegoś domu na wsi. O tym, że jego marzeniem jest osiedlić się na południu Francji, z dala od zgiełku, w cichym, spokojnym miejscu.

– Mam pomysł. Jutro pójdziemy do mojej znajomej Christine Delecour. Jest notariuszem. Załatwimy ci wymarzoną winnicę, ale będzie potrzeba sporo pieniędzy na jej zakup i remont budynków. Prowizji ani ja, ani Christine, nie weźmiemy – uśmiechnęła się.

– Ona jest mężatką, gdy cię zobaczy, to od razu się w tobie zakocha, tak jak ja. Ale nie martw się, to jest miłość platoniczna. Bardzo mi przypominasz mojego Renauda, choć jesteś znacznie przystojniejszy.

Rozmawiali do nocy. Wypili dwie butelki wina. Gospodyni pokroiła sery, dołożyła pieczywo i miejscową szynkę. Gdy szedł spać, powiedziała mu, że nazywa się Colette Duclos i ma jej mówić po imieniu.

Następnego dnia po śniadaniu poszli do notariusza.

– Nie lubię tej jej sekretarki. Opryskliwa i zarozumiała zdzira. Sądzi, że jest najładniejsza na tej planecie.

– Proszę poczekać – sekretarka wskazała eleganckie fotele.

– Pani notariusz ma klienta. Jeszcze kwadrans i będzie wolna.

Rozmawiali, gdy tymczasem sekretarka, szczupła i ładna dwudziestokilkuletnia dziewczyna, w obcisłej sukience, z niewielkim biustem starającym się wyrwać ze zbyt dużego dekoltu, próbowała wydrukować akt notarialny. Wpisywała do niego dane z leżącej na biurku kartki, jednocześnie zerkając na młodego mężczyznę, który siedział naprzeciwko, trąc pod biurkiem nogę o nogę i przygryzając wargi, aby wydały się pełniejsze i bardziej czerwone. Za każdym razem, gdy jej wzrok spotykał się ze wzrokiem Michaela, uśmiechała się szeroko, pokazując piękne, śnieżnobiałe ząbki. Kolejny wydruk błędnie wypełniony lądował podarty w koszu.

– A nie mówiłam, że się pozabijają – szepnęła Colette. – Za chwilę zobaczymy mokrą plamę na podłodze u jej stóp.

– Pani Duclos, czy coś pani mówiła? – zapytała sekretarka.

– Nie, kochanie. Tylko martwię się o ciebie, bo trzęsą ci się ręce, a jeszcze bardziej nogi. Powinnaś unieść nogi do góry, żeby odpoczęły.

Dziewczyna zaczerwieniła się, ale nie zdążyła odpowiedzieć, gdyż z gabinetu wyszła pani Delecour, odprowadzając klienta.

– Kogo mi przyprowadziłaś? – spojrzała na Michaela. – Proszę do mnie. Floria, zrób trzy kawy i podaj coś zimnego.

– Daj jej, kochana, mopa – powiedziała Colette, gdy drzwi zamknęły się za nią. – Niech zetrze tę kałużę.

– Jaką kałużę?

– Zsikała się na widok mojego przyjaciela.

– Ty jej naprawdę nie lubisz. Ale rzeczywiście, mogła – Christine przyglądała się Michaelowi.

– Oderwij od niego wzrok i posłuchaj.

Gdy opowiedziała jej o planach Michaela, o zamiarze kupna przez niego nieruchomości z winnicą, Christine Delecour spojrzała najpierw na Michaela, a potem na Colette i powiedziała:

– Myślimy o tym samym Colette. Wchodzi w rachubę jedynie winnica Jeana Gayota, lecz on nie będzie jej chciał sprzedać. Trzeba znaleźć inne rozwiązanie. Opowiadałaś mu o Gayotach? Nie przedstawiłaś mi gościa.

– Przepraszam. Nazywam się Michael Mils.

– Jestem Christine Delecour. Mów mi po imieniu. Jean i Sylwiane Gayot mają dużą, zaniedbaną winnicę, kilka kilometrów od miasta. To są dziwni ludzie. Nie znoszą swoich sąsiadów, mają jakieś wydumane żale. Mieli od nich kilka ofert na jej kupno, ale nie zgodzili się. Ich jedyna córka uciekła z domu jako nastolatka z synem jednego z sąsiadów. Od tej pory nie chcą się z nią pogodzić i nie rozmawiają z nikim dookoła. Myślę, że gdy Michael zaproponuje im satysfakcjonującą ich cenę i, co najważniejsze, w rozliczeniu mały domek w Montpellier, to się zgodzą. Są to starsi ludzie i marzą o przeniesieniu się do miasta. Nie mają już sił zajmować się winnicą. O tym wiem tylko ja, a domek mam na oku. Do jutra przygotuję ci kalkulację i więcej szczegółów – co masz mówić, co proponować i jak to rozegrać, choć, jak myślę, masz dar przekonywania i dość wdzięku, żeby ich zbajerować.

– Czy można tak postąpić ze starszymi ludźmi?

– Jeśli nie sprzedadzą nieruchomości w tym roku, to w przyszłym zostanie przejęta za długi. Już dzisiaj nie mają na podatki.

Christine Delecour nie myliła się. W ciągu kolejnych tygodni i wielu wizyt u Gayotów Michael sfinalizował transakcję. Szkoda im było winnicy, ale cieszyli się, że idzie w ręce obcego, a nie sąsiadów, a także z uroczego domku w Montpellier, do którego ich kilkakrotnie zawiózł. Gdy obiecał im wyposażyć go w nowe meble i niezbędny sprzęt, podziękowaniom nie było końca. Kłopotliwą sprawą było sfinansowanie zakupu. Dzięki Colette i Christine i załatwionemu przez nie kredytowi pod zastaw winnicy dla ich krewnego, jakim nagle okazał się Michael, zakup udało się sfinalizować. W akcie wpisano najniższą kwotę. Domek w Montpellier kupiła Colette, wpisując do księgi wieczystej prawo dożywocia dla Gayotów. Michael zobowiązał się wszystkich spłacić w ciągu dziesięciu lat z przyszłych dochodów i po spłacie przenieść własność domku na Gayotów. Pieniędzy w skrytkach wystarczyłoby nawet na kilkanaście takich nieruchomości, ale rozwiązanie przygotowane przez Christine było bezpieczniejsze.

Przed jego wyjazdem do Stanów pojechali w trójkę do nowej posiadłości. Był piękny, słoneczny wieczór. Do winnicy jechało się krętą drogą pośród rzędów krzewów winnych, mijając zabudowania trzech sąsiadów.

– Tu mieszka Lesourd, tu Jordier, a tu Besson – pokazywała Colette.

Wjechali przez ozdobną bramę na główny dziedziniec. Przez taką samą bramę, umiejscowioną pół kilometra dalej, wchodziło się na dziedziniec boczny, przy którym zbudowano budynek winiarni

z piwnicami i stajnię, połączoną ze stodołą. Przy głównym dziedziń-
cu stał ledwo pamiętający czasy wspaniałości duży budynek miesz-
kalny, od dawna niezamieszkany, oraz drugi, mniejszy, przeznaczo-
ny dla gości, w którym mieszkali w ostatnich latach Gayotowie.

– Będziesz musiał włożyć w to dużo pracy i pieniędzy – stwierdziła Christine. – Ale warto było kupić. Pomożemy ci. Colette chce
dopuścić cię do swojego interesu, abyś miał stały, oficjalny dochód.

– Powiedzcie mi, dlaczego tak mi pomagacie od pierwszego
dnia. Przecież mnie nie znacie i nadal nic o mnie nie wiecie?

– A znasz jakąś babę, która od pierwszej chwili nie zrobiłaby dla
ciebie wszystkiego, czego byś tylko chciał? – rzekła Colette. – Ta
pinda Floria już po trzech sekundach oddałaby ci się przy mnie na
biurku, a ty się pytasz, co dla ciebie zrobią kobiety.

– Przestań. Nie mówi się takich rzeczy – strofowała ją Christine.

– Znalazła się święta. Nie wiesz tego, Michael, ale chciała mi
odbić mojego Renauda. Opowiem ci o tym kiedyś, jak się upijemy.
Kocham ją jednak.

– Colette! Nawet nie próbuj tego zrobić – zaczerwieniła się
Christine.

Obejrzeli zabudowania. Wszystkie wymagały pilnego remontu.

– Nie martw się – rzekła Christine. – Budynki nie są tu najważniejsze. Dużą wartość ma ziemia i winnica. To jest główny majątek.

– Nie martwię się. Myślę. Muszę wyjechać na kilka miesięcy i uporządkować swoje sprawy, a chciałbym już się tym zająć.
Wziąć się do roboty.

– Wrócisz z żoną?

– Oczywiście, ale nie wiem jeszcze kiedy.

– Będziemy musiały ją elegancko przywitać. Christine, może
ozdobimy bramy kwiatami i zawiesimy napis „Witamy Ann" lub
jakiś inny.

– Michael, zaproponuj nazwę dla winnicy.

– Vigne de Lee[10].

– Wspaniała – powiedziały jednocześnie.

---

[10] Winnica Lee.

Rozdział XXXIV

Troje

Nie widział Lee już ponad dwa miesiące. Od czasu przyjazdu do Béziers dzwonił do niej codziennie. Pytał, jak się czuje, czy wszystko w porządku, czy Margaret z mężem opiekują się nią.

Mówiła, że tak. Opowiadała, jak Margaret uczy ją robić sweterki na drutach i szydełkiem, na razie takie małe jak dla lalek.

– Dużo czasu spędzam u Taylorów, a oni przychodzą do mnie. Byłam wczoraj u nich na kolacji, a dzisiaj idę na obiad. Muszę zaprosić ich do nas na wieczór. Nie martw się, daję sobie radę. Załatw wszystkie sprawy i wracaj do mnie. Nic poza tym się nie dzieje. Wszystko jest w porządku – usłyszał płacz.

– Co się stało, kochanie?

– Nic. Wszystko w porządku, tylko bardzo tęsknię.

Pojechał do Lyonu. Gdy zabukował bilety do Miami, zadzwonił do Lee. Nim zdążył jej cokolwiek powiedzieć, usłyszał:

– Wróciłam od Margaret. Zjadłam u niej obiad. Zaraz jedziemy na zakupy.

Zrozumiał! Coś jest nie tak. W Stanach była dopiero godzina dziesiąta rano. Zadał kilka pytań, lecz tylko powtarzała:

– Wszystko jest w jak najlepszym porządku.

Gdy powiedział, że wraca, na przemian cieszyła się i płakała.

Przyjechała po niego na lotnisko. Czekała w sali przylotów w sukience, którą jej kupił przed wyjazdem, w sandałkach na nogach, słonecznych okularach i kapeluszu na głowie skrywającym włosy. Rzuciła mu się na szyję, nie dając się oderwać. Chciał ją odsunąć od siebie, aby na nią popatrzeć. Nie puszczała go.

Gdy w końcu wzięła go za rękę i ruszyli w stronę wyjścia, zapytał:

– Stało się coś złego?

– Nie, kochanie. Jedźmy jak najszybciej do domu. Ugotowałam obiad. Zrobiłam mięso w delikatnym sosie i twoje ulubione kluski z ziemniaków i mąki, które tak dziwnie nazywasz, i do tego będzie surówka z tartej marchewki i jabłka. A jak zjemy, to weźmiemy prysznic i pójdziemy do łóżka. Zgadzasz się?

– A mógłbym się nie zgodzić? – objął ją ramieniem i przyciągnął do siebie.

W domu zdjęła kapelusz i okulary. Twarz miała bladą i zmęczoną. Wyglądała źle.

– A jednak coś się stało?

– Nie – lekko pchnęła go na kanapę.

Podciągnęła sukienkę i usiadła na nim.

Pamiętał, że gdy Lee bała się lub nie wiedziała, co zrobić, siadała mu na kolanach przodem do niego, podkurczając nogi i obejmując go wpół.

– Powiedz, co się dzieje.

– Byłam sama przez siedemdziesiąt pięć dni. Liczyłam każdy dzień. Nie mogę być sama. Gdyby ciebie nie było dłużej, umarłabym z tęsknoty albo z głodu. Prawie nie jadłam. Prawie nie wychodziłam z domu. Tylko do najbliższego sklepu kupić niezbędne produkty. Więcej wyrzucałam niż zjadałam.

– Przecież obok jest Margaret z mężem. Nie spotykaliście się? Nie opiekowali się tobą, jak przyrzekli?

– Byli na początku. Margaret nauczyła mnie dziergać na drutach. Przyszła wiadomość, że ich córka jest bardzo chora i wyjechali do niej. Chcieli mnie zabrać ze sobą, ale jak mogłam wyjechać i nie czekać tutaj na ciebie?

Przytulił ją mocniej.

– Nie pozwolę ci już nigdzie wyjechać. Nigdy więcej. Zapamiętaj to sobie. Od dzisiaj nie opuszczasz mnie nawet na godzinę.

– Trzeba coś zjeść – podniósł się, trzymając ją na rękach. – Słyszę burczenie w twoim brzuszku – postawił na posadzce.

Pomógł Lee dokończyć obiad. Gdy ścierała na tarce jabłka i marchewkę, podgrzał mięso i kluski. Nałożył wszystko na jeden duży talerz. Spojrzała na niego zdziwiona.

– Będzie mi wygodniej jeść i jednocześnie karmić moje szczęście.

– Kochany jesteś.

Pokazała zrobiony na drutach maleńki błękitny sweterek z wyszytą z przodu czerwoną literą M.

– Kupię ci lalkę.

– Nie będzie potrzebna. Chodźmy teraz do łóżka. Później pozmywamy.

Gdy kochali się, odczuwał to inaczej niż przed wyjazdem. Wtedy była zachłanna, drapieżna, narzucała mu, co jeszcze i jak ma zrobić. Teraz leżała spokojnie, wtulając się w niego, mocno obejmując i całując w usta, szyję i dłonie. Była ciepła, piersi miała nabrzmiałe i szeptała „ostrożnie, delikatnie, powoli". Gdy skończyli, położyła głowę na jego ramieniu i zasnęła.

Zastanawiał się, co się zmieniło. Nic mu na myśl nie przychodziło.

Planował jeszcze dwa wyjazdy do Francji, nim ją tam zabierze. Budynki, które kupił, nie nadawały się do zamieszkania. Wymagały remontu. Chciał tam zawieźć Lee, gdy wszystko będzie urządzone. Teraz miał problem. Patrzył na nią i wiedział, że nie może jej po raz drugi zostawić samej. Wymyślił. Zadzwoni do Colette i poprosi, by zleciła remont budynku mieszkalnego. Ale jak się z nią rozliczy? Nie chciał, aby finansowała go ze swoich pieniędzy. Musi przynajmniej pojechać do Béziers na tydzień, żeby podjąć pieniądze ze skrytki.

„Pomyślę o tym jutro" – odwrócił Lee tyłem do siebie i przytulił się, usypiając.

Cały dzień spędzili na zakupach. Wszystkiego brakowało w domu. Lee tłumaczyła się, że nie miała do tego głowy. Na kolację zaprosił ją do jej ulubionej restauracji Boater's Grill w Biscayne Bay. Lubiła dania z ryb. Poprosił do nich sałatkę z avocado, odrobiną słodkiego grapefruita, pędami bambusa i mięsem z kraba. Długo siedzieli przy stoliku, patrząc, jak do zatoki wpływają żaglówki, katamarany i łodzie motorowe. Na deser, po obfitym posiłku, co go zdziwiło, poprosiła banany z grilla posypane przed pieczeniem cukrem waniliowym i startym imbirem, a później jeszcze zjadła małe smażone rybki.

Przed zachodem słońca opuścili restaurację. Na parkingu drogę zastąpiło im trzech młodych mężczyzn. Biały mężczyzna wyciągnął pistolet i wycelował w Michaela.

– Wyskakuj z portfela i zegarka – rozkazał.

– Tylko bez numerów – Latynos wykręcił rękę Lee i przyłożył do jej szyi nóż.

Trzeci z mężczyzn oparł się o najbliższy samochód.

– Niezła dupa. Wrzućmy ją do bagażnika. Jak tylko z nim skończymy, będzie niezła zabawa. Pokażę jej moje klejnoty.

Michael ocenił sytuację. Póki tamten trzymał nóż przy szyi Lee, nie mógł ryzykować.

– Mam pieniądze w portfelu. Weźcie je. Zegarek też jest dużo wart.

Wyjął wolno portfel z kieszeni marynarki i podał mężczyźnie trzymającemu Lee. Ten odruchowo sięgnął po niego ręką, w której trzymał nóż. Nie zdążył już go wziąć. Gdy tylko odsunął nóż od szyi Lee, Michael złapał rękę z pistoletem i skręcił ją, łamiąc. Pistolet upadł. W sekundę po tym Latynos otrzymał potężne kopnięcie w krocze i nim osunął się na ziemię, stracił przytomność po ciosie w twarz. Zęby i krew prysły wokoło. Trzeci próbował wyciągnąć coś spod przydługiej koszuli. Uderzenie w podbródek, a następnie kopnięcie, jak jego poprzednika, w krocze, pozbawiły go przytomności. Słychać było trzask pękających klejnotów. Krew zabarwiła na czerwono nieskazitelnie białe spodnie. Michael podszedł do jęczącego napastnika ze złamaną ręką i uderzeniem pozbawił go świadomości, łamiąc żuchwę.

Wziął Lee za rękę i pociągnął w stronę samochodu. Przez całą drogę do domu nie mogła dojść do siebie.

Zamknął drzwi.

– Cała jestem we krwi – zdjęła sukienkę. – Potnę i wyrzucę – powiedziała szklanym głosem. – Jeszcze raz trzeba pociąć i wyrzucić, a tak mi się podoba. Jest śliczna.

– Spierzemy tylko plamy i wyprasujemy – pocieszał ją Michael. Stała w samej bieliźnie. Gdy odwróciła się bokiem, zauważył, że brzuszek lekko się zaokrąglił.

Poszła do łazienki zmyć plamy krwi z twarzy i rąk. Kiedy skończyła, podeszła do niego, usiadła na nim okrakiem i przytuliła się.

– Michael, ja już tak nie mogę. Gdy słyszę policyjne syreny, zrywam się w nocy, myśląc, że jadą po mnie. Każdy sygnał karetki pogotowia przypomina mi sceny z domu, moją matkę i ojca. Boję się, że mnie znajdą. Każdy twój wyjazd jest dla mnie męczarnią. Nie jem, nie śpię, tylko płaczę i modlę się o twój powrót. Nigdy nie byłam zbytnio wierząca, ale teraz, gdy nie jesteś przy mnie, klękam przy łóżku i modlę się do Boga, żeby mi ciebie nie zabrał. Nie mogę już tak żyć, nie chcę bać się o nasze dziecko. Jestem w trzecim miesiącu ciąży.

– Dlaczego mi nie powiedziałaś?

– Bałam się, że nie będziesz chciał. A ja tak pragnęłam mieć z tobą dziecko. Gdy powiedziałeś, że wyjeżdżasz, następnego dnia poszłam z Margaret do jej ginekologa. Poprosiłam, aby usunął mi zabezpieczenie.

– Bałaś się, że nie wrócę. Chciałaś mieć pamiątkę po mnie? – pogłaskał ją po brzuszku.

– Wiedziałam, że wrócisz. Byłam tego pewna. Ale nie byłam pewna, czy chcesz mieć dziecko. Zdjęłam spiralkę, bo wiedziałam, że to jest moment, kiedy będę mogła cię oszukać, bo będziesz robił, co tylko będę chciała. Nie gniewasz się?

– Kocham cię. Jestem szczęśliwy, że będę ojcem. Nie wiem tylko, czy się nadaję. Będę umiał zajmować się maluchem?

– Ty wszystko potrafisz. A jaką masz wprawę w karmieniu, kąpaniu, podcieraniu i przewijaniu. Dałam ci niezłą szkołę. Prawda? Nie zdajesz sobie sprawy, jak ja ciebie kocham.

Odsunął ją na długość ramion. Nic nie mówił. Chciała wtulić się w niego ponownie, lecz nie pozwalał. Patrzył na jej zmęczoną twarz i załzawione oczy.

– Dlaczego mnie kochasz?

– Gdy uratowałeś mnie przed Moe i wiozłeś, kilka razy spojrzałam na ciebie ukradkiem. Mimo bólu i trwogi pomyślałam, że Bóg przysłał mi na pomoc Anioła, że Anioł zstąpił na ziemię, aby stoczyć z nimi walkę o moje ocalenie. Wtedy zakochałam się w Tobie. Czyż można nie zakochać się w Aniele?

– Ja naprawdę jestem Aniołem.

– A ja naprawdę w to wierzę.

– To już niedługo będziesz miała kolejnego małego Aniołka.

Następnego dnia, nim Lee wstała, zadzwonił na lotnisko i zamówił lot do Nassau, a stamtąd do Londynu dla dwojga osób. Wyłuskał ją spod pościeli i postawił na nogi. Wyglądała znacznie lepiej. W nocy odrzuciła daleko od siebie złe myśli. Zapomniała lub chciała zapomnieć, co zdarzyło się niewiele godzin wcześniej.

– Daję ci trzy godziny na spakowanie.

– Gdzie jedziemy? – przeciągnęła się zalotnie. – Może zaczniemy dzień od…

– Tobie tylko jedno w głowie – pocałował ją. – Masz jeszcze dwie godziny i pięćdziesiąt osiem minut. Przeciągaj się dłużej, a wsadzę cię nagą do taksówki. Naprawdę to zrobię.

W ciągu trzech godzin załatwił wszystko. Ledwo zdążyli na lot do Nassau.

W samolocie Lee zapytała:

– Lecimy na Borneo zaszyć się w dżungli?

– Tak. Ja zostanę wodzem plemienia łowców głów, a ty moją podwładną, wioskową czarownicą.

– A wódz może wykorzystywać seksualnie swoją podwładną, wioskową czarownicę?

– Oczywiście, że może.

– To osiedlimy się tam.

Rozdział XXXV

Wspomnienia

Siedział w fotelu na tarasie domu. Na stoliku stały trzy butelki schłodzonego wina, kilka kieliszków, duża patera wypełniona po brzegi owocami, chroniona gazą przed natrętnymi owadami, i dzban mrożonej herbaty. Nalewał odrobinę z każdej butelki i zapisywał w notesie barwę, klarowność, zapach i smak. Było letnie przedpołudnie.

Patrzył na śliczną blondynkę z włosami splecionymi w warkocz, sięgający do połowy pleców, która próbowała zagonić dwójkę nagich dzieci do stojącego na trawie plastikowego basenu, wypełnionego wodą. Nie mógł oderwać od niej wzroku, gdy w samych tylko majtkach goniła za nimi i wsadzała do wody. Gdy jedno schwytała, drugie w tym czasie zdążyło wygramolić się z brodzika i schować za którąś z donic lub krzew. Śmiała się przy tym, a dzieci z radości piszczały, opryskując ją wodą. Była cudowna. Doskonała figura, lekko opalone ciało, a piersi, mimo dwójki dzieci pełne, choć bardziej ciężkie niż dawniej.

„Teraz nawet lepiej" – patrzył z zachwytem.

Biegała na bosaka za dziećmi.

– Michael, choć tutaj, pomóż mi. To przez ciebie są takie umorusane.

Wstał rano, zaraz po piątej, aby sprawdzić przycinanie winoroślli. Michel i Ev zerwali się razem z nim. Za nic nie dali się przekonać do powrotu do łóżek i dalszego snu. Lee zapakowała im koszyk prowiantu, napoje i pojechali na plantację. Wrócił szybko, przywożąc zakurzonych i umorusanych brudasów. Ledwo było widać niebieskie oczy, a blond włosów trzeba było się domyślać.

– Michael, proszę cię, pomóż mi. Złap choć jednego potworka.

Złapał najpierw Ev i trzymając ją pod pachą, wyciągnął Michela zza donicy.

– Daj mi je do wody.

– Dam, jak ściągniesz majtki.

– Nie wygłupiaj się. Nie przy dzieciach. Jak pójdą spać, to zdejmę.

– Na pierwszej randce, nim powiedziałaś, jak masz na imię, to kazałaś mi je zdjąć.

– To normalne – zaśmiała się. – Dziewczyny tak robią.

– Słyszałem, że zdejmują, ale żeby zmuszały do tego faceta, to…

– Podlec jesteś – ochlapała go wodą.

Wymyte i wytarte dzieci nabrały właściwych kolorów. Lee założyła im doły pidżamek. Ev pobiegła do pokoju po przytulankę.

– Wstaliście wcześnie, więc teraz proszę szybko usnąć – powiedziała Lee, kładąc dzieci do łóżek. – Jak nie zaśniecie, to padniecie ze zmęczenia.

– Mamusiu! Michel schował mojego misia do szafy w waszej sypialni. Jak wyjmowałam go, to wypadły twoje zdjęcia i tatusia. Gniewasz się?

– Nie, kochanie. Posprzątam, a ty śpij.

Lee widziała w szafie torbę, którą kiedyś dołożono, gdy kupowali buty. Była zawsze mocno zawiązana. Nigdy nie zajrzała do niej i nie pytała Michaela, co w niej trzyma. Dzieci spowodowały, że pozna tajemnicę. Chciała powiedzieć Michaelowi, co zrobiły, ale nie zdecydowała się. Gdy szła przez salon, siedział w fotelu na tarasie, notując w notesie kolejne spostrzeżenia.

– Kiedy mnie umyjesz i położysz do łóżka? – zapytał. – Obiecałaś mi.

– Jak tylko posprzątam po dzieciach – weszła do sypialni.

Odłożył notes i długopis. Już prawie pięć lat minęło, odkąd przyjechali do Béziers. Najpierw po tygodniu spędzili w Londynie i Paryżu. Stamtąd zadzwonił do Colette i Christine, anonsując przyjazd z żoną. Zatrzymali się na noc u Colette. Ledwo zdążyli przekroczyć próg pensjonatu, gdy przybiegła Christine. Obie obskoczyły Lee, kazały jej obrócić się kilka razy. Słowa „piękna, cudowna, jaka zgrabna" padały wielokrotnie. Od razu spostrzegły, że jest w ciąży. Wpadły w zachwyt. Zostaną babciami! Wypytywały o wszystko, lecz gdy Lee nie odpowiadała na niektóre pytania, przestały pytać o jej przeszłość. Kolacja była wyśmienita. Najlepsze dania kuchni francuskiej konkurowały z jeszcze lepszymi. Nie odchodzili od stołu przez kilka godzin, a paniom buzie się nie zamykały. Jedyną przerwą w rozmowie była chwila, gdy wkładały do ust kolejny mały kęs kolejnej potrawy. Nie dopuszczały go do głosu, chyba tylko, aby potwierdził lub zaprzeczył, ale krótko – tak lub nie. Opowiedziały Lee o mieście, jego historii i atrakcjach. Co tu się robi i co je. Obgadały wszystkich mieszkańców Béziers i właścicieli okolicznych winnic. Spać położyli się późno, po północy. Lee była zachwycona. Obawiała się jednego. Jeszcze kilka takich dni, a pęknie z przejedzenia.

Następnego dnia rano panie czekały z ogromnym śniadaniem, po którym wszyscy pojechali pokazać Lee posiadłość. Lee zaniemówiła, zobaczywszy na bramach do winnicy napis „Vigne de Lee". Po obejrzeniu zabudowań zadecydowała:

– Dzisiaj przeprowadzamy się tutaj.

– Ależ kochanie, nie ma tu odpowiednich warunków dla ciebie – stwierdziła Colette.

– Mieszkałam w gorszych miejscach i to sama. Z wami sobie poradzę. Będzie tu ślicznie – spojrzała na Michaela. – Jeśli mamy pieniądze.

– Christine, trzeba dopisać Lee do nieruchomości jako współwłaścicielkę.

– Zapraszam wszystkich jutro do siebie na kolację. Wpadnijcie wcześniej do biura tuż przed siedemnastą, to sporządzimy akt notarialny.

– Daj ogłoszenie, że potrzebujesz nowej sekretarki – wtrąciła Colette. – Jak Floria zobaczy Lee, to ją szlag trafi i zejdzie z tego świata. Christine pokiwała tylko głową.

Odbudowali winnicę. Dom i domek dla gości Lee urządziła wspaniale, lecz bez przepychu, skromnie. Jak twierdzili wszyscy, z wielkim smakiem. Budynkiem winiarni, stajnią i stodołą zajął się Michael. Przy pomocy zatrudnionych ludzi winnica powoli dźwigała się z upadku. W piątym roku nie przynosiła już strat. Michael nauczył się dużo od pracujących w niej ludzi. Wielką pomoc okazali mu sąsiedzi. Gerard Lesourd, Pierre Jordier i Marc Besson dopuścili go do swoich winiarskich tajemnic. Duży zysk dawała firma, zajmująca się handlem winem, założona przez niego i Colette, z Christine jako udziałowcem.

Lee urodziła syna, któremu dała na imię Michel, po tatusiu. Po półtora roku przyszła na świat córka. Tym razem imiona wybrał Michael. Była wzruszona, gdy dał córce na imię Evelyn Lee. Wołali na nią zdrobniale Ev. Częstymi gośćmi w ich domu były Colette i Christine, które traktowały Lee jak córkę. Odwiedzali je i poznali pana Delecour, który był rzadkim gościem w Béziers. Przebywał w Paryżu, gdzie miał biuro notarialne i, jak im powiedziała po cichu Colette, drugą – dużo młodszą żonę. Przyjaźnili się z sąsiadami, ludźmi starszymi od siebie, mającymi dzieci niewiele większe od Michela. Na razie nie podróżowali. Michael najdalej zabrał Lee do Lyonu, zaprowadził do banku, pokazał jej skrytkę z zawartością. Jeździli nad morze i do Montpellier. Zabrał ją do Carcassonne – miasta z baśni, z najwspanialszą twierdzą na świecie. Oczarowana nią Lee zrobiła setki zdjęć. Po raz pierwszy sfotografowała Michaela i ich razem. Wrócili tam po narodzinach syna, a później z malutką Evelyn uzupełnić zdjęcia w rodzinnym albumie. Kolejne sesje w rezerwacie w Sainte Lucie i w Narbonne przy trzynastowiecznej katedrze Saint--Just-et-Saint-Pasteur powiększyły domowe archiwum. Michael dokładał swoje z rejsu po Kanale Południowym i z plaż między Agde i Port-Vendres, gdzie fotografował Lee na statku, z rozwianymi włosami. Gdy wychodziła z morza bez stanika i siadała na przykrytym błękitnym ręcznikiem plażowym fotelu, robił zdjęcie za zdjęciem, porównując ją do Diany wychodzącej z kąpieli na obrazie Bouchera. Oddzielny album założył na fotografie Lee karmiącej dzieci piersią, patrzącej na dziecko z miłością lub zalotnie na niego, a nieraz usiłującej przekornie ukryć wypełnione mlekiem piersi.

– Michael! – głos Lee przywrócił mu świadomość.
– Skąd je masz? – stała nad nim, trzymając w ręce albumy.
– Dlaczego mi ich nie pokazałeś?
– Uważałem, że jest jeszcze za wcześnie, że będzie to dla ciebie zbyt bolesne. Do dzisiaj zrywasz się w nocy z przerażeniem, płaczesz. Walczysz z wrogiem, którego już nie ma.

Stała nad nim, a jej oczy robiły się coraz bardziej szkliste. Posadził ją obok siebie i przytulił.

– Śnią mi się moi rodzice, a krew jest wszędzie: na podłodze, na ścianach i kapie na mnie z sufitu. Śni mi się Moe Mayo. Nie mogę go trafić czymś, co trzymam w ręce, a on się śmieje i sypie na mnie szkło, coraz więcej szkła, a ja się duszę, a on się śmieje. Wtedy budzę się i gdy widzę ciebie obok, dopiero łapię oddech. W Miami, gdy byłam sama, nie mogłam zaczerpnąć tchu. Myślałam, że umrę.

– Kochanie, tego już nie ma, nie wróci. Musisz o tym zapomnieć. Dlatego nie pokazywałem ci zdjęć, by wspomnienia nie wracały. Schowajmy je do szafy jeszcze na jakiś czas.

– Nie – pokręciła przecząco głową. – Muszę się z tym zmierzyć. Muszę obejrzeć zdjęcia, nabrać mocy i gdy Moe Mayo zjawi się we śnie, uderzę go tak mocno, że zginie i przepadnie w piekle na zawsze.

Pocałowała Michaela i otworzyła album. Przeglądała najpierw jeden, potem drugi. Przypominała sobie chwile, w których matka lub ona zrobiły zdjęcie.

– To mama w Beacon Hill, a to ja na plaży. Zbieram muszelki. A to my w Boston Common. Mama z tatą na spacerze. Ja je zrobiłam – łzy lały się ciurkiem. – A tu na zjeżdżalni w Disneylandzie.

Sięgnęła po jego album.

– Kto to?

– To moja matka.

– Gdzie teraz jest?

– Od bardzo wielu lat patrzy na mnie z góry. Może z tamtej małej chmurki – wskazał na jedyny obłoczek na niebie.

– Dobrze, że nie jesteśmy sami, że mamy siebie. I dzieci – dodała. – To ty? Ale byłeś ślicznym dzieckiem. A jaki elegancki.

Sięgnęła po koperty. Nie reagował. Los tak chciał. Wyjęła fotografie.

– O Boże. To grób moich rodziców, a ten czyj?

– Mojej matki. Byłem na cmentarzu w Atlancie. Zapłaciłem i będą się opiekować grobem twoich rodziców. Powiedzieli: jak długo cmentarz będzie istniał. Na razie nie możesz go zobaczyć. Wybierzemy się w podróż sentymentalną, ale dopiero za dziesięć, może dwadzieścia lat, gdy dzieci będą dorosłe. Pojedziemy także na grób mojej matki.

Długo oglądała, wracała do wcześniej obejrzanych, opowiadała, gdzie zrobione, pytała o osoby na jego zdjęciach. Z ostatniej koperty wyjęła fotografię małej, rudej dziewczynki.

– Kto to? Kim jest ta dziewczynka? – odwróciła i przeczytała: „M kocham Cię nad życie – M”.

– To moja znajoma – zamilkł.

– Powiedz więcej.

– Nazywa się Marta Rilke. Kiedyś pomogłem jej, gdy była w potrzebie. Mieszka w Niemczech.

– Kiedy ostatni raz widziałeś się z nią?

– Pięć lat temu, gdy zostawiłem ciebie samą w Miami i szukałem tutaj domu dla nas. Byłem u niej tylko kilka godzin. Jest mężatką i ma dziecko. Nic…

– Wiem. Nie tłumacz się.

Z domu wypadły dzieci, przecierając wyspane oczy.

– Mamusiu, tam było jeszcze takie ładne pudełko. Zaraz przyniosę – Ev pobiegła do domu.

Podała Lee elegancką szkatułkę i wgramoliła się na jej kolana.

– Niesamowite! – Lee otworzyła wieczko i nachyliła się do ucha Michaela. – To są moje majtki! Moje majtki, które kazałam tobie ściągnąć ze mnie.

– I to pierwszego dnia.

– Chodź Michel do mnie. Pokażę wam wasze babcie – Lee przywołała syna.

Rozdział XXXVI

Dobre uczynki

Do końca dnia Lee nie mogła znaleźć sobie miejsca. Nadskaki-
wała Michaelowi, pytając, czy zrobić mu coś do picia, czy nie jest
głodny.

„No, szykuje się ciężka rozmowa" – zaświtało mu w głowie.

Gdy ułożyli dzieci do snu, usiadła mu na kolanach, przodem do
niego, i objęła go mocno. Nic nie mówiła.

– Wyduś to wreszcie z siebie.

– Zgódź się. Proszę, zgódź się.

– Ale na co mam się zgodzić?

– Powiedz „tak".

– Mówię nie, póki nie dowiem się, o co ci chodzi.

– Zaproś Martę do nas.

– Co ci przyszło do głowy?! Po co to nam?!

– Już ci dzisiaj powiedziałam. Muszę się zmierzyć z demonami,
które mnie nachodzą nocą. Chcę spać spokojnie. Dobrze się stało,
że dzieci odkryły fotografie. Wiem, to dzięki nim będzie mi łatwiej.
Popłaczę jeszcze kilka razy w dzień, ale w nocy będę spokojniej-
sza. Będą one moją terapią. Zamiast na leżance u psychoanalityka,
położę się przy tobie, przytulę, i razem będziemy oglądać i wspominać. Nie wiem, skąd pochodzisz i co kiedyś robiłeś. Dopiero

dzięki napisowi na grobie twojej matki dowiedziałam się, że z jakiegoś kraju w Europie. Dojdę do tego – pogroziła mu palcem. – Zaproś Martę z rodziną. Chcę poznać kogoś z twojej przeszłości i porozmawiać o tobie, o tym, co kiedyś robiłeś.

– Nie jest to dobry pomysł.

– Jutro masz to załatwić. Zrozumiano! – zatkała mu usta, żeby nie mógł zaprzeczyć.

– Nie zrobię tego – powiedział bez przekonania.

– Proszę cię. Proszę.

Nie uważał tego za dobry pomysł, ale następnego dnia zadzwonił na pocztę w Nimburgu i poprosił z panią Rilke. Po chwili przekazano telefon i usłyszał głos Marty:

– Słucham!

– To ty? – mimo upływu lat poznał jej głos. – Co tam robisz?

– Pracuję. Dorabiam na poczcie. Pomagam godzinę lub dwie dziennie. Trochę pieniędzy jest z tego. Nie przelewa nam się. A ty?

– Mieszkam we Francji, pod Béziers, niedaleko Montpellier. Moja żona znalazła twoją fotografię i chce cię poznać. Dzieci jej w tym pomogły. Zaprasza do nas na wakacje. Przyjedziesz?

Nie było odpowiedzi. Zapadła cisza w słuchawce.

– Jesteś tam?

– Nie mogę zostawić dziewczynek.

– Zaprasza was wszystkich. Przyjedź z całą rodziną. Weź też Gretę.

– To chyba nie najlepszy pomysł. Wie, co się zdarzyło w Hamburgu? Powiedz, czy to jest dobry pomysł?

– Z początku myślałem, że zły, ale spotkanie z tobą jest jej potrzebne. Przeszła równie dużo jak ty. Ja też chcę się z tobą spotkać.

– Wie, co zdarzyło się w Hamburgu?

– Nie. Powiedziałem Lee, że ci kiedyś pomogłem. Nic więcej. Opowiedziałem jej o naszym spotkaniu pięć lat temu.

– Bardzo bym chciała zobaczyć się z tobą i twoją rodziną, ale nie wiem, czy powinnam. Nie wiem, co odpowiedzieć. Ładna jest twoja żona? Masz dzieci? Musisz ją bardzo kochać. Ładny masz dom? A będziecie mieli czas dla nas? – paplała jak kiedyś.

– Nie zmieniłaś się. Nadal zadajesz dziesiątki pytań, nie czekając na odpowiedź. Rozumiem, że przyjeżdżacie. Przyślę ci pieniądze na podróż.

– Nie. Jeszcze mi zostały te, które mi dałeś. Podaj mi numer telefonu i swój adres, a oddzwonię i powiem, kiedy przyjedziemy.

– Na pewno oddzwonisz? – zapytał.

– Tak, jutro o tej porze.

Zadzwoniła następnego dnia i zapowiedziała swoją wizytę w sobotę, w następnym tygodniu. Gdy zapytał o szczegóły przyjazdu, o której, czym, zbyła go, mówiąc:

– Zjawimy się na miejscu przed obiadem.

Lee była podniecona spotkaniem z Martą i jej rodziną. Opowiedziała o wszystkim Colette i Christine. Chciały jej pomóc w przygotowaniach, ale podziękowała im, mówiąc, że tym razem zrobi to sama i zaprosiła je na obiad następnego dnia. Musiała mieć możliwość porozmawiania z Martą przy jak najmniejszej liczbie osób. Poprosiła jedynie o pomoc panią Charlotte, która pomagała jej w pracach domowych.

Od rana trwały przygotowania do spotkania. Sprzątanie, gotowanie, wypieki, nakrywanie stołu. Lee chciała, aby wszystko wypadło jak najlepiej.

Po trzynastej coraz bardziej zły Michael usiadł na tarasie, posadził obok siebie dzieci i czytał przyniesione przez nie książeczki. Lee, widząc jego minę, ostentacyjnie chodziła na paluszkach, przynosząc zimne napoje, owoce, różne smakołyki, pytając, na co jeszcze ma ochotę. Przechodząc obok niego, głaskała go po policzku, składała na nim całusy lub targała mu włosy.

– Doigrasz się – burknął. – Stłukę cię.

– Dobrze, kochanie. Bardzo się cieszę – uśmiechnęła się.

– W nocy stłuczesz mnie na miazgę.

– Tatusiu, tatusiu – pisnęły dzieci. – Dlaczego chcesz stłuc mamusię?

– Tatuś żartuje. Kocha mnie tak bardzo jak was. Dla was i dla mnie zrobi wszystko, naprawdę wszystko – uśmiechnęła się szelmowsko.

Chciał jej odpowiedzieć, ale podjechała taksówka z Béziers. Wysiadła z niej Marta. Otworzyła tylne drzwi, wypuszczając dwie małe dziewczynki w wieku sześciu i czterech lat, ubrane w jednakowe sukieneczki i sandałki, w kapelusikach na głowie, spod których wystawały rude warkoczyki. Można by było uznać je za bliźniaczki, gdyby nie różnica wzrostu i wieku. Kierowca wypakował z bagażnika dwie torby podróżne i dwa małe plecaki, a Marta podeszła do drzwi z drugiej strony i wyjęła nosidełko.

Michael poszedł w ich kierunku, niosąc na rękach Ev i trzymając za rękę Michela.

– Ładnie wyglądasz – powiedział, stawiając córkę na ziemi.

– Kłamiesz – zaczęła płakać. – Chciałam się ubrać w tę sukienkę, którą dostałam od ciebie, ale nie dałam rady wcisnąć się w nią. Zostawię dla córeczek.

– Mamusiu, dlaczego płaczesz? – zapytały jednocześnie dziewczynki.

– Bardzo się cieszę ze spotkania z tym panem – objęła Michaela, całując go w policzki. Dawno się z nim nie widziałam.

Podeszła Lee.

– Przepraszam. Nie mogłam się powstrzymać – podała rękę Lee. Lee przyciągnęła ją i przytuliła.

– A gdzie reszta rodziny? – zapytał Michael.

– To wszyscy – odpowiedziała Marta.

– Chodźcie do domu z tego słońca – zadysponowała Lee.

Zaprowadziła gości i domowników na taras pod markizy, podała napoje i przekąski przed spodziewanym niedługo obiadem. Rozpoczęła prezentację od siebie, podając imię – Lee. Pochwaliła się Michelem i Evelyn Lee, na którą wszyscy wołają Ev. Córeczki Marty przedstawiły się same, mówiąc razem, że mają na imię Aurelia i Claudia. Marta musiała dodać, że starsza to Aurelia, a młodsza Claudia. Wyjęła z nosidełka sześciomiesięczną Klarę, równie podobną do niej jak i starsze.

– A ten z pochmurną miną pan – to mój mąż, Michael – Lee przedstawiła małym gościom milczącego Michaela. – Nie bójcie się go. To sympatyczny i kochany mężczyzna. On bardzo lubi dzieci.

Michael uśmiechnął się, a po nim dziewczynki Marty i ona sama.

– Charlotte stawia zupę na stole. Proszę najpierw do łazienki, a potem do stołu. Choć, kochanie – zwróciła się do Marty. – Poprawimy rozmazany przez łzy makijaż.

W czasie obiadu dzieciom nie zamykały się buzie. Mówiły jedno przez drugie. Gorzej wyglądała konwersacja dorosłych. Michael prawie się nie odzywał. Marta na pytania dotyczące jej, a zadawane przez Lee, nie odpowiadała, zbaczając na inne tematy, chwaląc dom i potrawy stojące na stole, zagadując o winnicę, o dzieci. W trakcie obiadu przebudziła się Klara. Marta i Lee zabrały ją do pokoju, gdzie dziecko zostało nakarmione. Gdy wróciły, wszyscy przenieśli się do ogrodu. Rozmowa nadal się nie kleiła.

– Poproszę Charlotte o przygotowanie dwóch butelek mleka dla małej – Lee podniosła się i ruszyła w kierunku domu. – Wezmę parasolki, by nas chroniły przed słońcem, butelkę wody i pójdziemy we dwie, w siną dal, szczerze porozmawiać bez świadków, jak kobieta z kobietą, a Michael zajmie się dziećmi.

– Ależ… – Marta chciała coś powiedzieć.

– Nie martw się. Michael da sobie radę nawet z Klarą.

– Kochanie, za pół godziny, jak dzieci strawią obiad, rozbierz je i wrzuć do brodzika. Będziesz miał trochę spokoju – uśmiechnęła się – albo i nie. Przyślę ci tu Charlotte. Idziemy! – skinęła na Martę.

– Mogę? – Marta niespodzianie zapytała Michaela.

Kiwnął jej głową.

„Co ja najlepszego zrobiłem" – patrzył, jak idą w stronę winnicy. – „Uporządkowałem swoje życie. Mam piękną, kochającą żonę, wspaniałe dzieci. Dlaczego w porę nie zniszczyłem fotografii? Dlaczego pozwoliłem zaprosić Martę? Nie mogłem odmówić Lee. Nie jestem w stanie czegokolwiek jej odmówić. Tak musiało być. Lee jest mądra. Wszystko będzie dobrze".

Już cztery godziny ich nie było. Zaczynał się martwić. Wyciągnął dzieci z brodzika, powycierał i ubrał. Nie chciał szperać w torbach Marty, więc Aurelii i Claudii założył koszulki i spodenki

Michela. Były tym zachwycone. Poprosił Charlotte, aby zabrała dzieci do domu, a sam poszedł szukać. Już wracały. Spotkał je stojące przed bramą, prowadzącą do budynków winiarni. Lee poszła odprowadzić do kojca psa, który wybiegł na powitanie.

– Cały czas modliłam się, żeby ci się powiodło – powiedziała cicho Marta. – Wierzyłam, że tak będzie. Zasłużyłeś na to. Masz wspaniały dom, rodzinę, cudowną żonę i dzieci. Nawet nie wiesz, jak się cieszę. Kiedyś powiedziałeś, że masz ładną żonę. Ona nie jest ładna, ona jest piękna i do tego bardzo mądra. Nie spotkałam piękniejszej i mądrzejszej kobiety.

– Martwiłeś się o nas – Lee podeszła i wzięła go za rękę.

– Wracamy. Zagłodziłem dzieci na śmierć.

Kolacja, zabawy dzieci i rozmowy trwały do późnych godzin. Żadne z dzieci nie chciało iść do łóżka. Jedynie malutka Klara, nie zważając na panujący harmider, na przemian spała albo ssała pierś mamy, która nie zasłaniała się zbytnio w trakcie karmienia. Najbardziej zainteresowana tym Ev nie odchodziła wtedy na moment od Marty, starając się dojrzeć, jak maleństwo to robi.

Pomógł Lee przygotować dwa pokoje gościnne. Jeden dla Marty z Klarą, a drugi dla dziewczynek. Kiedy wrócili do salonu, Ev spała wśród zabawek. Michael zarządził marsz do łóżek.

Po kąpieli, zmęczony bardziej psychicznie niż fizycznie, położył się na łóżku, czekając na Lee. Wyszła nago z łazienki i usiadła na nim.

– Jest problem – stwierdził. – Będzie gadane. Nie mam już do ciebie sił. Co nowego wymyśliłaś?

– Mam dwie prośby – nachyliła się i pocałowała go. – Dwie małe prośby.

– Nie zgadzam się. W żadnym wypadku. To ponad moje siły – protestował.

– No dobrze. Na razie będzie tylko jedna prośba – rękę położyła na jego kroczu.

– Jak nie przestaniesz, to zrzucę cię na podłogę. W moim sercu już nie ma miejsca na dobre uczynki. Nie zgadzam się.

– Jesteś moim Aniołem? – zapytała.
Kiwnął głową.
– Mamy dwa Aniołki?
Potwierdził.
– To teraz zrobisz mi trzeciego – włożyła go w siebie.

Rozdział XXXVII

Klucz

Marta była coraz smutniejsza. Zbliżał się moment wyjazdu. Odkładała go za każdym razem na prośbę Lee. Na początku powiedziała, że przyjechały na dwa tygodnie. Mijał już kolejny. Dłużej nie mogła zwlekać, gdyż dziewczynki coraz bardziej przyzwyczajały się do Lee i Michaela, do ich dzieci i do tego wspaniałego miejsca. Wstydziła się korzystać z ich uprzejmości, mieszkać u nich, jeść i spać, wiedząc, że nie może w żaden sposób się odwdzięczyć. W zakłopotanie wprawiła ją Lee, gdy zabrała ją i starsze dziewczynki do Montpellier i kupiła dla dzieci kilka kompletów ubrań i buciki i nie zapomniała o najmłodszej. O niej też nie zapomniała. Nie chciała prezentów, ale Lee zrobiła to w tak subtelny sposób, że nie mogła odmówić.

Dni spędzone na plażach Morza Śródziemnego, widok baraszkujących w wodzie dzieci, zamiast radości wnosił w jej serce smutek. Ta chwila skończy się nieodwołalnie. Jeszcze kilka dni, a będzie musiała wrócić do miejsca, w którym nic nie miała.

Michael unikał jej. Dużo rozmawiała z Lee. Już pierwszego dnia powiedziała jej wszystko, a teraz chciała się wytłumaczyć przed Michaelem.

Michael obudził się. Był środek nocy. Lee siedziała oparta o wezgłowie łóżka. Patrzyła na niego. Poduszkę podłożyła pod plecy. Nocna lampa z jej strony była zapalona.

– Coś się stało? – usiadł obok niej. – Dobrze, że się obudziłem. Śniło ci się coś złego?

– Nie obudziłeś się sam. Szturchnęłam cię, abyś się obudził. Musimy teraz porozmawiać.

– Nie wytrzymam z tobą. Proszę, zgaś światło. Przytul się i śpij.

– Wysłuchaj mnie. Tylko teraz możemy spokojnie porozmawiać.

– Zamieniam się w słuch.

– Unikasz Marty jak tylko możesz. Prawie nie rozmawiasz z nią. Nie obawiaj się. Ona nic nie zepsuje. Mojej miłości do ciebie nic nie jest w stanie zniszczyć. Wiesz o tym dobrze. Pierwszego dnia na spacerze powiedziała mi wszystko. Naprawdę wszystko.

– Powinnaś pracować jako psychoanalityk albo szpieg – próbował zakpić. – Nie wierzę! Opowiedziała o swojej przeszłości?

– Powiedziała mi wszystko. Wiem wszystko i nawet to – zawahała się – że w Hamburgu mieliście tylko jedno łóżko. Wiem co tam...

– Zadzwonię po taksówkę, spakuję je i każę wywieźć do hotelu w Montpellier! – powiedział z wściekłością w głosie. – Teraz, w nocy!

– Nie krzycz. Uspokój się – położyła mu rękę na ustach.

Odsunął ją, lecz Lee przywarła ustami do jego warg, mówiąc:

– Cicho!

– Nie uciszaj mnie!

– Wysłuchaj mnie do końca, a potem zadecydujesz – odsunęła się od niego.

– Marta oprócz dzieci nie ma nikogo. Gdybyś z nią rozmawiał, dowiedziałbyś się. Greta nie żyje. Mąż Marty zmarł ponad rok temu, przed urodzeniem Klary. Nie widział dziecka. Długo chorował. Miał wypadek w pracy. Marta wszystkie pieniądze wydała najpierw na leczenie Grety, później męża, a wcześniej na spłatę długów. Teraz jest sama. Dostaje jakieś pieniądze na dzieci i dorabia na poczcie. Mieszkanie wynajmuje. Ma dostać jakieś z gminy, ale myślała o wyprowadzce z Nimburga. To, z czym przyjechała do nas, to wszystko, co ma. Nic jej nie zostało. Pieniądze, które otrzymała od ciebie, jej mąż zainwestował niefortunnie. Mogła sobie pozwolić na przyjazd do nas tylko dlatego, że miała tańsze bilety kolejowe.

Zaczerpnęła powietrza.

– Opowiedziała mi wszystko o was, o ojcu, o tym policjancie, o swojej matce. Ona przez kilka lat nie wymieniła twojego imienia. Powiedziała, że mogła tylko tyle mówić, na ile jej pozwoliłeś. Czy zauważyłeś, jak chciałam ją zabrać na spacer, to spytała ciebie, czy może iść ze mną? Wiem, że nic nie ukryła przede mną. Musiała po tylu latach komuś się zwierzyć. Chciałaby z tobą porozmawiać, ale ty tylko burczysz na nią. Bądź inny dla niej. Bądź dla niej miły.

– Myślałem, że zakopałem swoją przeszłość, ale ona wraca do mnie jak bumerang. Całe życie marzyłem, żeby mieć wspaniałą żonę, gromadkę dzieci i siedzieć z nią na tarasie domku na południu Francji, trzymać ją za rękę i patrzeć jak maluchy baraszkują w trawie. Pić z ukochaną wino, patrzeć jej w oczy i od czasu do czasu krzyczeć do dzieciaków – nie psoć, nie przedrzeźniaj brata, nie ciągnij siostry za warkocz. Mam to, a ty teraz każesz mi wszystko zburzyć. Nie wiesz, co ja złego w życiu zrobiłem. Co ja zrobiłem, żeby mieć ciebie. Będę się za to smażył w piekle. Nie żałuję tych wszystkich, którzy chcieli zrobić krzywdę tobie i Marcie. Jeśli ktoś podniesie na ciebie i dzieci rękę, nie zawaham się zrobić tego ponownie, ale dręczy mnie sumienie, że robiłem rzeczy złe, że zabiłem niewinnego człowieka. Nie wiem, dlaczego los postawił mi go na mojej drodze. Gdybym tego nie zrobił, nie byłoby mnie na Rio Blanco. Nie byłoby ciebie. Moe dokończyłby dzieła. Nieraz myślę, że gdybym mógł wybierać, nie zawahałbym się. Zabiłbym i jego, i wielu innych, abyś mogła żyć. Będę się za to smażył w piekle…

– Nie pójdziesz do piekła. Musisz być cały czas ze mną – przerwała mu. – Ja i Marta klękniemy przed Bogiem i wybłagamy dla ciebie małą chmurkę tam na górze przy nas, a jak nie, to zejdziemy do piekła bronić cię – uklękła na łóżku. – Ale dlaczego tak miałoby się stać? Nie znam lepszego człowieka. Marta powiedziała, że dzięki tobie ma wszystko, co mogła dostać od życia. Trzy wspaniałe córki i własne życie. Nic więcej nie chce. Wiesz, co jeszcze? Że nigdy nie uda jej się spłacić zaciągniętego u ciebie długu. Ja też nigdy nie spłacę swojego.

Nie dała mu nic powiedzieć.

– Pozwól, aby Marta z dziećmi zamieszkały tutaj na dłużej. One naprawdę nie mają nikogo. Gościnny domek stoi pusty. Pomoże mi w domu – spojrzała na jego ponurą minę. – Albo, to będzie lepsze – chciała go udobruchać – pomoże Colette w firmie winiarskiej, a nasze dzieci będą miały blisko koleżanki.

Patrzyła na niego, a gdy nie odpowiadał, dodała:

– Mogą później zamieszkać w Béziers. Załatwię im coś w mieście.

– Miałem, przepraszam, mieliśmy uporządkowane życie. Ty chcesz teraz je zburzyć. Nie zgadzam się. Nie przekonasz mnie – położył się i odwrócił na bok. – Proszę, nie mów już o tym.

– Michael!

– Skończyłem. Nie rozmawiamy więcej o tym – rzucił opryskliwie. – Nie odzywaj się!

Słyszał jak Lee ciężko oddycha. Słyszał jak płacze, ale nie odwrócił się do niej. Chciał ją przeprosić, lecz coś go powstrzymywało.

– Głupia duma – pomyślał i przyrzekł sobie nigdy więcej nie podnosić głosu na Lee.

Martę obudził podniesiony głos Michaela. Sądząc, że coś się stało, podeszła pod drzwi ich sypialni. Usłyszała wszystko. Wróciła ze łzami w oczach i postanowieniem, że następnego dnia wyjedzie.

Rano Lee wstała szykować śniadanie. Michael nie ruszył się z łóżka. Myślał o tym, co mu powiedziała Lee. Słyszał krzątaninę w kuchni i głosy dokazujących dzieci. Ciche rozmowy dorosłych i szum wody w czajniku.

Lee stanęła w drzwiach.

– Michael, wstawaj, śniadanie na stole.

Nie odezwał się. Lee wróciła do kuchni. Usłyszał przytłumione głosy i za chwilę tupot drobnych stóp.

„To cwaniara – zdążył ledwo pomyśleć, gdy do łóżka wpadła Ev – przysłała dziecko".

– Idziemy na śniadanie – ciągnęła go za rękę. – Masz szybko wstać.

Zrzucił pościel, wziął Ev na ręce.

– Jesteś głodna?

Wszedł do jadalni. Wszyscy siedzieli za stołem. Dzieci dokazywały i przekrzykiwały się. Lee wodziła za nim wzrokiem z tą swoją zalotną miną, którą tak lubił, starając się go udobruchać.

– Przepraszam – powiedział.

– Wiesz, że nie gniewam się na ciebie.

– Kocham cię – powiedział jej do ucha.

Marta siedziała smutna, co raz zerkając na niego. Nie wyglądała dobrze z zapuchniętymi od płaczu oczyma. Nad wszystkim górował głosik Aurelii:

– Michel! Nas, kobiet, jest tu więcej, więc musisz nas słuchać, a pan niech nie spóźnia się na śniadanie – Marta nie zdążyła zatkać jej buzi.

– To nie do wytrzymania – jęknął Michael – i to w moim domu. Sześć podłych kobiet i tylko dwóch biednych mężczyzn. Michel, pakuj się. Wyjeżdżamy na koniec świata, na Borneo – spojrzał na Lee.

– Tatusiu – zapiszczała Ev – weź mnie ze sobą... i mamusię.

– I mnie też – Claudia podbiegła do niego i ciągnąc go za spodenki dodała – i mamusię, i Klarę, i Aurelię, jak będzie grzeczna.

– Wezmę was wszystkich, gdy zjecie śniadanie. Na Borneo jest bardzo daleko. Lee tam się wybierała, ale nie dojechała.

Śniadanie było smutne. Wszyscy spoglądali na Martę, której łzy kapały na kanapkę z bekonem i pomidorami, na naleśnik z serem, owocami i sosem truskawkowym, do szklanki z herbatą.

Po śniadaniu Marta poprosiła dzieci, aby wyszły do ogródka.

– Nie wiem, dlaczego jesteś zły na mnie. W nocy słyszałam całą waszą rozmowę. Ja nie chcę niczego ci zniszczyć. Cieszę się, że znalazłeś szczęście. Ja też je znalazłam. Moje szczęście jest tam – wskazała na ogród. – Nie chcę nawet kawałka czyjegoś. To, co mam, mi wystarczy. Kocham was oboje, a za ciebie oddałabym życie. Nie bój się, nic ci nie zniszczę. Wyjeżdżamy dzisiaj. Zaraz powiem to dzieciom.

Chwilę milczała.

– Nigdy i nikomu nie powiedziałam, co się wydarzyło, ale Lee musiałam się zwierzyć i dałam jej klucz od mojej skrytki. Nadszedł czas, abym ją otworzyła. Wiem, że jesteś z tego powodu zły. A komu miałam ją otworzyć? – powiedziała ze łzami w oczach. – Nie mogłam i nie chciałam nic zataić. Nie chciałam niedomówień. Tylko tak Lee mogła mnie właściwie ocenić.

Wstała.

– Idę po dziewczynki. Spakujemy się i wyjeżdżamy. Nie chcę, abyście mieli ze mną problem. Jestem nikim, abyście musieli kłócić się o mnie.

Michael nie odezwał się. Patrzył na nią.

– Michael, powiedz coś – poprosiła Lee.

Podeszła do drzwi balkonowych i domknęła je. Dzieci stały na zewnątrz, z nosami przyklejonym do szyby, przeczuwając, że dzieje się coś niedobrego.

– Michael, ja ciebie kocham i nic tego nie zmieni. Nie możemy wszystkiego wykreślić z naszej przeszłości. Sam powiedziałeś, że w podróż sentymentalną udamy się dopiero za dwadzieścia lat. Chcę dla nas trochę przeszłości tu na miejscu. Tak będzie dla nas najlepiej – na chwilę przerwała. – Michael, powiedz coś!

– Poproszę męża Charlotte o pomoc w przygotowaniu domku gościnnego. Pojadę z nim kupić łóżeczka dla dziewczynek. Później, już razem, dokupimy potrzebne rzeczy. Poproszę Charlotte, aby przychodziła codziennie pomagać przy dzieciach. Marta będzie pracowała w firmie, jeśli Colette się zgodzi. Jak nie, to coś wymyślimy dla niej.

– Chyba wiesz, dlaczego cię tak bardzo kocham – Lee objęła go.

– Bo potrafisz okręcić mnie wokół najmniejszego palca – pokiwał głową.

Marta podeszła, wzięła jego rękę i pocałowała. Chciał ją wyrwać, ale nie puściła.

– Nie zawiedziecie się.

Rozdział XXXVIII

Wyznania

Lato zbliżało się do końca. W winnicy było coraz więcej pracy. Colette po przeprowadzonych rozmowach z Martą zgodziła się zatrudnić ją na próbę. I tak już zostało. Na zmianę, co drugi dzień, pracowały w biurze w Béziers, na które przebudowali mały pensjonat. Firma prosperowała coraz lepiej, przynosiła zyski, zatrudniono więcej pracowników, gdyż oprócz eksportu wina rozpoczęto jego import z Chile i Australii. Colette była zadowolona, bo teraz miała więcej czasu dla dzieci Lee i swojej przyjaciółki Christine. Często wpadała do niej poznęcać się nad Florią, która mimo urodzenia dwójki dzieci nie zmieniła się i nadal zadzierała nosa. Pokorniała tylko na widok Lee. Pani notariusz nie miała zbyt dużo pracy, ale nie narzekała na brak gotówki. To, co zarabiała, co przesyłał jej z Paryża niewierny mąż, chcąc jej zrekompensować swoją kolejną kochankę, i co przynosiły jej udziały w firmie winiarskiej, wystarczało na dostatnie życie. Gdy tylko Colette kończyła wymieniać uprzejmości z Florią, zwracając jej uwagę, że pora na silikon, bo jej biust zwiotczał, albo że przytyła w pupie po dzieciach, panie szły na kawę, na zakupy lub jechały do Lee przekazać najnowsze plotki i pobawić się z dziećmi. Dużo czasu spędzały w ich domu, a ostatnio były gośćmi prawie każdego dnia.

– Coś kombinują – stwierdził Michael, widząc, jak ciągle naradzają się z Martą, wodzą wzrokiem za Lee, zadają jej i jemu podchwytliwe pytania.

– Ja też nic nie wiem – uspokajała go Lee. – Będzie dobrze. Nie martw się.

W piękne niedzielne przedpołudnie Marta chodziła podminowana. Bez przerwy łapała za telefon komórkowy i dzwoniła, odchodząc na bok, aby nie słyszeli rozmowy.

– Co się dzieje? – spytała Lee.

– Colette i Christine zapowiedziały się na wczesny obiad i nie przyjeżdżają.

Nie wpuściła Lee do kuchni. Dzieci też wygoniła z domu. Dostęp miała tylko ona i Charlotte z siostrą, które poprosiła o pomoc, i mała Klara karmiona piersią. Zapachy z kuchni rozchodziły się na cały dom, taras, ogród i dochodziły do nosków dzieci, które wietrzyły niespodziankę.

Wszystko zostało zrobione, gdyż pomocnice Marty odjechały, a ona, dzwoniąc po raz kolejny, złościła się, uderzając ręką w stół.

– Zamorduję te baby.

Wreszcie pojawił się samochód. Colette i Christine wyjęły z niego wielką paczkę, wniosły do domu i wyrzuciły na zewnątrz natrętne maluchy. Michael i Lee, nic z tego nie rozumiejąc, siedzieli na tarasie, obserwując zamieszanie.

– Co one wyprawiają? – zapytał Michael. – Burczy mi już w brzuchu.

– Podoba mi się to. Zbliża się pora obiadowa, a ja nic nie robię – odpowiedziała Lee.

– To może pojedziemy do Montpellier coś zjeść, jeśli nie możemy dostać się do własnej kuchni?

Zostali poproszeni na obiad. Ciekawiło wszystkich stojące na podłodze duże pudło. Dzieci korciło otwarcie go, już łapały za kokardę, ale Marta pogroziła im palcem.

– Najpierw do stołu.

Po obiedzie organizatorki imprezy wyniosły z kuchni wielki tort wiśniowo-czekoladowy, przystrojony na górze dziewczyną i chłopcem z marcepanu, siedzącymi naprzeciwko siebie i spoglądającymi sobie w oczy.

– Piękny! Jaki śliczny! – zachwyciła się Lee. – A to z jakiej okazji?

– Nigdy nie obchodziliście imienin – odpowiedziała Christine.

– Od dzisiaj będą w tym dniu. Teraz po kawałku tortu i rozpakujemy prezenty.

Tort był wspaniały. Umorusane od stóp do głów na wiśniowo i czekoladowo dzieci prosiły o dokładkę. Michael nie odmówił kolejnej. Po zmyciu z maluchów świadectwa wspaniałej uczty i przebraniu co większych łasuchów, przeszli do salonu. Colette podała Michaelowi dużą kopertę przewiązaną wstążką. Otworzył i wyjął z niej dokumenty.

– To wnioski, które złożycie ubiegając się o francuskie obywatelstwo. Christine wszystko załatwiła. Wystarczy podpisać. A to dokumenty do podpisania i złożenia w kościele. W przyszłą sobotę będzie wasz ślub. Wiemy, że go nie macie i proszę nie protestować.

Pod Lee ugięły się nogi. Z wrażenia uklękła na podłodze. Nie mogła wydusić z siebie słowa.

– Ja, ja... – Marta pomogła jej usiąść w fotelu. – Ja, nie wiem... – i popłakała się ze szczęścia.

– Nie możemy, bo... – protestował Michael.

– Nie gadaj głupot – przerwała mu Colette. – Czy ja wyglądam na idiotkę? Wszystko jest załatwione. Przed ślubem jest spowiedź. Będziecie się spowiadać przed Bogiem, przy ołtarzu, a nie przed księdzem, tak można. Podpowiedział nam to fajny, młody ksiądz z Polski. To on będzie wam udzielał ślubu. A ty, mała, rozpakuj swój prezent – podała jej wielkie pudło.

Lee wyjęła z niego piękną białą sukienkę ślubną i długi welon.

– Przerobiłyśmy ją z mojej. Szłam w niej do ślubu z Renaudem. Przymierz, czy pasuje. Może trzeba będzie zrobić większy luz na twój już widoczny brzuszek. Co sobie myślałaś? Stare baby nie zauważą? Dlaczego nie powiedziałaś?

– Nie chciałam zapeszyć – Lee zarumieniła się.

Poszła z Martą i Christine dopasowywać sukienkę przed lustrem w sypialni. Dzieci pobiegły za nimi. Michael usiadł przy Colette i podał jej drinka.

– Zauważyłem, jak coraz lepiej dogadujesz się z Martą. Na początku nie akceptowałaś jej. Ja też miałem wątpliwości, ale chyba dobrze, że została.

– Porozmawiałyśmy szczerze. Powiedziałam jej delikatnie...

– Znam twoją delikatność. Floria, jak cię widzi na ulicy, to przechodzi na drugą stronę. Co jej powiedziałaś?

– Porozmawiałam z nią – Colette wzruszyła ramionami. – Posadziłam na krześle tak, jak to nieraz pokazują w gangsterskich filmach i usiadłam naprzeciwko niej na drugim. Powiedziałam jej, że jak ci wlezie do łóżka lub wpuści cię do swojego, to ją zabiję i osierocę jej dzieci. Przysięgłam, że to zrobię.

– I co dalej? – dusił w sobie śmiech.

– Zaniemówiłam, gdy odpowiedziała, że mnie się nie boi. Wstałam, aby dać jej po buzi. Nim mi wrócił głos, dodała, że nie uczyni tego, ale nie dlatego, że mogę jej coś zrobić, ale ze względu na Lee, wasze dzieci, a przede wszystkim z miłości do ciebie, gdyż dla niej twoje szczęście jest więcej warte niż jej życie. Pomyślałam, jaka ona jest głupia. Jak można kochać mężczyznę i nie próbować iść z nim do łóżka?

– Może tak można – wtrącił Michael.

– Gdybym była młodsza, to sama... – uśmiechnęła się.

– Naprawdę?

– Co ty dla niej zrobiłeś – spojrzała na niego – i dla Lee, że są gotowe iść za tobą w ogień? Jak będziesz potrzebował narządu do przeszczepu, odpukać, to poproś Martę. Nie odmówi. Nawet serce da. Tak mi powiedziała. Jak one cię kochają.

– Uratowałem jej życie, a ona mnie.

Pomyślał o dokumentach z jego zdjęciem, które Marta miała w kopercie i co by się z nim stało, gdyby poszła na policję zamiast do niego.

– Ona nawet nie wie, że dzięki niej jestem tutaj.

– Masz fascynującą przeszłość. Opowiesz mi kiedyś?

– Wyjaw mi jeszcze – zmienił temat – co zrobiłaś Christine, gdy chciała ci odbić męża?

– Kiedyś wróciłam niespodzianie do domu. Renaud stał w salonie, a Christine wkładała mu rękę w spodnie. Widziałam, że nie chciał, albo mi się tak zdawało. Złapałam ją za włosy, odciągnęłam od niego i strzeliłam w papę. Poprawiłam jeszcze raz. Wpadła na lustro, rozbijając je w drobny mak. Krew pociekła jej z nosa na piękną sukienkę, którą założyła dla mojego męża. Osunęła się na podłogę. Zrobiło mi się jej żal. Podniosłam ją i przytuliłam. Później spłakałyśmy się i upiłyśmy, a Renaud położył nas pijane do jednego łóżka, bo już byłyśmy nierozłącznymi przyjaciółkami. Nigdy więcej nie dostawiała się do niego. Do dzisiaj ją kocham.

– Ale ostrzegam cię. Gdy zobaczę jak flirtujesz z Martą albo ona z tobą, to ją zatłukę.

– Nie wierzę.

– Uwierz mi. Traktuję ciebie jak syna, a Lee jak córkę. Moje mnie zostawiły, nie mają nawet czasu zadzwonić na imieniny do matki. Mam teraz dwoje dzieci, ciebie i Lee, i nie pozwolę nikomu skrzywdzić żadnego z was.

– Nie zrobię tego nigdy – przytulił ją.

– Mężczyznom nie należy wierzyć. Masz taki skarb w domu. Nie strać go.

Rozdział XXXIX

Ślub

W sobotnie późne popołudnie stał przed ołtarzem, spoglądając w stronę drzwi. Nie przypuszczał, że tyle osób przyjdzie.

Christine, Colette, Marta, kilkunastu pracowników winiarni i firmy z żonami i mężami, sąsiedzi i chmara dzieci czekali na Lee, którą wprowadzał najstarszy z nich, Pierre Jordier, wyznaczony na ojca panny młodej, po wielkich targach i prawie awanturach, gdyż każdy chciał prowadzić do ślubu tak śliczną pannę młodą.

Lee wyglądała przepięknie w białej sukni i długim welonie niesionym przez Aurelię, Claudię i Ev w środku. Gdy stanęła obok niego, zaparło mu dech w piersiach.

Powtarzał po księdzu:

– Ja, Michael, biorę sobie Ciebie, Ann Lee, za żonę i ślubuję Ci miłość, wierność i uczciwość małżeńską, oraz że Cię nie opuszczę aż do śmierci. Tak mi dopomóż, Panie Boże Wszechmogący, w Trójcy Jedyny, i Wszyscy Święci.

Po chwili usłyszał głos Lee:

– Ja, Lee, biorę sobie Ciebie, Michaelu, za męża i ślubuję Ci miłość, wierność i uczciwość małżeńską, oraz że Cię nie opuszczę aż do śmierci. Tak mi dopomóż, Panie Boże Wszechmogący, w Trójcy Jedyny, i Wszyscy Święci.

Spis treści